U0906075

浙江历史人文读本

江山风情

主编 张伟斌
执行主编 陈野

汤敏 刘俊峰 著

浙江出版联合集团
浙江古籍出版社

序　言

中共浙江省委书记
浙江省人大常委会主任　夏宝龙

浙江是中国古代文明的发祥地之一，素有“文物之邦”之称，历史悠久，文化灿烂。数千年绵延不绝的历史积淀，构筑起悠久厚重的历史文化传统，汇聚成我们今天取之不尽、用之不竭的智慧宝库。浙江人民传续至今的爱国情怀、求真理念、务实本质、开拓精神、顽强意志、勤勉品性，是中华民族优秀品质的有机因子；浙江社会曾经承受的自然灾祸、战火硝烟、内忧外患，是中国人民沧桑磨难的共同记忆；浙江大地不屈不挠的卓绝抗争、革故鼎新、砥砺奋进，是民族伟业不朽华章的璀璨篇幅。

读史可以明智，知古方能鉴今。历史是一个民族和一个国家形成、发展及其盛衰兴亡的真实记录，是前人各种知识、经验和智慧的总汇。读一点历史，汲取人类积淀的思想精华，可以帮助我们清心明智；学一点历史，掌握社会发展的基本规律，可以帮助我们明辨方向；用一点历史，回顾中华文明的灿烂辉煌，可以激发我们共筑共圆中华民族伟大复兴“中国梦”的豪情壮志。对领导干部来说，读历史、用历史显得尤为重要。前贤先烈的品德情操、多难兴邦的执著奋斗、治国理政的经验教训，值得我们认真学习、深入思索，以之为镜、资治辅政。正因如此，习近平总书记多次强调领导干部要读点历史。他指出："领导干部不管处在哪个层次和岗位，都应该读点历史，通过学习历史不断深化对人类社会发展规律、社会主义建设规律和共产党执政规律的认识，不断丰富自己的历史知识，这样才能使自己的眼界和胸襟大为开阔，认识能力和精神境界大为提高，使自己的领导工作水平不断得以提升。"

历史文化只有走近今天、走向大众，才能更好地传承和弘扬。浙江省社会科学院作为我省从事哲学社会科学研究的综合机构，组织编写"浙江历史人文读本"丛书，是推动浙江历史大众化、普及化的探索和创新，是建设文化强省的实际举措。该丛书八个分册，系统梳理、精心选取了浙江历史上有重大意义、重要成就、突出影响、鲜明特色的精华材质，内容翔实丰富，具生动性又不失真实性，具通俗性又不失学术性，是活化浙江历史的精品力作，是了解浙江人文的"百科全书"。希望大家抽出时间来看一看这套丛书，爱历史、学历史、知历史、用历史，在共筑共圆"中国梦"的征程中，留下我们无愧于先人、造福于后世的浓墨重彩。

2013 年 4 月 2 日于杭州

导言：构建公众视野中的历史世界

历史是曾经鲜活的生命、已然过往的生活、陶炼积淀的业绩，是纷繁的思绪、驳杂的心境、丰富的情感。它们随时间的流逝，翻落进文明的深处，累生而成一个我们谓之为“传统”的世界。在那里，思想的绿树常青，智慧如繁花盛开，气象万千，人文璀璨，厚重而灿烂。

然而，对于这样一个已成往昔的世界，如果我们不回首，便不得见。因为它在我们匆匆前行的身影后面，绚烂之极，归于平淡；它在远离我们当下人生的时间彼岸，兀自静默，莫能与语。

回望历史，是一种人性的光辉，因为它是对先人的礼敬；是一种博大的胸怀，因为它是对文化的包容；是一种理性的力量，因为它是对规律的揭示；是一种勇敢的担当，因为我们探究来路的目的，是为了更加坚定地走向未来。

因此，我们愿意站在今天的浙江，做一个历史的眺望者，穿梭万年的时空，打量这块土地上连绵不绝、波澜壮阔的前尘往事；做一个历史的梳理者，秉持理性的烛火，将沉落于往昔世界的影像重投于时间的光影之墙；做一个历史的思考者，博学审问、慎思明辨，探寻其与当下社会的关联；更重要的是，做一个历史的传播者，让历史走出尘封的书海和学者的案头，走向社会大众，让来自历史的智慧，充实心灵的世界，照亮今天的生活。

一、浙江大地承载着深厚的历史传统和光辉的文化精神

2006年，时任中共浙江省委书记习近平在为《浙江文化研究工程成果文库》所作总序中指出："千百年来，浙江人民积淀和传承了一个底蕴深厚的文化传统。这种文化传统的独特性，正在于它令人惊叹的富于创造力的智慧和力量。"浙江历史的变迁和文化传统的形成，并非同一文化要素的简单累加和重复，而是在其精进图强的历史步伐中，通过开拓创新的创造活动得以实现，并因此自然地生发出十分鲜明的勇于开新造大、敢为天下先的文化价值取向，且已成为浙江文化传统中最具地域特色的精义。如果我们深入地去探究，可以看到如下种种鲜明的文化特征。

1. 在浙江的文化精神中，充溢着捍卫主权、反抗侵略的爱国主题

"夫越乃报仇雪耻之乡。"在浙江历史上，爱国主义是浙江文化的生命线，捍卫主权、反抗侵略、抵御外侮是浙江人民的优秀传统。在爱国主义价值观的哺育下，爱国英雄们在国族危难、大厦将倾之时，有的挺身而出，最终以身殉国；有的在重重困难之中，不放弃信念和理想，知其不可而为之。陆游"位卑未敢忘忧国"；于谦为了力挽狂澜于既倒，不惜牺牲一己的仕途乃至生命；抗倭名将戚继光在浙江招募和训练"戚家军"，在台州九战九捷，平定倭患。近代浙江人民在反封建反侵略斗争中前赴后继，可歌可泣。鸦片战争中壮烈

殉国的“定海三总兵”彪炳千秋；“鉴湖女侠”秋瑾“夜夜龙泉壁上鸣”的诗句，激励了无数中华儿女以天下兴亡为己任；嘉兴南湖上的红船，刘英、张秋人、俞秀松、宣中华等革命烈士的舍生取义，更彰显了在中国共产党领导中国人民开展的谋取民族独立、国家解放、人民幸福的革命斗争中浙江儿女的光辉业绩。这些浙江先贤刚健有为、坚贞不屈的崇高气节，谱写了中华民族爱国主义正气歌中的华彩乐章。

2. 在浙江的文化精神中，蕴含着求真务实、经世致用的本质内核

求真务实是浙江文化的本质内核，它贯穿于浙江历史发展的每一个时期，深刻影响着当代浙江人的行为模式和思维方式。求真务实蕴涵着科学求真。越王剑、通济堰、捍海塘、秘色瓷、印刷术、钱江桥，都是浙江科技史上的光辉成就；毕昇、杨辉、李之藻、李善兰、茅以升，都是浙江科技史上的著名人物。其中，最为人所称道的，当推北宋沈括及其《梦溪笔谈》。英国学者李约瑟将沈括称为“中国整部科学史中最卓越的人物”，《梦溪笔谈》则是中国科学史的里程碑。求真务实蕴涵着思想求真。东汉王充对当时散布虚妄迷信的谶纬之学、虚论惑众的经学之风的严厉批判和抨击，明代王阳明对理性自由和人性解放的要求，晚清章太炎“学所以经世，固非空言著述”的主张，无一不是浙江文化精神中“追求真理”“实事求是”本质内核的体现。

经世意识在浙江文化中有突出的表现。例如以陈亮为代表的永康学派，反对朱陆空谈义理和心性，提出修实政、行实德、建实功、改革社会、变弱致强的主张；近代佛学大师太虚、印顺回溯佛法本源，积极推进佛教革新。

这种独特的一脉相承的经世致用思想，体现了传统知识分子以思想、学术、知识认识改造世界的不懈努力和价值关怀，是浙江对中国文化的独特贡献。

3. 在浙江的文化精神中，聚合着义利双行、达观通变的商业伦理

义利文化观是浙江历史文化精神的一大特色。宋代以叶适为代表的永嘉事功学派倡导“义利双行”，用道德伦理引导对现实功利的追求，用现实功利检验主体对价值观、道德信仰理解的有效性。“义”与“利”由此成为辩证统一的有机体。在这种“义”“利”文化观的熏陶下，浙江人及其商业活动，用经营生产造福社会；同时又以“道义”规范经营生产行为，保持了悠久的“讲信修睦”的传统，哺育出许多誉满海内的老字号、老品牌。

“义利双行”的商业伦理观念，给浙江人带来了达观通变的经济发展理念和市场行为。宋元以后盛行浙地的长途贩运，使浙江成为当时全国客商趋之若鹜的货物集散地，增进了区域之间的经济交流，扩大了商品流通，促进了商人货币资本的大规模积累。明代中叶以后，雇用大量工人的手工作坊与手工工厂在浙江普遍出现，促进了市镇自由劳动力市场的形成。它们虽不足以定论为资本主义的萌芽，但无疑是对传统生产关系的变革，是对我国长期处于封闭状态的传统自然经济具有历史意义的重大突破。

4. 在浙江的文化精神中，闪烁着批判自觉、创新开拓的理性智慧

浙江是历史上盛产具有创新精神的思想大师之地。我们可以毫不夸张地说，浙江文化的思想创新，多次起到了“导夫先路”的先锋作用。陈亮、叶

适的事功之学，王阳明的心学，黄宗羲的政治学说，章学诚的“六经皆史”之论，龚自珍的变革启蒙思想等等，都是浙江文化富于创新性的表现。被誉为“清初三大思想家”之一的黄宗羲，猛烈批判和否定整个封建君主专制制度，破天荒地喊出了“为天下之大害者，君而已矣”的口号，提出了用“天下之法”代替君主“一家之法”的法律平等思想、“人各得自私自利”“贵不在朝廷，贱不在草莽”的人权平等原则以及近似近代议会民主的政治理想。在明清之际的中国，可谓空谷足音。其大无畏的批判精神和创造性的思想贡献，成为清末维新志士的思想法宝，也是现代革命者用以反对、批判封建专制制度的精神武器，启迪和影响了浙江的近代化进程。

作为新文学运动的奠基人和五四新文化运动的主将，鲁迅敢于直面惨淡的人生，对吃人的封建礼教和制度作猛烈地揭露和批判，进行不屈不挠的斗争；勇于以社会批评和文明批评为己任，以一生精力和独立人格进行充满韧性的奋斗和努力，为浙江文化传统增添不屈的风骨、独立的人格、批判的精神和自辟新路的理念与勇气。他不仅为中国文化开拓了新路，也为家乡人民留下了一份创新进取的宝贵思想财富。

5. 在浙江的文化精神中，融铸着兼容并蓄、自强自立的个性品格

凭借濒临大海的地理优势，浙江文化在持续的中外文化交流中逐渐成熟，培养出兼容并蓄的海洋个性。我国古代早期对外交流以贸易为主，浙江生产的茶叶、丝绸、青瓷等物品成为文化向外输出的物质载体，进而带动人与文化的交流，既引导了外部世界对中国文化的认知，也是浙江文化自我更新、

自我丰富的重要途径。马可·波罗、利马窦、卫匡国、马戛尔尼等西人纷纷来到浙江，天台山佛教文化、径山茶文化、温州华侨、留日学生群体等等，都是浙江文化走出去的典型。

兼容并蓄并不意味着主体性的缺失，自强自立同样是浙江的品格。自然资源稀缺的压力，让浙江人具有强烈的危机意识，肯定个体的独立、欲望与利益，崇拜竞争拼搏、不等不靠、自我奋斗的精神。发轫于南宋、鼎盛于清乾隆年间的“龙游商帮”，凭借不畏艰难、自强自立的精神，“多向天涯海角，远行商贾”，人称“无远弗届，遍地龙游”，为浙西南的经济崛起作出了巨大贡献。这种“虽千万人吾往矣”的“拼劲”、一往无前的“冲劲”、无孔不入的“钻劲”,与中国传统文化的个体“义务”本位、儒家文化的“温良恭俭让”、老庄哲学的“夫唯不争，是以不去”等等主流思想，有着极大的区别，是对中国文化传统的一种很好的补充与丰富。

6. 在浙江的文化精神中，体现着澄怀观道、现实关切的审美情操

浙江是一块洋溢着文学才情、艺术灵性的土地，王羲之、骆宾王、赵孟頫、黄公望、徐渭、吴昌硕、郁达夫等等，都是在中国文学艺术史上具有熠熠光彩的著名人物。他们在诗词、书法、绘画、小说、戏剧、建筑、工艺、文艺理论等各个领域，都撰有开一代新风的里程碑式作品，百代标程，至今传颂。

中国文艺传统讲究“文以载道”。综合起来看，这个“道”，既有儒家美学讲求的仁、爱、礼、义，“善美一体”的伦理德性之道，也有道家追求虚

静简远的任顺自然之道、玄学任性率真的个性放逸之道，还有现实生活层面对时代潮流、社会变革、世道人心、国计民生的人文关切之道。浙江的文学艺术很好地体现了中国文艺独特之“道”的各个方面。王羲之等魏晋士人洒脱旷达的艺术境界，黄公望等文人画家的山水情怀，龚自珍《已亥杂诗》对制度的批判、国运的担忧、思想的启蒙，抗战文艺的蓬勃兴旺，兰溪诸葛八卦村、浦江郑氏义门、俞源太极星象村等古村落的建筑形制，都向我们展示了浙江文化艺术的深厚内涵。她既在哲学思辨的境界里升华，澄怀观道，为中国文艺传统提炼和奉献了众多具有中国特色的美学概念、范式、结构形式、表现手法，又在现实生活的沃土中扎根，观照现实，直面人生。

7. 在浙江的文化精神中，孕育着天人合一、人我共生的人文情怀

浙江文化既能够“登山则情满于山，观海则意溢于海”，与和风细雨的大自然和谐相处；同时也极善回应来自大自然的挑战，在变动的自然环境中成长。浙江漫长的海岸线及其潮汐侵蚀之下的变化、破坏性热带风暴的侵袭，都是大自然发出的挑战。对此，浙江人同样以“天人合一,万物一体”的整体关怀，通过各种努力与方式，追求人与自然的和谐。

为了降伏不羁的大自然，浙江人民修建了庞大、复杂的水利系统，孕育了发达的水利文化。如果说大禹疏导治水是追求与自然和谐意识的萌动与最初实践，西湖的开发则是浙江人民在发展中改造自然、在改造中保护自然的典范。西湖经钱镠、李泌、苏轼、白居易、杨孟瑛、阮元等人的疏浚治理，呈现出旖旎秀丽的韵致，以其精致和谐的人文风情，构筑成人间天堂的特色。

河姆渡原始艺术中精美神秘的“鸟日同体”纹饰，良渚文化中繁缛威严的神人兽面纹，都体现了浙江人热爱自然、赞美自然和融入自然的美好情愫。

8. 在浙江的文化精神中，彰显着知行合一、事上磨炼的哲学思维

思想学术丰富深刻的浙江，必然具有自己独特的哲学思维。这就是王阳明的哲学观点。“知行合一”强调知即是行、行即是知。人不仅要对自己的行动负责，而且要为自己的思维活动负责。正确认知的最终确立，须得以付诸实践检验为终点。“致良知”认为个体的“知”只有通过与社会事物的复杂关系的展开，体验情绪的冲击、思维的跳跃，通过实践检验其“致良知”的进展与效果，也即“事上磨炼”，才是真“良知”。由此，方能从道德范畴的“修身”出发，逐步实现“齐家、治国、平天下”的社会理想。

“知行合一”是浙江文化在哲学层面上的思考，因此也是最高、最抽象、最具有概括力的思考。浙江文化的其他内涵，都与“知行合一”这个核心命题存在着密切的逻辑联系。

二、浙江人民具有鲜明的历史意识和高度的文化自觉

中国疆域辽阔，在长久的历史岁月和特定的地域范围里，形成了众多具有地域特色的文化小传统，以别具一格的文化样态、特征和成就，为包罗万象、气度恢弘的中华文明奉献着日新月异的源头活水。因此，从区域历史文化入手，梳理文化现象、提炼文化精神、反思文化弊端、传承文化基因，可以清晰地把握到中华民族精神历史运动的脉搏。浙江文化具有丰富的表达形

式、鲜明的思维层次、完整的逻辑结构，是具体而微的中国文化。我们梳理浙江的历史传统和文化精神，正是深入了解中国文化、研究中国文化、发展中国文化、创新中国文化的有效途径。

从1999年至今，在全省范围组织开展的关于浙江历史文化和精神的梳理提炼，一直贯穿于浙江人民的文化生活中。

1999年，经过20余年的改革开放，浙江社会经济迅猛发展，总量和人均产值均列全国第四位。浙江并未满足于取得的发展成就，而是积极探索取得这种成就的深层原因，总结出“走遍千山万水，吃尽千辛万苦，说尽千言万语，想尽千方百计”的创业精神。2000年，时任中共浙江省委书记张德江提出“研究浙江现象，总结浙江经验，提炼浙江精神”的要求。省委认真总结经验，认为浙江快速发展的原因，就在于其悠久的历史和灿烂的文化及其与当今时代发展的有机结合，提炼出了“自强不息、坚韧不拔、勇于创新、讲求实效”的浙江精神。这是20世纪八九十年代浙江人民精神面貌的生动体现、浙江经济发展的真实写照和浙江经验的高度概括。

2005年，省委高度重视总结提炼新时期的浙江精神。根据时任省委书记习近平关于“深入研究浙江现象、充实完善浙江经验、丰富发展浙江精神”的指示精神，经过“与时俱进的浙江精神”的调查研究，正式公布了新时期浙江精神内涵的具体表述——“求真务实、诚信和谐、开放图强”。习近平同志发表了署名文章《与时俱进的浙江精神》，高度评价了改革开放以来浙江创造的宝贵精神财富，肯定了“自强不息、坚韧不拔、勇于创新、讲求实效”

的浙江精神，同时着眼未来，立足发展，对“与时俱进的浙江精神”做了深刻阐述。“求真务实、诚信和谐、开放图强”的浙江精神，既是对历史的总结与传承，更是对现实发展的鞭策、对未来发展的引领，也是对浙江人民的智慧、活力和创造精神的鼓励和激发。

2011 年 10 月，时任省委书记赵洪祝指出，浙江经济社会持续健康发展背后的“文化密码”“文化基因”，就是“与时俱进的浙江精神”，因此要大力弘扬和提升以“创业创新”为核心的“浙江精神”，为全面建设小康社会提供重要支撑。2012 年 2 月，浙江省开展“我们的价值观”大讨论，提炼出“务实”“守信”“崇学”“向善”四个核心词，确定为当代浙江人共同价值观的表述语，写进了浙江省第十三次党代会报告。这既是对“与时俱进的浙江精神”的继承和坚守，也在新形势和新挑战下赋予其全新含义，更是为构建面向未来的共同价值观所作的前瞻性布局。

习近平同志指出：“具有历史文化素养，最重要的是要具有历史意识和文化自觉，即想问题、作决策要有历史眼光，能够从以往的历史中汲取经验和智慧，自觉按照历史规律和历史发展的辩证法办事。”（习近平同志在中央党校 2011 年秋季学期开学典礼上的讲话：《领导干部要读点历史》，2011 年 9 月 1 日新华网）自 1999 年以来，浙江对历史传统的分析反思、对浙江精神的探寻深化，既是浙江人民历史实践和理论智慧的结晶，更体现了浙江人民高度的历史意识和文化自觉。

三、浙江学者勇于承担传播优秀历史文化传统的崇高职责

习近平同志《领导干部要读点历史》的讲话，既是对领导干部的要求，也向我们人文社会科学工作者，特别是历史学研究者提出了期望，指明了历史学服务社会、与现实生活相结合的方向。这就是：承担起传播优秀历史文化传统的崇高职责，构建一个公众视野中的历史世界。《浙江历史人文读本》（以下简称《读本》）就是我们按照《领导干部要读点历史》的要求，经过一年精心筹划、反复研讨、认真撰写而得的研究成果。通过编写《读本》，我们对优秀历史文化传统的当代大众传播，有了一些实践体会和理性思考。

1. 构建公众视野中的历史世界，需要认识面向大众传播历史文化的重要意义

清代浙江籍著名学者龚自珍曾经说过："欲知大道，必先为史。灭人之国，必先去其史；隳人之枋，败人之纲纪，必先去其史；绝人之材，湮塞人之教，必先去其史；夷人之祖宗，必先去其史。"（《古史钩沉论》）简明深刻地点明了历史具有终极意义的价值。

专家学者为普通读者撰写通俗读本，在西方学术界是一个传统。比如英国哲学家、社会学理论家杰瑞米·史坦葛仑博士主持的"小书大思想"丛书，包括《话说哲学》《哲学家的想法》和《伟大的思想家 A–Z》等系统普及读物；英国 DK 图书公司出版的"目击者文化指南"丛书，由牛津大学、伦敦大学等学校的专家执笔，对哲学、艺术、音乐等进行了大众化传播；英国皇家哲

学研究所开办有面向大众的期刊《思考》，等等。

近年来，逐渐兴起于美国的公共历史学，更是对史学大众化的学理探究和提升。在中国，历史知识的公共传播，一直得到提倡和实践。著名学者钱穆有“不知一国之史则不配作一国之国民”之论，当代学者黄仁宇则欲以历史书写树国民之历史性格。就浙江而言，“社科普及周”“人文大讲堂”，都是影响面大、成效显著的行动。但总体来说，史学大众化尚未成为学者内在的自觉行为，尚未形成蓬勃的气象和畅达的工作格局。求专、求精、求高深的学术观念和学术评价体制，一定程度上制约了人文社会科学的大众化。

人文社会科学研究的根本目的在于推动社会进步。因此，参与社会实践，是发展人文社会科学研究的源头活水；关注现实问题，是深化人文社会科学研究的重要途径。作为从事历史研究的学者，我们都有一种虔敬的“古典情怀”，大多究心于历史文化方面的研究，较少关注当代发展。在《读本》编写过程中，我们通过对领导干部、社会大众、网络媒体和社会生活的访问座谈、沟通交流、查阅学习、观察思考，深切地感受到了浙江大地上生气勃勃、创意无限的现实创造，她是社会不断向前发展的根本动力、文化传统生生不息的源头活水、人类美好生活愿望的实现途径；深切地感受到了社会、大众十分迫切的对精神文化生活的需求、对丰富精神世界的渴望，由此深感面向时代、关注社会、推动进步，同样是我们的职责所在。我们不但要做传统的学问，同样也要心怀敬意地为浙江的当代文化发展做一些实事，以此向生我养我的浙江大地和浙江人民，致以我们深深的敬意，落实我们无比的热爱，奉献我们绵薄的心力。

浙江优秀的历史文化传统丰厚精深、魅力无穷，她是我们深以为傲的文化资本，是我们取之不竭的文化宝库，是我们当代建设的文化资源，是我们屹立于世的文化底蕴。面向大众，从底蕴深厚、资源丰富、优势明显的浙江优秀历史文化传统里搜珍集宝、拾贝掇英，汇聚奉献，正是我们作为人文社会科学工作者必须担当的社会责任。

2. 构建公众视野中的历史世界，需要做好古今文字的通达转换

随着历史的物移景迁，文化的变动发展，特别是五四新文化运动倡导白话文以来，作为中国历史文化传统重要载体的语言表达体系，发生了全新的变化，这成为我们今天继承、弘扬优秀文化传统最为直接的一大障碍。因此，在严谨、规范、准确的学术研究基础上，以清丽简明、深入浅出、短小精悍、雅俗共赏的文字，梳理浙江历史传统、把握浙江历史发展脉络、揭示浙江历史发展规律、汇聚浙江历史知识和智慧，是让历史走向大众的首要工作。

本书中，我们对浙江历史上有鲜明特色、重大意义、突出影响、重要成就的人、事、物进行选择和研究，用清新通达的现代汉语进行重新写作的方式，对或佶屈聱牙，或深奥艰涩，或典丽文雅的历史文献做了现代文字的转换和传达。由此，我国第一部关于海港和海上交通的著作《临海水土异物志》中的久远记述，天台山高僧大德们深奥的佛教思想，充满哲学思辨的南宋朱熹与陈亮的“王霸义利”之辩，影响深远而文字玄奥的王阳明“心学”，等等，得到了浅显明达的表述，让文字不再成为阅读理解的障碍。书中更不乏练达、清丽、蕴藉、深情、知性、洒脱、典雅等等多样化的优美文风，让人读来而起兴会之思、有共鸣之感。

3. 构建公众视野中的历史世界，需要做好陶炼融会的释读阐发

南朝齐梁时的绘画理论家谢赫曾说："师心独见，鄙于综采。"（《古画品录》）意思是说，独具匠心、不拘成法的才是好作品，综合杂凑他人之作的，应受到鄙视。此言甚是！作为反映浙江人文历史的书，切不可成为历史资料的简单汇编、他人研究成果的综合罗列。在写作中，我们根据自己的认识、理解、分析和研究，对重大事件、重要人物及其主要成就做了系统梳理，在择优选取、汇聚、表现历史精华材质的基础上，对古代知识、传统理念、经验教训、智慧感悟、哲学思想等等，做了陶炼思考、融会贯通的释读阐发。比如浙江历史从远古走到今天的文化源流与精神演变，浙江农民是全国最辛苦的农民之一的自然原因，人口要素对科技进步产生深刻影响的历史背景，作为中国传统艺术主流的文人画和水墨山水与浙江的深切关联，"越为诗巢"与中国文学的发生渊源，浙江佳山秀水中"人，诗意地栖居在大地上"的终极理想，四明山抗日根据地的越剧演出对后来越剧改革带来的重大影响，等等，都是我们在浩如烟海的文献资料中披沙拣金、把握精神实质的历史释读。

4. 构建公众视野中的历史世界，需要做好独具新见的研究升华

在社会大众尤其是领导干部的学历教育水平、文化知识修养、阅读鉴赏能力、精神文化需求都日趋提高的今天，陈旧的史料汇编、学术观点、故事

叙述、心得体会、情感表达，都不足以引起社会大众的阅读兴趣，不足以达到弘扬优秀传统文化的目的，更不是我们作为历史文化专业研究者的工作职责和目标。充分依托我们已有的研究基础、心得和成果，用新的视野打量历史、深化探究，做出新的独立研究，是我们所有作者遵行的原则和方法，也是《读本》截然不同于其他普及读本之处。比如，我们从人类学的角度解读了千古孝女曹娥身后的越地巫术文化氛围，指出了浙江“丝绸之府”历史美誉的技术成因，揭示了王羲之作为中国“书圣”而超越孟子所谓“君子之泽，五世而斩”这一历史现象足以泽被千秋的文化力量。其间，有对现象的观照，有对原因的分析，有对规律的揭示，有对理论的提炼，有以小见大的深刻领悟，有纵历千年的本质把握，可谓自出机杼，异彩纷呈，尽心竭虑地奉献给各位读者。

5. 构建公众视野中的历史世界，需要做好融会时需的现实关联

如果没有与当下社会和生活恰切而紧密的关联，那么历史只是历史，永远走不出“传统”的范围，只能在时间长河的彼岸，寂寞起舞，乘风而去，与我们渐行渐远。即使形可见，无奈神相离。为此，历史需要走进今天的社会和生活，与今人同声共气，心神交会。只有这样，历史才是有生命的、有意义的、有价值的。

在书中，我们着力发掘笔下历史与眼前现实的关联点，并力图加以自然、准确的表达。比如，“天下第一清廉”陆陇其“清操饮冰，爱民如子”的政治情操，革命者张秋人明知“我的头要砍在杭州了”而临危受命、慷慨赴难的大义凛然，众多施茶会、水龙会、育婴堂、舍材会、路会、义学等民间乡风美德中生发出的无处不在的善行义举，等等，都是我们民族崇高精神、高尚品格、优秀品质、道德情操的生动体现，是我们今天建设社会主义核心价值体系、实现精神富有的思想养料。另如，从东吴政权“亲贤贵士，纳奇录异”中，可以吸取以人才立国的经验；从湖州商帮衰亡中，可以获得今天正确引导民间资本投资领域的启示；从宁波本帮裁缝到红帮裁缝的转变中，可以发掘产业转型升级的经验；龙游商帮“无远弗届，遍地龙游”的精神，为今天浙西南尤其是封闭山区对外开放、转型发展提供了参照；吴昌硕成为艺术领袖的历练之路，为今天文化人才培养提供了借鉴；等等。所有这些都是足可为今天的社会建设、经济建设、文化建设参考借鉴的历史经验。

6. 构建公众视野中的历史世界，我们殷切希望实现的美好愿望和价值旨归

我们殷切地希望，通过一年多来紧张忙碌、全力投入所做的这些与文化强省建设现实需求相结合的系统梳理、存精择优、现实转化、深入浅出等学术研究和大众传播工作，能构建起一座浙江历史文化资源的宝库，从以下这些方面，发挥《读本》的作用，实现让历史走向大众的美好愿望和价值旨归。

一是向社会大众和广大领导干部展示优秀的浙江地域文化传统、光辉的浙江地域文化精神和灿烂的文化创造成就，激发作为浙江人的自豪感，增加责任感。

二是为我省的文化强省建设激活历史信息，提供人文样本，构筑文化底色，丰富文化内涵，为各地开展当代文化建设提供历史资源、内容素材、创意源泉、创作灵感、思想启迪、多彩智慧，实现历史传统从文化资源向当代文化建设资本的成功转换。

三是用浓缩的历史人文精华丰富社会大众的文化知识、充实社会大众的精神世界，提升领导干部和文化从业人员的人文修养，培育开展现实文化建设所需之职业素质。

四是以权威、准确的内容和精致、典雅的形式，供相关部门作对外文化交流。

五是作为供查阅相关史料、事件、人物、数据的案头书，起到浙江历史文化词典的作用。

六是在分册书名、专题名、篇章名以及文内相关篇幅中，精选或化用浙江历代名人格言箴语、诗文名句，以供读者题辞、创作书画作品时参考借鉴。

张伟斌　陈　野

2013 年 3 月

目　录

山水清音（汤敏）

世家风流（刘俊峰）

乡风美德（刘俊峰）

山水清音

山水，

是人类的栖息之地

和精神家园。

浙江山水

是一块人情温厚的

可望、可行、可游、可居之地。

引　言

浙江山川形胜，地势复杂多变。西南山地高峻、谷地幽深；中部多为丘陵盆地，低山错落；东北部为堆积平原，水网密布。东临辽阔海洋，海岸曲折，岛屿星罗棋布。山的绵延、水的涵蓄、海的浩瀚，构成了“大珠小珠落玉盘”一般参差多态、境界迭出的自然景观。它们或风雅，或清丽，或空灵，或奇秀，或雄浑，真可谓“普天下锦绣乡，环海内风流地”，“看了这壁，觑了那壁，纵有丹青下不得笔”（元关汉卿《南吕·一枝花·杭州景》）。

浙江锦绣河山，乃是造化之所钟。是自然的伟力，造就了“千岩竞秀，万壑争流”（南朝宋刘义庆《世说新语》）的人间美景。鸿蒙初辟，陆升陆沉、海侵海退，数亿年的光阴里，大自然精心雕琢着浙江的一山一水。江郎山、雁荡山就是其中的佼佼者。世界自然遗产江郎山形成于 1.3 亿年之前，自白垩纪以来，经历了峡口盆地形成、红层沉积、盆地抬升、断裂变动、外动力侵蚀、地貌老年化、再次间歇性抬升等一系列连续的演化发展过程，呈现出了丹霞地貌演变中神秘而又令人惊叹的地史记录。“寰中绝胜”雁荡山是亚洲大陆边缘巨型火山带中白垩纪火山的典型代表，是研究流纹岩的天然博物馆，它的一山一石记录了距今 1.28 亿年

至1.08亿年间一座复活型破火山演化的历史。火是催生婆，水是美容师，火与水合力缔造了集“奇峰、奇石、奇瀑、奇洞”天下诸奇于一体的雁荡山。

当然，杏花烟雨的江南，毕竟少有我国西北地区那些大山大河、高壑深谷的伟峻壮观，山水的主打风格还是柔和的山脊、迷离的微波，它的高度与深度都在于文化。那么如何来定义它的文化高度与文化深度呢？明末竟陵派文学大家钟惺说过这样的话：“一切高深，可以为山水，而山水反不能自为胜；一切山水，可以高深，而山水之胜反不能自为名。山水者，有待而名胜者也。”（明钟惺《〈蜀中名胜记〉序》）山水何所待而“名胜”？“曰事、曰诗、曰文，之三者，山水之眼也。”有故事，有诗文，再加上有人物，一处再普通的山水也能灵光宛转、映照千古。如此，方能称之为名胜。

辩证唯物史观认为，人民群众是历史的创造者。确实，数千年悠悠岁月里，无数没有留下姓名的普通人像时光一样沉默而执着地雕刻着山水，开山、劈路、采石、浚湖、造桥、筑屋，深刻地改变着山水的面貌。另一方面，辩证唯物史观也承认“江山也要伟人扶”的客观事实。在浙江山水变迁史上，镌刻着的那些光彩熠熠的名字，他们为浙江带来的不仅仅是一时的荣耀，更是永久的福祉。会稽太守马臻以生命为代价，修筑鉴湖，杭州白、苏、杨诸公顶着重重压力疏浚西湖，鄞县知县王安石疏浚东钱湖，无不是怀抱“唯留一湖水，与汝度荒年”的民生情怀，完成了“为官一任，造福一方”的使命。

浙江山水的体量不算太大，却有容乃大。它博大、包容，儒释道三教都能在其中和谐相处，圆融无碍，因此名山胜水往往成三教荟萃之地。阅山读水，一个有趣的发现是，道教几乎总是捷足先登，成为较早的开发者。而佛教也不甘人后，他们以执着的精神，度过千难百劫，成为山水的主人，正应了“天下名山僧占多”的古话。儒家的书院与讲台也是山水之间一道令人注目的景观。据说中国历史上最早的儒释道合流的源头出现在东晋时浙东山水之间。天台山号称“佛宗道源”，在佛、道史上都占据着重要地位。

浙江历来以“人文渊薮”名冠天下，其文采风流层层积淀于山水之间。楠溪江、富春江是著名的诗画之江。谢灵运得永嘉山水之助，开拓了自然淳朴的山水诗境，成就了山水诗历史上第一次浪潮。《富春山居图》是黄公望无数次沿着富春江漫游，山水与胸次最终融为一体而创作出来的杰出画作。当中原扰攘，安宁静谧的会稽山水接纳了放逸不羁的魏晋风度，这便是《兰亭集序》诞生其间的历史背景。数百年之后，400多位盛唐诗人为追逐前朝风流，从钱塘江经鉴湖、山阴道，入剡溪，经沃洲、天姥山，或中转四明山，最后直上天台。溪山行旅，诗雨缤纷，串起一条灿烂的浙东唐诗之路。古往今来，为西湖创作的诗文、画作更是不计其数。

“赖有岳于双少保，人间始觉重西湖。”（清袁枚《谒岳王墓》）浙江山水并不仅仅产生超凡脱俗的宗教情感和诗情画意，它所承托的历史是厚重甚至在某一时期是沉重的。山水之间也曾弥漫过战争的风云，也曾寄托着民族复兴的渴望，也曾承载着崇高的人格与理想。仙霞岭上，乃是喋血雄关之所在，几乎每一次时代更迭的刀光剑影都能在这里找到踪迹。南湖烟雨中，诞生了中国共产党。抗战烽火里，天目山、四明山、方岩巍然挺立如民族脊梁。至于那些深受后人景仰的典范人格，无论是“于岳双少保”式的英雄，还是严子陵、林和靖、祝其岱式的隐士，都当得起“云山苍苍，江水泱泱，先生之风，山高水长”（北宋范仲淹《严先生祠堂记》）的赞词。山水人物，交相辉映。

山水是人类的栖息之地和精神家园。日月经天、莺飞草长，浙江山水是一片人情温厚的可望、可行、可游、可居之地。无论是客中羁旅还是宦海归人，无论是在此稍作憩息或永久停留，都能获得思想的升华和精神的慰藉。山水更是浙江人实实在在的家园和故土，他们在山水间构筑村落与城镇，修建宗祠与学堂，埋葬先人，养育儿孙。楠溪江流域散落着的许多古村落，至今还恪守着渔樵耕读、孝义传家的传统。村民们与自然山水和谐共生，向远离诗意、远离自然的现代人昭示着“人，诗意地栖居在大地上”的终极理想。

这方山水，野火烧过，春风吹过。有的像被岁月珍藏的老照片，依然散发着温暖的光泽；有的历尽沧桑，风景依稀；有的风情更加绰约，魅力更胜从前。无论历史如何沉浮，无论世相如何变迁，浙山浙水，清音不绝……

西湖：总相宜

几乎每个中国人的心中都做着一个杏花春雨的江南梦，梦里必然住着一个既潋滟又空濛的湖——西湖。

西湖，水域面积只有5个多平方千米，却承载着太多太多的历史与传说。它停泊过千古一帝秦始皇的龙舟，实现着五代吴越国三世五王保境安民的理想，庇护了153年南宋王朝的半壁江山。它激起金主完颜亮投鞭渡江、立马吴山之志，也引动康、乾二帝数下江南，恩宠有加。它是白居易离去间的不舍勾留，是苏东坡初见时的前生相识，是张岱失国后的家园梦寻。它掩埋着岳飞、于谦、张苍水的忠骨，也记录着秦桧、贾似道的卖国与荒淫。它容纳了白娘子千年不灭的幽恨，见证了梁祝十里相送的深情。它葬着钱塘名妓苏小小的一缕香魂，也为鉴湖女侠秋瑾留下片席湖山。它书写了北宋处士林逋“梅妻鹤子”的孤高情怀，也叙说着晚清知府林启办实业、兴新学的求索之路。它的四时花木掩映着富丽行宫、精致楼台、清雅书院、庄严宝刹，如黛青山掩藏着遁世者的采菊东篱、黎民百姓的泥墙茅舍。它被讥为纸醉金迷的销金锅，却拥有丝、茶等等名贵物产，是无数人赖以为生的聚宝盆。它的暖风微熏使游人沉醉，而晨钟

暮鼓，又能引发世人的方外情绪……

风帘翠幕，楼台参差（俞强摄）

西湖，从海湾到潟湖再到著名的风景湖泊，是一部地质活动和人类活动相伴生的历史，是自然和人文共同创造的杰作。“江山也要伟人扶，神化丹青即画图。”（清袁枚《谒岳王墓》）“江山也要文人捧，堤柳而今尚姓苏。”（郁达夫《咏西子湖》）诗句简洁明了地道出了湖与人的密切关系。

西湖的开发史可以追溯到东汉时期，一位名叫华信的地方官，在西湖以东地带筑塘以抵御钱塘江咸潮。蒙昧初开的西湖，凭借它与生俱来的灵根与慧性，深深吸引了方外之人。东晋时，著名道士葛洪在宝石山上结庐修道；印度僧人慧理来杭州，见飞来峰一带山峰奇秀，以为是“仙灵所隐”，便在此建寺，取名灵隐。

唐长庆二年（822），年过半百的白居易出任杭州刺史。到杭州的当天，他就迫不及待地写了《杭州刺史谢上表》，表示“唯当夙兴夕惕，焦思苦心”。他没有违背自己履新的承诺，在杭数年间，先是疏通前杭州刺史李泌40年前开凿的六井，后是整治西湖，筑建湖堤。他筑的堤据说是从钱塘门开始，把西湖一分为二。堤内为上湖，堤外为下湖，平时蓄水，旱时灌田。堤筑成之后，他专门写了一篇《钱塘湖石记》，详细记载了堤的功用，保护方法、措施，刻石立于湖边。长庆四年（824），白居易三年任满，倾城百姓，箪食壶浆，为他送行。临别依依，白居易赋诗相赠：“税重多贫户，农饥足旱田。惟留一湖水，与汝救凶年。”

白居易治湖，不仅怀抱着“民胞物与”的儒者情怀，也凭借着诗人的审美眼光和艺术品位。他植树栽荷、筑阁建亭、品题山水，就好像希腊神话里使自己心爱的雕塑变成了妻子的皮格马利翁，将西湖之美融入其充满爱慕、眷恋的诗句里，西湖由此渐渐成为一个春睡方醒的丽人，巧笑嫣然、衣袂飘飘地步入世人的眼帘。

白居易走后，至五代吴越国定都杭州，百年间西湖又逐渐淤塞，葑草蔓合，湖面缩小，蓄水减少。吴越天宝五年（912），吴越国王钱镠拟扩建牙城，有方士献策，说填筑西湖，以建府治，可延国祚千年。钱镠回答，百姓借西湖水来灌田，填了西湖就断了百姓的生路，何况哪有千年不易的江山。他非但不填湖，还组织了撩湖兵，专事疏浚，清除葑草，修理堤闸。钱氏保境安民的政策与纳土归宋的决断，使西湖远离战火，百姓富足。至北宋时，它已然成就一番“烟柳画桥，风帘翠幕”（北宋柳永《望海潮》）之繁华妍丽。

北宋熙宁、元祐间，苏轼两次莅杭，一次任通判，一次任知州。他第一次来杭时，西湖已经有十分之二三淤塞了，十五年后再来，西湖又小了一半，沦为“茭田荷荡”。而且旱涝无常，百姓苦不堪言。元祐五年（1090），他以《乞开杭州西湖状》一文上表宋哲宗，

只恐轻舟，载不动，那美丽千年的爱与哀愁

文中不仅有那句著名论断——“杭州之有西湖，如人之有眉目，盖不可废也”，使西湖多了一个美妙的喻体——“眉目”，更重要的是它从朝政礼制、居民饮水、农业灌溉、水利安全和官府税收五个方面，列举了“西湖不可废”的理由，并提供了极具理性与智慧的可行性与开工时机分析。在他的主持下，一场前所未有的西湖整治行动开始了，打捞出来的淤泥从南自北筑起了一道长堤。堤上筑六桥，种桃柳，从此北山始与南山通，这就是烟柳诗画的苏堤。苏轼与白居易的同样高明之处在于，他善于将实用与诗意结合起来，既解决实际问题，又营造出艺术空间。苏堤的筑造不仅解决了淤泥的去处问题，而且开拓了西湖新的美学空间层次。他在湖上立三塔以为标记，禁止在三塔内种植茭荷，以防淤塞。同时也生就了“三潭塔分一月印，一波影中一圆晕”的三潭印月之景。

苏轼在杭期间，留诗 300 多首。苏公文章名重天下，他的妙笔点染，何止是使湖山增色，更奠定了西湖在中国文化史上的地位。“水光潋滟晴方好，山色空蒙雨亦奇。欲把西湖比西子，淡妆浓抹总相宜。”这首千古传唱的《饮湖上初晴后雨》深得西湖之风神，可谓是“除却淡妆浓抹句，更将何语比西湖”（南宋武衍《正月二日泛舟湖上》）。大约从此时开始，西湖饮水和灌溉的功能渐渐淡化，更多地以湖山胜迹的面貌为人所重。

南宋以杭州为行在，虽然统治者的昏庸误国为西湖招致“歌舞几时休”的骂名，但是“西湖十景”品题活动的出现成为西湖发展史上重要的一笔。当时，南宋画院的画师们经常取西湖一角入画，渐渐就有了“西湖十景”的名称。这不仅使西湖山水园林之美在诗意和艺术情趣方面展现得更充分，也提高了人们对西湖美景的欣赏品位。

南宋淳祐七年（1247），杭州大旱，湖水干涸。郡守赵德渊对西湖进行了大规模的疏浚，并从苏堤东浦桥至曲院风荷筑起一堤，即赵公堤。

阅读链接：
陈文锦：《发现西湖——论西湖的世界遗产价值》，浙江古籍出版社，2007 年版。
王旭烽：《走读西湖——从湖西开始的风雅之行》，浙江摄影出版社，2006 年修订版。
王国平主编：《西湖全书》，杭州出版社，2004—2009 年版。

在明代杨孟瑛出任杭州知府前，西湖又久遭荒废。他整整花了 5 年时间，才说动朝廷重治西湖。明正德三年（1508），杨孟瑛动用民夫 8000 人，历时 152 天，耗银 28700 两，拆毁田荡 3481 亩，终于恢复西湖“湖上春来水泼天，桃花浪暖柳荫浓”的旧观。所挖的葑泥，一部分增筑苏堤，将其填高、拓宽，另一部分则另筑一堤，从栖霞岭起，绕丁家山直至南山，与苏堤平行，后人名之为杨公堤。

清代，浙江巡抚赵士麟、李卫等对西湖均有疏浚。雍正二年（1724），李卫主持了有清一代规模最大的西湖整治。5 年后，因金沙港淤塞，李卫组织民力挖沙筑堤，从苏堤东浦桥至金沙港，后人称为金沙堤。嘉庆五年（1800），才通六艺的浙江巡抚阮元，对西湖进行了清代最后一次疏浚。淤泥被堆积在湖心亭的西北，成为一个草木葱茏、绿影婆娑的小岛，即阮公墩，与小瀛洲、湖心亭鼎足而立。至此，西湖“长堤数痕、岛浮数点”的景观格局基本形成。

两千年来，西湖像一棵不断生长的树，层层枝叶上缤纷盛放着各样美、诸种好。它宜晴宜雨，宜月宜雪。宜诗宜画，宜兴宜怀。宜僧道宜精怪，宜归隐宜济世。宜情思缱绻，宜壮怀激烈。宜现世耽乐，宜超凡入圣。“西湖天下景，游者无愚贤。深浅随所得，谁能识其全。”（北宋苏轼《怀西湖寄晁美叔同年》）是的，对于西湖，你尽可以眺望或抵达，可以想象或重温，可以长相守或遥相忆。因为，一千个人就有一千个西湖。

西溪：且留下

从前的西溪，地域辽阔，水网如织。据清雍正《西湖志》载：西溪，在西湖北山之阴。由松木场入古荡，曲水弯环，群山四绕，名园古刹、芦汀沙溆前后踵接。当年，宋高宗赵构在逃避金兵追逐的途中，见此地花木扶疏，烟水微茫，不觉动了在此修筑皇宫的念头。后观凤凰山形胜，更适宜建宫殿。虽不能忘情西溪，却只能忍痛割爱，一声叹息："西溪且留下。"

这一声"且留下"，使西溪逃脱了"眼见他起高楼，眼见他宴宾客，眼见他楼塌了"（清孔尚任《桃花扇》）的宿命。纵未列庙堂之高，却能处江湖之远。虽无钟鸣鼎食、山珍海错，但有口角噙香、含英咀华。绝无堂皇宫阙、步步惊心，常见错落庵堂、翩翩尼媪。虽然清代康、乾二圣的华盖也曾暂驻此地，康熙帝挥毫题写"竹窗"赐给宠臣高士奇的西溪山庄，并赋诗"十里清溪曲，修篁入望森"（《题西溪山庄》）云云，但是一时荣宠终究没有改变西溪空谷佳人般白衣胜雪、遗世独立的气质。

西溪与西湖，都姓"西"，且是同处一城的两位芳邻，因此时常被人相比。有人说西湖的湖光山色，太整齐，太小巧，不够味儿，更愿意尝一尝西溪的野趣。有人说西溪比西湖清幽，霜溆人家，历历如画，扁舟摇曳，诗意曲折无穷。有人说西溪如浣纱村女，澹冶幽娴，而西湖是吴宫美人，浓妆艳抹。没错，西溪的千般韵致万种风情就在它的冷、它的淡、它的野、它的雅。

西溪之胜，独在于水。水在这里以各种形态存在着，为河、为湖、为港、为湾、为塘。“从留下下船，回环曲折，一路向西向北，只在芦花浅水里打圈圈；圆桥茅舍，桑树蓼花，是本地的风光，还不足道；最古怪的，是剩在背后的一带湖上的青山，不知不觉，忽而又会得移上你的面前来，和你点一点头，又匆匆的别了。”这是郁达夫《西溪的晴雨》中的一段文字，细细玩味，会发现这种种游趣的产生皆是由于水的点化。溪河深曲，欲断还连。轻舟容与，随流荡漾。在水流的不断回环变化中，蕴含着琵琶半遮、柳暗花明、移步换景的种种妙处。

西溪宜雪。不但有冬雪，还有香雪、秋雪。“日虽露影，雪积未疏，竹眠低地，山白排云。”（《四时幽赏录》）这是明代文人高濂笔下的西溪冬雪，瑶琳仙境呼之欲出。西溪多古梅，大者如黄山松。花开时节，人家院落宛在香雪海中。如明代僧人释大绮《西溪梅墅》诗曰：“孤山狼藉时，此地香未已。花开十万家，一半傍流水。”然而，每当芦花漫天、秋雪漠漠，才是西溪最美的时光。正所谓“千顷蒹葭十里洲，溪居宜月更宜秋”。

蒹葭深处，有秋雪、交芦二庵，为赏芦佳处。秋雪庵，因为庵在孤岛之上，“水周四隅，蒹葭弥望”，明代书画家陈继儒取唐人诗句“秋雪蒙钓船”的意境为其题名。徐志摩于西伯利亚道中犹自回忆着秋雪庵的月下芦色，歌曰：“这秋月是纷飞的碎玉，芦田是神仙的别殿；我弄一弄芦管的幽乐——我映倒在秋雪庵前。”（《西伯利亚道中忆西湖秋雪庵芦色作歌》）郁达夫所见则在白天，“原不见秋，更不见雪，只是一味的晴明浩荡，

溪河深曲，欲断还连（蒋瑞雪摄）

飘飘然，浑浑然”（《西溪的晴雨》）。

交芦庵在秋雪庵东面一里许。明代书画家董其昌题名。游人从秋雪庵、蒹葭里游毕归来，到达交芦庵天色已晚，所以常常寄宿在交芦庵。僧人都会备上文房四宝，请客人题词作画，以作留念。久而久之，就积累了很多名家笔墨。

此外，西溪尚有东晋昙翼法师开山的法华寺、门当曲水的曲水庵，以及明代僧人释大善在此撰写《西溪百咏》的福胜庵等，不胜枚举。香火最盛之时，仅在花坞一隅，就有“三十六庵，七十二茅棚”之说。

这溪山的野趣、云水乡里的风情、万顷蒹葭中飘渺的晚课钟声，最能发人幽情，动人诗魄。又因西溪以水渚为村，非舟莫入，人迹罕至，更是理想的避乱居所。因此自南宋以来，多有高人逸士在此隐居。南宋灭亡，诗人汪元量辗转从北京回到故乡杭州，隐居西溪。元代鲜于枢因不满官场腐败辞官归隐，筑“霜鹤堂”于西溪，创作了不少以西溪为题材的画。洪钟，明成化十一年（1475）进士。其先祖是南宋洪皓，奉诏出使金国，不辱使命，皇帝赐第西溪。洪钟遵守祖训，耕读传家，家族高官辈出，人称“明纪祖孙五尚书”。冯梦祯，明万历年间进士，官至南京国子监祭酒。卜筑“西溪草堂”，屋畔遍种梅、竹、茶，引溪流环绕屋舍。著文广泛宣传西溪物产，使当地百姓获利良多。明亡，崇祯甲戌年（1634）进士吴本泰隐居西溪。其晚年所著《西溪梵隐志》，是历代有关西溪的史籍资料中，最为详备、最为重要的一部。

清代，文字狱屡兴，许多文人为避祸而遁入山林，卜居西溪的名士人数日增。

厉鹗，号樊榭。他踏遍西溪，题咏最多。溪光山色、四季晨昏，均被他一一捕捉。那句“芦锥几顷界为田，一曲溪流一曲烟”（《泛舟河渚，过曲水、秋雪诸庵》），一向作为西溪诗词的经典为人传诵。词作《忆旧游》，序中言到：“时秋芦作花，远近缟目。回望诸峰，苍然如出晴雪之上。”上半阕为：“溯溪流云去，树约风来，山剪秋眉。一片寻秋意，是凉花载雪，人在芦崎。楚天旧愁多少，飘做鬓边丝。正浦溆苍茫，闲随野色，行到禅扉。”一序一词，珠联璧合。浓浓的秋意、淡淡的忧伤，被萧瑟荻花摇曳出几多诗情画意。

“河渚优游陆地仙，孙晴川与沈晴川。梅花绕屋三千树，乔木当门五十年。”孙、沈二人，隔河而居，志趣相投，经常结伴共赏美景，饮酒酬唱。孙晴川撰《南漳子》，书中对西溪

的历史、地理、古迹、梵宇、村落、山川、河流、湖泊、特产作了系统的介绍。史料详实厚重，文字简约优美。沈晴川为之作序于前。一溪两“晴川”，给西溪留下了一段佳话。

另外还有著名学者杭世骏，性格耿介，不见容于乾隆皇帝。罢官返乡后，归隐西溪，著书立说。清末，丁申、丁丙兄弟，在西溪抢救、补抄几乎毁于太平军火的文澜阁《四库全书》，为杭州保存了一缕清馨的文脉。

清末民初，许多名园古刹因年久失修倒坍。随着居民耕作业的改变，不再培育梅花，原有梅树渐渐枯萎消失。蒹葭里一带芦滩面积也逐年缩小。湖州富商、文人周庆云于1919年花银圆9000块重建秋雪庵，并在庵内增设两浙词人祠，这是西溪近代史上一次大规模的抢修工程，但终究没能挽回西溪的整体颓势。不过那时西溪的野趣依然如故，1927年深秋，马一浮约友人金蓉镜等去清游，其邀请信中说：“西溪山水幽胜，足以发先生之诗，近虽蒹葭已苍，而霜林野水，弥复清远。”

冷、淡、野、雅（周膺摄）

日寇侵杭，西溪遭到极大破坏，越发荒芜了。以后胜迹一毁再毁，面积一缩再缩。

且留下，且留下。且将西溪万种风情，留与烟水半湾、舟子晓梦，留与蒹葭苍苍，往事茫茫。

阅读链接：

赵福莲、单金发主编：《西溪古今诗文选》，杭州出版社，2005 年版。

赵福莲、钱明锵：《西溪》，杭州出版社，2004 年版。

《西溪纪胜》编委会编：《西溪纪胜》，西泠印社出版社，2004 年版。

富春江：一江春水

在中国的江河谱系中，富春江不算长。但是，在它 105 千米的河道上，却处处散落着“水碧山青画不如”（唐韦庄《桐庐县作》）的绝世风景、“秦时风物晋山川”（郁达夫《自述诗》）的历史遗迹。

富春江与分水江合流之处，有峰兀立，如青螺出水，翠玉浮冰，便是桐君山。相传此山原多桐树。4000 多年前，有一老者结庐桐树下，采药山中，为人治病。人

无声诗与有色画，须在桐庐江上寻（胡军摄）

问其名，手指桐树，笑而不言，村人只好唤他做桐君。这位踪迹渺然的无名老者留下了一部《桐君采药录》，被后世推崇为中医药学的始祖。

东汉时，一个在古代中国大概名气最大的隐士来到富春江畔耕作垂钓，他就是东汉光武皇帝刘秀的同窗好友严光严子陵。刘秀龙潜之时，两人甚是相得。后来他又助刘秀起兵反对王莽。但是等到刘秀坐上帝位，他却先逃到山东，被刘秀召回；又逃到富春江，从此做了一名富春烟波钓徒。严子陵钓台在江北岸的富春山上，高出江面 70 米，所以后世不断有人提出“岭上投竿殊费解”（郭沫若《访严子陵钓台》）之类的质疑。有一个文化名家就说：“遥想二千多年前，一个披着蓑衣的老头子，手持几十丈长的钓竿，垂着几十丈长的钓丝，孤零一个人，蹲在这石壁下，等候鱼儿上钩，一动也不动，宛如一个木雕泥塑。这样一幅景象，无论如何也难免有滑稽之感。”（季羡林《一生的远行》）甚至有人说严子陵钓鱼不过是个姿态，说穿了还是沽名钓誉。说这些话的人实在是不解风情。钓台岩壁上摹刻有苏东坡所题“登云钩月”，这四字足以解答所有的疑惑和质问。在坡翁的想象中，那严陵台上，青烟自在来去，宛若云端。台下明净的江水里出没着一弯游鱼似的新月。高士持竿孤坐，静默无言。在这位昔日的天子故交的内心深处，是真的获得了永久的平静还是往事并不如烟呢，别人不得而知。总之，他确实把自己坐成一尊雕像，一尊后代中国知识分子追求膜拜的精神雕像。相隔整整一千年，那位以“先天下之忧而忧，后天下之

风烟俱净，天山共色（徐长德摄）

乐而乐”之句被人铭记的北宋名臣范仲淹登上钓鱼台，感佩子陵先生“不事王侯”的高尚事迹，修严先生祠，并作记。歌曰：“云山苍苍，江水泱泱，先生之风，山高水长。”斯山斯水，斯人斯风，永世配享。

到了南朝，安吉人吴均在给好友朱元思的信中，用优雅整饬的语言隆重推荐富春江：“风烟俱净，天山共色。从流飘荡，任意东西。自富阳至桐庐一百许里，奇山异水，天下独绝……”富春江最美的一段在桐庐富阳之间。七里泷水深江阔，乱石激湍，两岸群峰并峙，古木森森。时见瀑垂白壁，树挂藤萝。或洼嶴曲藏水村，或山村隐居巅崖。子陵钓台最宜登高而望，江流一线，玉带宛转，隔江青山数点，微云一抹。桐君山依依一水，西岸是桐庐的人家烟树，南面对江是唐朝诗人方干故里白云村。白云村坐落的鸬鹚湾，是个掩映如画、处处潺湲的所在。另有大奇山、鹳山、鹤岭、中沙等名胜，无不翠微杳霭，秀姿天成。

因风光，因高士，因奇文，富春江上，舟船川流不息。寻流而来的，有失意的文人，有贬谪的官员，有亡国的义士，有皓首的画家。李白来过，以“长揖万乘君，还归富春山。清风洒六合，邈然不可攀”（《古风五十九首》其十二）的诗句与严子陵神交。范仲淹来过，写下洋洋洒洒的《潇洒桐庐郡十绝》，用整整十首五言诗来抒发自己在桐庐秀美风光中的洒脱宦情。比如第一首即是：“潇洒桐庐郡，乌龙山霭中。使君无一事，心共白云空。”苏轼来过，留下一首《行香子》词，词尾“君臣一梦，今古虚名。但远山长，云山乱，晓山青”之叹让人窥见他惆怅的心情。南宋末，文天祥抗元被俘，不屈就义；福建人谢翱登钓台西台痛哭江山故人，声遏行云，取竹击石，竹石俱裂，此种心情又与李、范、苏等人不可同日而语。

“无声诗与有色画，须在桐庐江上寻”（清刘嗣绾《自钱塘至桐庐》），这无声诗、有色画，在富春江另一个著名的隐士黄公望的画作里得到了最完美的结合。在漫长的漂泊后，元至正七年（1347），黄公望快八十岁了，“归富春山居”。此后长达三四年的时光里，他无数次沿着富春江漫游行走，那山那水渐渐融入胸怀，与他合而为一。至正十年（1350），完成《富春山居图》。或壮阔，或奇崛，或淡远，或绿水凝烟，或山含秋色，或平林漠漠，一袭长卷娓娓道尽富春两岸风光，以及画者在暮年之际对生命的体认与沉思。

严子陵、黄公望，两位外乡人将自己的桑榆晚景托付给富春山水，富春江的儿子郁达夫却不断地离开、归来，终于一去不复返。他是如此深爱自己的家乡，“家在严陵滩下住，秦时

风物晋山川。碧桃三月花如锦，来往春江有钓船”就是游子写给故乡的一封情书。他写《沉沦》《春风沉醉的晚上》，下笔惊人的坦率，被视为颓废派的代言人。究其生命的底色，却是富春江的纯净、自然、随性。他仰慕严子陵的人格，“自惭投笔吏，难上使君台”（《梦登春江第一楼严子陵先生钓台，题诗石上》）；他羡慕黄公望的自在，“何能花月春江夜，重过黄公旧酒垆”（《寄王子明业师居富阳》）；他更痛惜“城头变幻大王旗”（鲁迅《无题》）的局势里家乡遭辱，山水蒙垢，“江山如此无心赏，如此江山忍付人”（《题春江第一楼壁》）。但是他终究永远地离开了他挚爱的家乡，像英国诗人拜伦一样，为了别人的土地上能扬起自由的旗帜，将一缕诗魂埋在那异域他乡。

一江春水向东流，流不尽许多景，许多诗，许多画，许多情……

阅读链接：

马时雍：《杭州的水》，杭州出版社，2003 年版。

郁达夫：《屐痕处处》，天津教育出版社，2006 年版。

申屠丹荣、申屠时荣编注：《富春江文集》，浙江人民出版社，1992 年版。

天目山：灵山千重秀

天目三千丈，东南第一峰。山原名“浮玉”，因东西两峰顶上各有一处池水，常年不竭，宛如一双巨目仰望天空，故改名“天目”。东天目，主峰大仙顶海拔 1479 米；西天目，主峰仙人顶海拔 1508 米。一东一西，距十里许。地形绝胜，龙飞凤舞、狮蹲象踞，映带钱江、遥控宣歙，号称浙西诸山之母。

明人袁宏道《游天目》文中说天目山有七绝，曰：飞泉、奇石、雷声、云海、大树、茶叶、庵宇。且一一道来。

大树王国天目山

泉：东天目多宝峰挂着两条遥遥相对的飞瀑流泉，飘飘渺渺，宛若碧空长虹。明代江南巡抚祁彪佳赞道："瀑来飞万马，石削起双龙。白日江花乱，青氛海气重。"（《天目山》）并题写"悬崖飞溅"四个大字，镌刻在悬崖峭壁上。

石：山上奇石累累，或石色苍润，或石径曲折，或石壁竦峭。郁达夫《西游日录》里，用了许多笔墨写这里的灵石怪岩，还说："到了西天目，而不到此地来一赏附近的山谷全景，与陡峭直立的峭壁奇岩，才叫是天下的大错。"

雷：据说，在天目山上观大雷电，只闻云中隐隐如婴儿的声音，不觉雷震，十分神奇。苏轼曾借此表达自己对世事的认知："已外浮名更外身，区区雷电若为神。山头只作婴儿看，无限人间失箸人。"（《唐道人言天目山上俯视雷雨每大雷电但闻云中如婴儿声殊不闻雷震也》）

云：天目绝顶，常年云雾笼罩，置身其上，犹如身临海上，银涛万顷。袁宏道说它"白净如绵，奔腾如浪，尽大地作琉璃海"，可见气势非凡。

树："大树华盖闻九州"，天目山是个大树的王国。早在北魏郦道元著《水经注》，就提到天目山"山上有霜木，皆是数百年之树，谓之翔凤林"。历代寺僧爱树护树，

使它们保持着千年的苍翠挺拔。当年乾隆二上天目，曾用玉带为一棵五人合抱的柳杉测围，封它做“大树王”。近代名流为天目大树留题者众多，如民国总统徐世昌题写匾额“大树堂”，近代维新派领袖康有为题额“大树成行”，国民党元老于右任为“大树王”镌刻石碑“天目之光”，现代书画家钱君匋题镌“神州绿海”。

茶：天目山的茶在唐代已经相当出名。茶圣陆羽在湖州著《茶经》期间，曾到天目山考察茶叶，并在《茶经》中为它记下一笔：“临安、於潜二县生天目者，与舒州同。”诗僧皎然在品饮天目青顶茶后，赞叹头茶之香远胜龙井。

至于庵宇的美盛，当然是因为天目山兼具了以上六绝，遂成历代修真栖息者的仙乡净土，儒释道荟萃的名山。

南朝梁武帝长子昭明太子萧统，离宫出游，行至天目山上，流连不去，作赋赞曰：“实览历兮此名地，故遨游兮兹胜所。”他一生的功绩几乎都完成于此：将《金刚经》析为三十二分，便于信众念诵；为与天下好读书者一道奇文共赏，他以“事出于深思，义归乎翰藻”为准则，辑《文选》三十卷，涵盖了当时各种文体的代表作品和大致概貌，成为我国至今保存完好的最早的文章总集。

道教传入天目山约在公元前100年，王谷神、皮元耀隐居山中修炼丹道。东汉时，道家大宗张道陵生于天目山，在天目、龙虎山一带隐迹高居，学长生之术。“古洞多佳景，奇观举不全。悠然尘世外，何处更寻仙。”（唐云居《张公洞》）吟咏的就是

每当金风一起，树着秋色，山舞彩衣，此情此景，令人沉醉

阅读链接：

西天目山志编纂委员会编：《西天目山志》，浙江人民出版社，1991 年版。

许世英：《天目山名胜志》，浙江正楷印书局，1935 年版。

丁炳扬等主编：《天目山植物志》，浙江大学出版社，2010 年版。

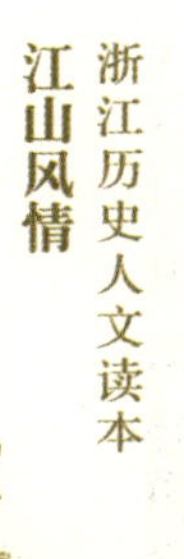

他留下的张公洞遗迹。以后，魏伯阳、葛玄、葛洪、杜光庭、唐子霞、莫月鼎等名道，都曾蹑足潜踪于这个浙西佳境。

天目更是一座佛家灵山，是行齐佛化、德摄天人的韦驮尊天菩萨显圣度众的应化道场。东晋升平间（357—361），高僧竺法旷入西天目山弘法，垒石为室，涧饮木食，简文帝、孝武帝皆师之以礼。

天目山佛教震耀于世，则始于宋元之际，当时杭州不少高僧怀“亡宋之痛”，避居天目。高峰原妙本驻锡杭州净慈寺，不满元军肆虐，入天目山西峰狮子岩，倚松结庐，静修苦行。第二年建造了“死关”小室，坐断万缘，“立死关偈”云：“揭开天目，坐断死关，峰高万仞，险绝难攀。”至元二十年（1283），他与弟子断崖了义、中峰明本，建立起规模宏大的狮子正宗禅寺，使临济宗在天目山得到中兴。圆寂之后，赵孟頫奉诏书塔铭：“狮岩巍巍，死关沉沉，炉香袅袅，祖塔苍苍。”

中峰明本的一生，从元武宗、仁宗至英宗，三代帝王屡有封赏，而他都不为所动。他除出游外，就在西天目修行净土，弘扬临济，广容海内外佛徒。赵孟頫替中峰绘像，作赞曰：“身如天目山，寂然不动尊。慈云洒法雨，遍满十方界。化身千百亿，非幻亦非真。”

镰仓时代的日本佛教界盛行“不上西天（即西天目山），不见两峰，不成正宗”之说，尊称高峰、中峰为“江南活佛”。许多日本高僧回国后效仿狮子正宗禅寺形式建造寺院。因此他们一直把天目山当成祖庭。日本留学僧人不仅带回佛经等，还带

回美丽古朴的天目盏（又名“天目木叶盏”，是天目山寺院中招待贵宾的茶具）、银杏种子，以及高峰、中峰、断崖等大师画像及手书。他们大都成为日本著名寺院的开山祖师，各化一方，使临济宗在日本生根开花。

天目伽蓝代有兴废。狮子正宗禅寺于元末毁于兵火。禅源寺在明末毁于兵燹，康熙年间由玉琳国师重建，在原址上增新移旧，渐复丛林。雍正帝御书“禅源寺”匾额。乾隆帝两次游寺并赐经。寺内收藏的佛经十分丰富，全寺藏经不下十万卷之多。海内外许多高僧都来此查经探义，更是日本僧人必到之地，天目山因此成为日本佛教界参学和心仪的祖庭。

抗战军兴，天目山和浙江人民一起经历了峥嵘岁月。浙西行署在太子庵恢复天目书院，工作人员怀抱“为一民族一国家精神之所寄托”的理想，举办展览，讲学，出版书刊，在抗战烽烟中坚持着薪尽火传的使命。

1939 年 3 月，时任军事委员会政治部副部长的周恩来，由浙江省主席黄绍竑陪同巡视浙西前线。24 日上午，周恩来到禅源寺百子堂参加浙西临时中学开学典礼，并向在场的 1500 余人做了《抗战的现状与展望》的长篇演讲。在他的号召下，群情慷慨，抗日歌声澎湃。黄绍竑与周恩来同游天目绝顶，归来后写下了壮怀激烈、誓雪国耻的《满江红》词一阕。

日寇恐惧这大山深处汇集起来的抗日洪流，1941 年 9 月 15 日午后 2 时许，七架日机突袭禅源寺，狂轰滥炸之后，又投掷燃烧弹，数百年的苦心经营、几代人的心血瞬间化为灰烬。1943 年 10 月，日军分七路奔袭天目山区，遭遇浙西抗日军民顽强阻击。日军进至离禅源寺十华里的东关，终于全线溃退。天佑天目，禅源寺没有遭受日寇的再次蹂躏，使它在今后的重建中还有形迹可寻。

“巍然天目当年事，赫赫光明续祖灯。”宛若一双不寐的眼睛，天目山日夜守护着浙西一方水土，以千重秀、十里深的灵山之姿，明灯长燃，普照千秋。

径山：茶禅一味

清代魏源描写径山的诗句颇富情致：“左泉右泉照石影，出谷入谷聆泉声。远山青绿近山碧，大泉钟磬小泉琴。”（《自天目山至径山寺》）诗中之景左右映照，出入自如，远近呼应，大小相许，描摹出径山的泉清、谷深、山碧，和着山中禅寺钟磬声声，既让人心旷神怡，又发人深省，一如径山茶禅。

东南第一禅寺

径山因山上有东西两径而得名。西去杭州54千米，地处余杭长乐镇，为天目山脉的东北峰。苏轼诗云："众峰来自天目山，势若骏马奔平川。中途勒破千里足，金鞍玉镫相回旋。"（《游径山》）极言径山气势奔腾，如骏马飞驰。

唐天宝元年（742），江苏昆山法钦禅师尊其师"乘流而行，遇径即止"之命，泛舟苕溪，结庐径山。大历三年（768），代宗赐法钦法号"国一禅师"，又赐建径山寺。自此之后，成为一方超然彼岸的佛国圣地。历史上，径山古刹，六易其名，且均由一代帝王赐额，以宋孝宗授封的"径山兴圣万寿禅寺"最为出名，延用时间最长。

南宋绍兴七年（1137），大慧宗杲奉旨主席径山。一时龙象骈集，临济宗风大兴。嘉定间，对江南禅院进行列位，径山兴圣万寿禅寺列为五山十刹之首，冠盖丛林，被誉为"天下东南第一禅寺"。

明神宗万历初，紫柏真可禅师发愿募刻《大藏经》，十七年（1589）创刻于山西五台山妙德庵。后因山中苦寒，不便刻经工作，再加地处偏僻，材料运送十分费事，四年后即南移至径山寂照庵续刻，故以"径山藏"称之。《径山藏》改梵策为方册，易印刷，便流通，并经严格校勘，准确度高，故在历代《大藏经》中占有重要地位，素为国内外所重视。《径山藏》的刊刻，无疑是径山在中国佛教史上的重要一页。清代思想家、文学家龚自珍《赞径山藏》诗云："径山一疏吼寰中，野烧苍凉吊达公（即紫柏真可禅师）。何处复求龙象力，金光明照浙西东。"

五峰环抱，深山春迟。山回物静，松籁吟风。因为气候、环境的独特与优越，径山茶拥有"天然味色留烟霞"，"氤氲香浅露光涩"（清金虞《径山采茶歌》）的清绝风味，而被世人誉为"真绿、真色、真香、真味"。山上多泉，泉清水洌。唐代"茶圣"陆羽对径山茶曾作两次考察，寓居径山双溪的将军山清泉左近，挹泉烹茶。后人把这泓清泉叫作"苎翁泉""陆羽泉"，以示纪念。北宋翰林院学士蔡襄游径山时，见泉甘白可爱，汲之煮茶，称道泉清茗香，令人洒然忘疲。

阅读链接：

赵大川：《径山茶图考》，浙江大学出版社，2005 年版。

朱金坤：《径山禅茶文化》，西泠印社出版社，2011 年版。

陈小法、江静：《径山文化与中日交流》，上海辞书出版社，2009 年版。

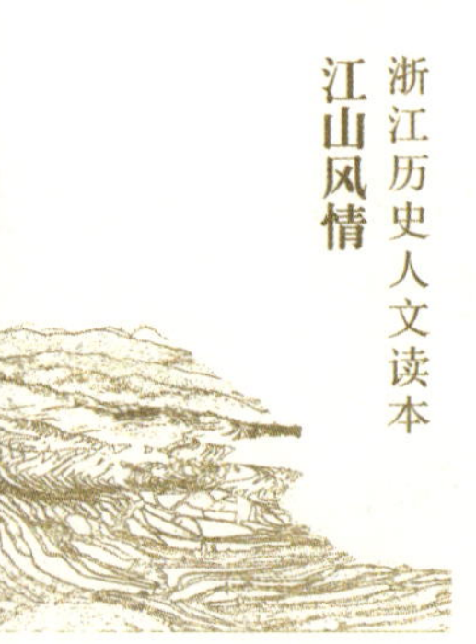

径山迤逦奔驰，山色青碧，最妙的是在幽幽梵唱中，敛容危坐，细品禅茶，感受“此中有真意，欲辨已忘言”的悠然心境

在中国传统文化中，饮茶与参禅密切相关。品茶，先苦后甘；参禅，在生死轮转中寻求彻悟解脱。品茶，目的是暂时放下俗事，在一盏茶的工夫里品味悠然心境；参禅，无非是“放下着”“吃茶去”，在顿悟的一瞬间云淡风轻，清静和寂。因此大凡名山古刹都自植茶叶，供采摘饮用。

径山茶相传最早就是法钦手植，用以供佛，以后广为种植。白云僧舍，茶香袅袅，径山茶、临济禅，就这样融为一味，难分彼此。

径山禅门结合禅、茶，发展出一套程序严格、仪式庄敬的

茶宴、茶礼。举办茶宴时，众佛门子弟围坐“茶堂”，依茶宴之顺序和佛门教仪，依次献茶、闻香、观色、尝味、瀹茶、叙谊。这便是以其兼具山林野趣和禅林高韵而闻名于世的“径山茶宴”。

日本茶道源于径山茶宴。南宋端平年间，日本圣一国师圆尔辨圆从径山嗣法回国，带去《禅苑清规》一卷。后来，圆尔依此为蓝本，制订了《东福寺清规》，中有步骤严格的茶礼。茶礼流传民间，发展为通过品茶艺术来接待宾客、交谊、恳亲的特殊礼节，即日本茶道。

岁月悠悠，唐风宋韵余韵不绝。在径山诸峰环抱之中，茶的风味醇厚芬芳、禅的意味绵久悠长。

湘湖：处子之湖

湘湖与西湖，一个在萧山西，一个在杭州西。钱塘江从萧山闻家堰至杭州闸口一段，江流蜿蜒曲折，形似反写的“之”字，因此人们把这段江道称为“之江”，湘湖和西湖就成了“之江”南北的姐妹湖。它们原本同为东海海湾，又先后与大海分隔，形成潟湖。可见鸿蒙开辟之初，两湖还真是“一母所生”，但是命运却截然不同。

前几年在湘湖跨湖桥发现一叶8000年前的独木舟，真是大大地惊艳了世界。因为这是目前为止发现的人类使用最早的独木舟。“夫越性脆而愚，水行而山处，以船为车，以楫为马。往若飘风，去则难从。”（东汉袁康、吴平《越绝书》）这句话据说是越王勾践说的，听起来是妄自菲薄的话，其实“以船为车，以楫为马，往若飘风，去则难从”云云明显地透出一股地域自豪感。跨湖桥独木舟的出土印证了勾践之言。因为早在勾践之前几千年，古越民族就已经掌握超级前沿的水上技术，可以驾着一叶扁舟在湘湖上自由来去。

春秋末期，湘湖一带属于越国疆域，是吴越相争的主战场之一。越国在湘湖城山筑有固陵城。《越绝书》载：“浙江南路

西城者,范蠡敦兵城也。其陵固可守,故谓之固陵。其所以然者,以其大船军所置也。”可见勾践有一支雄伟的水师。无奈吴国与越国本来就是习俗同，语言通，水上作战也不弱。湘湖之役勾践惨败。以后又一败再败，所以才有卧薪尝胆以及西施入吴这样的后续故事发生。

苏轼将西湖比作西施，人人以为绝配。但是西施和西湖似乎并没有什么直接的关系。倒是湘湖，那可是西施“曾经换舞衣”的地方。美女西施就是在湘湖之畔脱去布裙荆钗，换上锦衣华服，“扬蛾入吴关”，“千秋竟不还”（唐李白《咏苎萝山》)。

这样一路说来，在上古和中古时期，湘湖显然比西湖显赫得多。可是后来，西湖得到名宦雅士的青睐，名扬天下。被这位阔绰的姐妹一衬托，湘湖落寞了。善于写掌故的郑逸梅就很感慨:“和杭州一水之隔的萧山有个湘湖，那风景胜迹，不在西湖之下，却湮没不彰。”

单论风景胜迹、名人题咏，湘湖比起西湖又如何呢？明代刘伯温《题湘湖图》诗云：“君山洞庭隔江水，彭蠡无风波浪起。明窗晓晴图画开，兴入湘湖三百里。”将湘湖与烟波浩渺的洞庭湖、鄱阳湖相提并论，钟爱有加。

明窗晓晴图画开，兴入湘湖三百里

阅读链接：

马时雍：《杭州的水》，杭州出版社，2003 年版。

沈青松：《湘湖》，方志出版社，2006 年版。

[美]萧邦齐：《湘湖——九个世纪的中国世事》，杭州出版社，2005 年版。

人说西湖是“三面云山一面城”，湘湖则是四周青山屏列，青螺翠黛，各呈其姿。东岸有西山，传说东晋名士许询在山中居住，萧然自适，所以又叫做萧然山。不仅景物秀美，而且有白龟、净土寺等名胜。净土寺的门联是徐渭撰、祁豸佳书：“千家郭外西天竺，万顷湖边小普陀。”南岸石岩山，岩石裸露，山势险峻。有先照寺、一览亭，宋、明时期建造。另外还有木尖山、杨岐山、小砾山，不一而足。都是景致清佳，妙趣天成，更不缺少名人游踪、词客留迹。

西湖分外湖里湖。湘湖则分上湖下湖，上湖壮阔，下湖秀媚。山中有湖，湖中有山。张岱在《陶庵梦忆》中说：“盖西湖止一湖心亭为眼中黑子，湘湖皆小阜、小墩、小山，乱插水面，四围山趾，棱棱砺砺，濡足入水，尤为奇峭。”

张岱那篇《湖心亭看雪》是西湖美文的绝唱，湘湖雪景又如何呢？清人蔡惟慧在《湘湖记》中这样描绘：“严冬密雪，上下粲然著素，鸟藏兽阻，古道无人。自渔烟、数艇外，惟钟声砰砰。”古道无人、钟声砰砰，意境酷似张岱笔下雪后西湖“湖上影子，唯长堤一痕，湖心亭一点，与余舟一芥，舟中人两三粒而已”。看来，当西湖洗净铅华、素面朝天的时候，与湘湖倒是神似起来。

西湖有两个知音——白居易、苏东坡，都是文豪词宗级别的人物。其实当年疏浚湘湖的萧山县令杨时名气也不小。他是北宋名儒、大理学家，世称“龟山先生”。和文采飞扬的白、苏二人相比，学问家自然比较低调、内敛，但他那首吟湘湖的《新

波澜不兴，静若处子

湖夜行》也写得简淡深远："平湖净无澜，天容水中焕。浮舟跨云行，冉冉躐星汉。烟昏山光淡，桅动林鸦散。夜深宿荒陂，独与雁为伴。"

处处将湘湖和西湖作对比，难免被人闻出点"祖上曾经阔过"的酸味来。但是上世纪中叶，湘湖师范学校在中国现代教育史上写下了浓墨重彩的一笔，是谁都不能否认的。湘师的灵魂人物是杰出的教育家陶行知先生，实际领导者则是陶先生的高足金海观校长。金校长放弃城市的舒适生活，来到偏僻的湘湖办学，是为了实践陶行知先生"教学做合一"的教育理念，实现普及乡村教育的远大理想。艰难时世中，师生们一起努力，陶行知倡导的乡村教育运动，从实验到推广，在湘湖之畔生根开花。

俱往矣！张岱曾经这样比拟："湘湖为处子，眡娗羞涩，犹及其未嫁之时；而鉴湖为名门闺淑，可钦而不可狎；若西湖则为曲中名妓，声色俱丽，然依门献笑，人人得而媟亵之矣。"（《陶庵梦忆》）这个末世大"顽主"，对湘湖的珍爱怜惜，就像一个历尽沧桑的男人，心底深处却始终保留着邻家女儿那帧纯净的容颜。

鉴湖：山川映发

出绍兴城，西行千米，有桥名跨湖。桥下一条东西走向的水道，看上去不过是很普通的河流，却是江南古老的大型蓄水工程古鉴湖残存的遗迹。

南宋以前的鉴湖，横亘一百六十里，三十六源山水全部容纳湖中。含山吞江，气势浩荡。“杭之有西湖，犹人之有眉目；越之有鉴湖，犹人之有肠胃。”（南宋王十朋《鉴湖说》）如果说西湖的开发是杭州一代代有为官员不懈努力的结果，鉴湖的开发，则谱写着马臻以生命为代价的悲壮故事。

东汉永和五年（140），马臻任会稽太守，治所山阴。见境内水涝为患，民无所依，遂组织民力改造水体，形成 170 多平方公里的鉴湖。鉴湖建成之后，兼有灌溉、蓄洪、内河航行和防止咸潮内侵等综合功能，使山会平原从“荒服之地”一跃而为“鱼米之乡”，故有“境绝利博，莫如鉴湖”（南宋王十朋《会稽风俗赋并叙》）之评说。

马臻筑湖，建立了不朽功勋，却因为湖水淹没官宦豪强的土地，遭致忌恨。他们联名上书，网罗罪名，马臻被朝廷下诏五马分尸。越中百姓冒着生命危险，将其遗骸运回会稽，立祠

祭祀，礼葬于鉴湖之畔。

鉴湖，又称镜湖。它虽由人作，宛若天开，碧波万顷，晶莹如镜，“人在镜中，舟行画里”。它的开辟使早年有“穷山恶水”之谓的稽北丘陵之地自此面目一新，如蓬头村女华丽转身为“艳色天下重”的美人西施。晋代，大画家顾恺之自越返，人问会稽风光如何。顾不假思索地回答：“千岩竞秀，万壑争流，草木蒙笼其上，若云兴霞蔚。”成为对会稽山水的经典描绘。连诗仙李白都忍不住“抄袭”顾恺之的美句：“万壑与千岩，峥嵘镜湖里。”

西晋永嘉四年（310），匈奴人攻破洛阳，俘虏怀帝，史称“永嘉之乱”。大量北方人口为避战乱从中原迁往长江中下游，史称“衣冠南渡”。在饱尝极权的压抑、战争的荼毒之后，美丽轻柔的江南风光抚慰了那些受伤而敏感的心灵，使他们渐渐走出创伤，在稽山鉴水中获得了长久的慰藉、心灵的解脱。而他们的回馈是丰厚且独特的。稽山鉴水间，流转着清吟与长啸；山阴道上，飘拂着轻裘和缓带。东山高卧、右军换鹅、雪夜访戴、兰亭雅集……山容水色写不尽“魏晋风度”。

“会稽有佳山水，名士多居之。谢安未仕时，亦居焉。孙绰、李充、许询、支遁等皆以文义冠世，并筑室东土，与羲之同好。”（《晋书·王羲之传》）这是一支庞大的士人群体，他们虽然追求最大限度的自由，也需要相互结盟、相互标榜。辩论、宴游、结社、雅集，是他们交往的常态。

“出则游弋山水，入则言咏属文”（《晋书·谢安传》），秀美风光触发了旺盛的文化创造力。鉴湖之滨，玄言诗在一度销声匿迹之后再掀高潮，儒释道三教合流也在这里找到最初的源头。

永和九年（353）农历三月三日上巳节，那一场曲水流觞的故事，是从俗，更是创举，在中国文化史上留下了风雅的背影，令人千古高风说到今。

“永和九年，岁在癸丑，暮春之初，会于会稽山阴之兰亭，修禊事也。”（东晋王羲之《兰亭集序》）修禊，就是在水边洗手濯足，以袚除不祥。是日，天朗气清，惠风和畅。崇山峻岭，茂林修竹，清流激湍，映带左右。王羲之与谢安等42位高士，列坐水边，畅叙幽情，游目骋怀。仰观宇宙之大，俯察品类之盛。盛酒的羽觞从曲水顺流而下，流到谁的面前，那人就得即席赋诗，不然罚酒三杯。共得诗37首，结为《兰亭集》。王羲之当场挥毫作序，这就是书文并臻、双美极致的《兰亭集序》。

"后之视今，亦犹今之视昔"（《兰亭集序》），王谢风流虽化作历史的陈迹，但依然吸引、感召后世之人络绎前来。唐天宝三年（744），贺知章辞官归里。他舍宅为观，取名为千秋观，以鉴湖为放生池。因为他的缘故，鉴湖又别号贺监湖。长安临别，

一抹夕照，使古老的鉴湖显得宁静又瑰丽，只可惜，南宋之前"八百里鉴湖"的浩渺景致如今已不复存在

李白赋诗相赠："镜湖流水漾清波，狂客归舟逸兴多。山阴道士如相见，应写黄庭换白鹅。"（《送贺宾客归越》）羡慕之情溢于言表。杜甫回忆自己在少年时代游离于科场之外的壮游时，写道："越女天下白，鉴湖五月凉。剡溪蕴秀异，欲罢不能忘。"（《壮游诗》）秀丽的越中风光，与肤如凝脂的越女，成为诗人永恒的思念。而方干，则将自己的后半生涯托付给了鉴湖，从此过着"云门几回去，题遍好林泉"（唐齐己《寄镜湖方干处士》）的悠闲日子。

陆游大半生的时间生活在鉴湖边，他描写鉴湖风光的诗歌，比任何一个诗人都丰富。春来，"山重水复疑无路，柳暗花明又一村"（《游山西村》）；秋至，"秋浅叶未丹，日落山更青"（《吾庐》）；清晨，"露拆渚莲红渐闹，雨催陂稻绿初齐"（《湖边晓行》）；月下，"新月纤纤淡欲无，时闻鱼跃隔菰蒲"（《湖边》）；梦中，"红蕖绿芰梅山下，白塔朱楼禹庙边"（《上巳临川道中》）。如此热烈，又如此迷离，如此清绝。

南宋以后，由于大量围垦，鉴湖的面积不断萎缩。但是，它似乎魅力不减当年。明人徐渭坐在跨湖桥上，浩叹岩壑迎人，到此已无尘市之想。明末祁彪佳在鉴湖岸上筑寓园别墅，清皇室贝勒亲往礼聘，祁彪佳不愿仕清，怀石自沉于梅花阁池水。

袁宏道、张岱都将西湖与鉴湖做了一番比较。袁宏道诗道："钱塘艳若花，山阴芊如草。六朝以上人，不闻西湖好。平生王献之，酷爱山阴道。彼此俱清奇，数它得名早。"(《山阴道》)张岱说："自马臻开鉴湖，而由汉及唐，得名最早；后至北宋，西湖起而夺之，人皆奔走西湖，而鉴湖之澹远，自不及西湖之冶艳矣。"(《西湖梦寻·明圣二湖》)情感天平之倾斜，一目了然。

随着时代变迁，鉴湖堙废，浩淼烟波化作江南小桥流水人家的寻常景致，士大夫的风雅淡逸消失在历史的漠漠烟尘里，取代它的是平民百姓实实在在的世俗生活。少年鲁迅眼中所见的鉴湖两岸，与前人眼中的风貌已经大异其趣："乌桕，新禾，野花，鸡，狗，丛树和枯树，茅屋，塔，伽蓝，农夫和村妇，村女，晒着的衣裳，和尚，蓑笠，天，云，竹……都倒影在澄碧的小河中……"（鲁迅《好的故事》）

鉴湖的如画风光安放着诗人幽思与世俗情怀，也沉淀着壮怀激烈与慷慨悲歌。大禹治水三过家门而不入的传说在这里长久流传。越王勾践的卧薪尝胆与十年生聚十年教训，使绍兴子弟鲁迅以"吾越乃报仇雪耻之国"（明王思任《思任又上士英书》）为骄傲。马太守庙前镌刻着这样一副对联，从未磨灭："轰天大业，纳众水而定千秋，何屑当年谤渎；盖世鸿猷，润平畴

以安百姓，岂图日后声名？”南师北定中原日，才是陆游一生的追想。倡“致良知”以拯救世道人心的心学大师王阳明长眠在兰亭之畔。张岱的亡国遗恨最终和他一起深埋在家乡的土地上。家国情怀一脉相承。近代，这里走出了被挖心的反清斗士徐锡麟，提倡“思想自由、兼容并包”的北大校长蔡元培，“我以我血荐轩辕”的大文豪鲁迅。而秋瑾，则以“鉴湖女侠”的名号，仗剑天下，搅动着一个暮气沉沉社会的死水微澜。

鉴湖两岸，山川映发，使人应接不暇。

智言慧思

余以湘湖为处子，眠娗羞涩，犹及见其未嫁之时；而鉴湖为名门闺淑，可钦而不可狎；若西湖则为曲中名妓，声色俱丽。

——（明）张岱《西湖梦寻·明圣二湖》

阅读链接：

张能耿、盛鸿郎、单家琇编著：《越中揽胜》，国际文化出版公司，1995年版。

绍兴县史志办公室编：《品读绍兴》，中华书局，2007年版。

渠晓云：《宋代诗人笔下的鉴湖风貌》，《绍兴文理学院学报》（哲学社会科学），2012年第1期。

沃洲湖、天姥山：眉眼盈盈处

白居易《沃洲山禅院记》中有“东南山水越为首，剡为面，沃洲天姥为眉目”之句。在人的五官中，眉目最能顾盼生辉，最善传情达意。可见有了沃洲、天姥的点染，秀美的东南山水倍加流光婉转，神采飞扬。

“水是眼波横，山是眉峰聚。欲问行人去那边，眉眼盈盈处。”（宋王观《卜算子·送鲍浩然之浙东》）（戎蓓蕾摄）

从前的沃洲，是一片四面环水、烟树迷离的绿洲，因“平坦幽闲，丛生兰芷，泉甘土肥，民以殷实”而得名。沃洲果然是一方肥沃的土壤，它不单盛产幽花闲草、秀禾嘉果，还养育出一派魏晋风度、一种盛唐气象。据白居易的《沃洲山禅院记》记载：永嘉南渡以后，这个方圆不过45平方千米的区域，栖止着白道猷、竺道潜、支道林等十八高僧，戴逵、郗超、孙绰、王羲之等十八高士。他们或结庐讲经，或翰墨游弋，身边还聚集着如云的从者。冠盖云集、群贤毕至，在青山绿水间演绎着迷人的王谢风流，活画出一幅林泉高致长卷。果真是“有非常之境，然后有非常之人栖焉”（《沃洲山禅院记》）。

先说“非常之境”。沃洲地处天台山、会稽山、四明山这三座浙东名山的腹地。沃水潺潺绕洲曲流，它还连接着一条“仙溪日夜入幽冥”的剡溪。周边佳境无穷，

沃洲山白云深锁，天姥山势拔五岳，东岇山水帘飞瀑如“乱泉飞下翠屏中”（唐罗邺《题水帘洞》）。汉朝的刘晨、阮肇进天台采药，在此地迷路而遇仙的传说，世代相传，为这片山水增添了神幻色彩。与战乱频仍的北方相比，沃洲是如此的清幽、深邃、静谧；与山川阻隔、瘴疠遍地的闽粤相比，沃洲又是那么安逸、富庶。而且由于剡溪与江南运河连接，直通当时的政治中心建邺（今江苏江宁县南），交通相对便捷。和文化中心、政治中心可谓是不远不近、不即不离，既让高僧名士逃离压抑的政治氛围、动荡不安的社会局面，寄情山水之间，又能够方便地获取信息，会合同道，交流思想，传播文化，从而极大地契合了他们与时屈伸、隐仕不悖的人生态度。

时光流逝，流风渐息，但东晋士人的人生态度、精神世界却在这片山水之中沉淀下来，当年热爱沃洲风景的人本身也成为一道风景。逮至唐朝，一拨拨文人、僧侣倾慕前朝风致，络绎前来，似乎呼应了一首著名的现代诗：“你在桥上看风景，看风景的人在楼上看你。明月装饰了你的窗子，你装饰了别人的梦。”（卞之琳《断章》）

再说“非常之人”。众所周知，魏晋士人、僧道在中国历史上形成了一个非常独特的群体，他们容止超凡、蔑视礼俗、倜傥不群，崇尚精神自由，沉醉于玄幻飘渺的清谈世界。十八高僧中的竺道潜、支道林就是这种人格的典范。竺道潜，是东晋大将王敦的弟弟，德高望重、学识渊博，视富贵如浮云，遁出红尘，隐居沃洲东岇山，潜心修道，终老于此。《世说新语》记载，

"青冥浩荡不见底，日月照耀金银台。"（唐李白《梦游天姥吟留别》）

后至的支道林欲出资向他购买一块东岇山地皮，他慷慨地说："来了就给，从未听说过巢父、许由买座山来隐居的。"支道林于是得以在山侧建起一座沃洲精舍。支道林同样是个有趣的人物。他谙熟老庄，精研佛理，是一代高僧，可是又喜欢蓄鹤、养马，尽显名士派头。有人和他说和尚养马，不合适。他回答，和尚我就喜欢这马的神气。有人送鹤给他，他心下喜欢，却又对那鹤说："你本是冲天之物，岂可沦为我的耳目之玩？"就找个地方把鹤放了。沃洲有养马坡、放鹤峰，典故都出自支道林。

还有谢灵运。仕途崚嶒，落拓不拘，被朝廷免去官职后，想起曾经游历过的天姥山，兴致大起，率领一众人马，披荆斩棘，伐木开径，硬是打通了天姥山区的几处险要地段，开辟出一条后人所称的"谢公故道"。东南眉目得以疏朗有致，谢公开拓之功不可没矣。其实同样重要的是，他还留下了一首《登临海峤》，诗中有"暝投剡中宿，明登天姥岑。高高入云霓，还期那可寻？傥遇浮丘公，长绝子徽音"之句，他的诗情和屐履为天姥山的文化高度铺垫了根基。

据统计，《全唐诗》中有20%的诗人足迹到过天姥山，天姥山已然是诗人心目中的灵山圣地。天宝年间，李白在极度的政治失意之中，写下了亦梦亦真、辉煌壮丽的《梦游天姥吟留别》。在诗中，他处处向有着相似命运与才情的谢灵运致敬："谢公宿处今尚在，渌水荡漾清猿啼。脚著谢公屐，身登青云梯。"更借天姥山一吐与当朝权贵决裂的决绝态度："安能摧眉折腰事权贵，使我不得开心颜？"又向天姥山表明情愿自我放逐于青山绿水间的心迹："且放白鹿青崖间，须行即骑访名山。"《梦游天姥吟留别》既代表着李白人生姿态的巅峰境界，也象征着中国文人追求精神自由的理想境界。天姥山，就在这首旷世杰作的推波助澜下，攀上了它的文化高度。

安史之乱的"渔阳鼙鼓动地来"（唐白居易《长恨歌》），使北方又陷入纷飞战火中。刘长卿避难入越，在沃洲一隐七年，留下许多与沃洲有关的诗句，比如《送灵澈上人还越中》："禅客无心杖锡还，沃洲深处草堂闲。身随敝履经残雪，手绽寒衣入旧山。独向青溪依树下，空留白云在人间。那堪别后长相忆，云木苍苍但闭关？"仓皇逃难的乱离之人，在沃洲深处重拾了安闲的心境。

随着更多像刘长卿这样的人避祸前来，沃洲雅集荣光再现。诗人们酬唱频繁，群体又多又活跃，持续时间也长。其中最被后人津津乐道的大概是刘长卿与皎然、李季兰之间的友情了。一俗、一僧、一女道，他们之间的才思撞击、灵性交往，给中国诗坛增添了一段佳话。

非常之人遇到非常之境，必然开创出非常之功。比如：中国文学史上的第一首山水诗就诞生在这里。诗中有句云："连峰数千里，修竹带平津。茅茨隐不见，鸡鸣方知人。"在这里，山水不再是人的陪衬，而是作为独立的主体出现，因此，论者认为它是第一首完整的山水诗。诗名《招道一上人》，作者正是归隐沃洲的第一代高僧，东晋白道猷。

中国佛学走上独立道路，是以两晋之际掀起的般若学思潮为标志的。在这一思潮中产生的"六家七宗"的代表人物，有七人名列《沃洲山禅院记》所记录的十八高僧。他们在这股思潮中所起的举足轻重的作用，足以证明沃洲在中国宗教史上所占据的重要地位。

在沃洲近两千年的悠长历史中，六朝的佛道文化、名士文化，唐朝的诗歌文化，两宋的理学文化，元代的隐士文化，明清的宗族世家文化，交相辉映，高潮迭起，令人目不暇接。在沃洲文化地图上，最惊艳世人的应该是那条在山水之间迤逦而行的"唐诗之路"吧。魏徵、沈佺期、宋之问、李白、杜甫、刘长卿、白居易、方干、罗隐……这一连串闪光的名字，以及他们一路抛洒下的光辉诗篇，如天女散花，缤纷灿烂。

白居易曾经为沃洲文化现象的产生做了精辟的总结，他说："盖人与山相得于一时也。"如今，山还在，人已远。但是，来此处寻觅魏晋风度、盛唐气象的人分明在美丽如初、眉眼盈盈的山水之间听到了历史的悠悠余响。

阅读链接：

竺岳兵：《唐诗之路综论》，中国文史出版社，2003年版。

新昌县志编纂委员会编：《新昌县志》，上海书店，1994年版。

胡正武：《魏晋风流对唐诗之路的先导作用简说》，《台州学院学报》，2004年第1期。

天台山：出世入世间

浙东有山，雄奇俊秀，绵亘东海之滨，因“山有八重，四面如一，顶对三辰，当牛女之分，上应台宿，故名天台”（南朝梁陶弘景《真诰》）。晋朝孙绰曾经热情洋溢地写下一篇《游天台山赋》，认为天台山穷尽人间风景之壮丽瑰奇，并为天台山因为路途遥远崎岖不为世人所知、没有位列五岳之尊深感不平。

进入唐代，诗人们却络绎不绝地踏上了浙东之路，无论是水上行舟，还是陆路吟鞭，他们此行的目的都指向同一个地方——天台山。

“龙楼凤阙不肯住，飞腾直欲天台去。”（唐李白《琼台》）谪仙人李白满怀豪情，仗剑入京，短暂的春风得意之后就饱尝失意寂寞。长安居，大不易，不如归去。但是，为什么他的归乡之路直指天台？

是揽胜？诚然，天台山水神秀，众美具备。白云归处，云顶山宛如莲台端坐千重莲花间。丹霞蔚起，赤城山好似城郭连绵不绝。琼台灵异，双阙清华。石梁险峻，飞瀑纷纷。花坞曲折，环佩叮咚。深洞杳渺，危崖壁立。芳草迷离，碧树参差。真是“掩众美罗诸长，出奇无穷，探索不尽者，其唯天台乎！”（东

“佛宗道源”天台山，曾经是无数盛唐诗人心中永恒的乡愁（丁必裕摄）

晋孙绰《游天台山赋》）正宜诗人纵情山水，寄迹林泉，抚慰那宦途失意的心灵。

是寻仙？相传东汉刘晨、阮肇入山采药，在清溪旁，桃树下，遇到两位仙女，互生爱慕，结为连理。后来刘、阮二人思乡回返，却发现山中一日，世上千年，家中早就物改人非。二人再回山中，已经难觅桃源路。“春来遍是桃花水，不辨仙源何处寻”，徒留下美丽得令人惆怅的传说，更引来诗人绮丽的想象。浪漫的诗人幻想能够追逐绿野仙踪，而天台山确实是个养生纳福的洞天福地，山中遍布灵芝瑞草，最适合采药炼丹，“活神仙”葛玄、葛洪、陶弘景等都在此修真悟道。一生好做寻仙游的李白在《天台晓望》中就许下了“攀条摘朱实，服药炼金骨。安得生羽毛，千春卧蓬阙”的心愿。

是访友？出川那年，李白遇到从天台下山的“白云道人”司马承祯，司马道人称许他“有仙风道骨，可与神游八极之表”。两人也许订下了会面之期。司马承祯何许人也？据说他在天台桐柏山修炼达三十年之久，存神化气而得虚灵之妙，练形化质而脱凡俗之身，加以外丹点化，乃成真仙之体，从而使天台成为人们向往的飞仙之所。武后、玄宗多次召见司马承祯，备极尊崇。遥想当年，神仙与诗仙相逢于天台之巅，是彻夜清谈，穷通幽玄之理，还是联袂神游于浩荡青冥呢？

天台山的佛缘与道源一样久远。东晋年间敦煌僧人昙猷据说在此修得正果。北周灭佛，大批游僧南下，智顗是其中的佼佼者。他率徒在天台山说法讲经多年，饱尝艰辛，在圆融南北两派学说的基础上，提倡“止观双修”，即实践与理论相结合的修行方法，创立天台宗，造就了第一个中国佛教教派及其理论体系，人称“智者大师”。至此，外来的佛教终于真正在中国落地生根。又据传说，五百罗汉就隐匿在石梁瀑布里，凡人是看不到的，只有像昙猷那样修行得道、心思纯净之人才能渡过石桥，得见罗汉。世人因此将石桥视为证道的灵境。可能正因如此，无数诗人表达了对天台石桥的憧憬之情：“问我今何适，天台访石桥”（唐孟浩然《舟中晓望》）、“待入天台路，看余度石桥”（唐宋之问《灵隐寺》）、“石桥人不到，独往更迢迢”（唐刘长卿《送少微上人游天台》）、“曲江僧向松江见，又到天台看石桥”（唐刘禹锡《送霄韵上人游天台》）、“梦入琼楼寒有月，行过石桥冻

无烟”（唐皮日休《腊后送内大德从勖游天台》）……

李白、孟浩然们的脚步最终没有停驻，留下了美好篇什之后，又飘然远游。诗僧寒山则隐居天台七十多个春秋。他厌离人世，独自清修苦吟，觅得诗句，就随手题于树上石上。“杳杳寒山道，落落冷涧滨。啾啾常有鸟，寂寂更无人。淅淅风吹面，纷纷雪积身。朝朝不见日，岁岁不知春。”（《杳杳寒山道》）真是一番冷落自在的生涯。出世未必绝世。他和拾得的友谊成为千古佳话，连清代的雍正皇帝都亲口御封他们为“和合二圣”。更令人惊奇的是，寒山的大名和诗句还远涉重洋，不但在日本受到狂热的喜爱，甚至影响了整整一代美国人，被“垮掉的一代”视作东方始祖。

世间的诗人为追求仙踪佛履而往天台，天台的智者则把他们清修苦行证得的智慧传播天下，造福众生。司马承祯的学说是实践形上妙道的超然典范，在唐玄宗时期开辟了人类生活的新天地，提升了整个王朝的精神生活境界，为“开元盛世”提供了思想基础。智者大师被人称为“披着袈裟的政治家”，他临终之时嘱咐建立国清寺，取意“寺成之日，国清之时”。对国对民的一片殷殷之情，令人千载动容。国清寺中，相传智者大师的弟子灌顶手植的梅树至今仍然生机勃勃，为世人传送着脉脉清芬，大师开创的天台宗更是法脉不绝，影响遍及东亚。

“云无心以出岫，鸟倦飞而知还。”（东晋陶渊明《归去来兮辞》）心灵疲倦的人们在天台的山水和道场中找到梦中的家园，获得安慰，洗净尘埃之后重新出发；幽居天台的修行人不屑于世间名利，却将道心法乳无私地润泽苍生。出世与入世，都在大美不言的天台山水中，圆融无碍。

阅读链接：

天台县志编纂委员会编：《天台县志》，汉语大词典出版社，1995 年版。

蒋维乔：《天台山二集》，商务印书馆，1917 年版。

徐灵府：《天台山记・天台胜迹录》，浙江大学出版社，2010 年版。

东钱湖：流金之湖

相传，范蠡在帮助越王勾践消灭吴国之后，功成身退，挂冠而去。从此携带爱侣西施畅游五湖四海，并因商致富，人称“陶朱公”。据说他们也曾隐居于宁波东钱湖畔。范蠡与西施的爱情故事信史无征，但是并不妨碍后世之人恣意想象：“此地陶公有钓矶，湖山漠漠鹭群飞。渔翁网得鲜鳞去，不管人间吴越非。”（清李邺嗣《鄮东竹枝词》）这一片清幽宁谧的景象，对于作别处处暗含杀机、时时可能倾覆的宦海归人来说，足慰平生。

东钱湖八十一岭环抱，七十二溪流注，三十六村错落。山水交相辉映，好景难穷，确实适宜做这一对不问功名、不管是非的神仙眷侣的幽居之所。湖上众岭环合，玲珑耸翠，晓烟笼树，碧水连天，轻鸥掠浪，渔歌互答。更兼远离城市，正可以隐身藏迹，斯乐何极！

传说固然动人，但事实上，东钱湖的开发最早恐怕只能追溯到唐代。东钱湖是远古时期地质运动形成的天然潟湖，也是浙江省内陆第一大湖。天宝年间，陆南金出任鄮县县令，于天宝三年（744）相度地势，开而广之，将湖西北部几个山间缺口，

筑堤连接，形成了人工湖泊。又筑塘 8 条、堰 4 座以增加蓄水量。“钱湖佳胜万山临，映水楼台花木深。开拓平畴八百顷，不知谁祀陆南金。”（明余有丁《东钱湖》）此诗就是追忆陆南金的开拓之功。

古代中国以农业立国，历代有作为的地方官无不重视水利，然而水利事业建设却往往不能一帆风顺。西湖能有后来的规模，仰赖于薪尽火传、持续不辍的疏浚，东钱湖的兴废之争同样在历朝历代几乎没有停息。所以每隔一段时间，总有地方官员力排众议，苦心经营，终为百姓留下一湖珍贵丰美的水。这其中名气最大的自然是王安石了。

庆历七年（1047），王安石 27 岁，出任鄞县县令。是年十一月，他冒风寒、履冰霜，对鄞县做了深入考察，并写下了著名的《鄞县经游记》。这次考察的结果促使他下决心整治东钱湖。庆历八年（1048），他组织并率领十余万民工，清除葑草，立湖界，起堤堰，决陂塘，整修七堰九塘，限湖水之出，捍海潮之入。自此，七乡之民无凶年之忧，无数农田得到清流浇灌，岁岁丰收。

一角民居，告诉人们东钱湖自有一番丰盈富足之美（谢秦力摄）

阅读链接：

缪复元:《浙东名湖——东钱湖沿湖史迹考略》,《杭州师院学报》(社会科学版),1885年第2期。

周景崇:《论宁波东钱湖南宋墓前神道石马造像艺术》,《设计艺术》(山东工艺美术学院学报),2008年第3期。

宁波市地方志编纂委员会编:《宁波市志》,中华书局,1995年版。

经过一番精心收拾，东钱湖如古镜新研，粲然可观。自然，也激发了作为诗人的王安石的创作灵感。“海上神仙窟，分明作画图；山云连太白，溪水落东湖。”是他为湖上的二灵山所作。“太白巑岏东南驰，众岭环合青纷披。烟云厚薄皆可爱，村石疏密自相宜。”则以湖上太白山为歌咏对象。不过此诗作结于“生民何由得处所，与兹鱼鸟相谐熙”，让人们在领略诗情画意之余，得以窥见他的深沉怀抱。

经过数代人的努力，东钱湖的水利功能得以持续发挥作用。环湖基本形成7堰11塘4闸1斗门格局，且有72条山溪之水潺湲不断地经钱埭灌注入湖，成为一个极为重要的水利蓄泄和调节系统。既保证了农业旱涝无虞，又便于精耕细作，旱涝保收。东钱湖水灌溉鄞县、奉化、镇海8个乡数十万顷农田，使环湖农田岁岁丰登。宁波过去有句俗话：“田要东乡，儿要亲生。”东乡的田，年年高产，靠的就是东钱湖水。故而东钱湖又有“万金湖”之名，言其利溥，造福四方。

自唐代开拓以来，东钱湖以山环水抱、典雅淡泊著称于两浙。元代袁士元一首《寒食过东钱湖》代表了东钱湖在时人心中的地位：“尽说西湖足信游，东湖谁信更清幽？一百五十客舟过，七十二溪清水流。白鸟影边霞屿寺，翠微深处月波楼。天然景物谁能状？千古诗人咏不休。”

宋元以来，东钱湖畔成为官宦士子躬耕、勤读之地。环东钱湖代有兴筑，至今还遗存着东书院、月波书楼、二灵书房、天境亭、烟波馆、醉碧楼、钦赐御笔金石等名胜古迹。其中

浮光跃金，静影沉璧

最为人珍视的当是南宋石刻群，它们是石刻艺术的典范之作，被誉为“江南兵马俑”。

南宋一朝，东钱湖史氏家族掌握朝政数十年，一门三宰相、四世两封王、五部尚书、七十二进士，荣宠富贵，无以复加。为了延续和守护家族辉煌，史家在墓葬之所筑建了一组气势恢宏的石刻造像。百年基业早已灰飞烟灭，只有这180多件高高低低、大大小小的石人、石马、石虎、石羊永远地保留下来。它们忠实地伫立在东钱湖畔，数百年来沐风栉雨，静穆无言，如同繁华落尽的寂寞背影、历尽沧桑之后的苍凉姿态，令人不由去追想一段失落的历史，一个王朝的偏安之梦，一个家族登峰造极的权势之路。只不过，无论是绚烂至极还是悲剧以终，都最终融入到平静的东钱湖水中，化作历史泛起的一圈涟漪。

东钱湖，凝聚几多风云，创造几多财富，沉淀几多人情。东钱湖，前尘影事，浮光跃金。

四明山：山有光

“四明三千里，朝起赤城霞。日出红光散，分辉照雪崖。”(《早望海霞边》）诗仙李白挥舞一支生花妙笔，将神采奕奕、流光溢彩的四明山呈现在世人面前。

是的，四明山正是一座“有光”的山。这光，是宇宙神光，日月星光。四明周回八百里，二百八十峰，其中四窗岩中有四个岩洞，洞洞相通，四面玲珑，每当天气澄霁，望之如户牖，中承日月星辰之光，故曰四明。刘长卿因此赞道：“苍崖倚天立，

自从刘阮游仙后，
溪上桃花几度红

覆石如覆屋。玲珑开户牖，落落明四目。”（《游四窗》）

这里有古洞潺湲，白鹤低翔；春雨碧桃，秋风琪树。西汉炼丹家、严子陵之师并岳丈梅福曾隐居东明山，修道炼丹，治病救人。魏伯阳、于吉、葛洪、司马承祯、陶弘景、施肩吾等著名道人也留下了炼丹遗迹。

痴迷长生之术、道家学说的唐玄宗、宋徽宗对此玄圣游化之所自然兴趣盎然。唐天宝三年（744），唐玄宗遣使祷祠，使者苦于羊额岭崎岖险远，特令道士崔衔和处士李建，将大岚祠宇观移建到白水冲的潺湲洞外。宋政和六年（1116），宋徽宗下令扩建祠宇观，增建玉皇殿，并书“丹山赤水洞天”匾额，悬挂祠内。从此，四

明山赫然名列道家第九洞天、第六十三福地。

仙家履印，诗家继踵。在诗人穿越浙东腹地，溪山行旅，诗语缤纷，直上天台的诗意飘泊中，四明是他们的中转站。他们在这里惆怅——“自从刘阮游仙后，溪上桃花几度红？”（明张瓒《石窗诗》）梦回——“依然梦断四明山，花信风里怜梅雨。”（北宋晁说之《送坛守赴阙》）迷惘——“一坡烟水绿湾环，竹树楼台缥缈间。”（南宋楼钥《上史太傅》）彻悟——“对此脱尘鞅，顿忘荣与辱。”（唐刘长卿《游四窗》）酣眠——“自恨一生多癖病，四明山好懒开窗。”（宋释云岫《忆钱塘》）……难怪明代诗人沈一贯感慨道：“百年三万六千日，古今圣贤皆咏毕。”

世以“皮陆”连称的皮日休、陆龟蒙，被鲁迅喻作“一塌糊涂的泥塘里的光彩和锋芒”。他们以“石窗”“过云”“云南”“云北”“鹿亭”“樊榭”“潺湲洞”“青棂子”“鞠猴”为题，各作一首诗，总曰《四明山九题》，珠联璧合，于大唐江山日薄崦嵫之际，在四明山上绽放出迷人的光彩。

四明山，可供道家高卧、诗人咏怀，也可供学者探秘、兵家纵横。

明末思想家黄宗羲，余姚人，号南雷，别号梨洲老人、梨洲先生。南雷、梨洲都是四明山中的地名，可见他对这片山水深深的挚爱。他在《四明山志》自序中写道：“余往来山中，尝有诗云，二百八十峰，峰峰有屐痕。”他不满足于烂漫的想象、诗意的描绘，凭着自己的躬身践行，与历代传记文集相校勘，

每每指正它们的失实之处。

黄宗羲苦心孤诣，踏遍青山，写成《四明山志》，不仅仅是为了学术的探究。在他立志拯救风雨飘摇的大明王朝的事业蓝图中，四明山有着特殊的地位。四明山，“东为惊浪之山，西拒奔牛之垄，南则驱羊之势，北起走蛇之峭”，雄伟奇峻，龙吟虎啸。因此，当“海内兵起，徐忠襄公问浙东可以避地者”时，黄宗羲“以四明山对”。后来，他也确实以四明山为基地组织子弟兵“世忠营”，联合义军，进行抗清活动。

四明山未能挽大明狂澜于既倒，却在抗日战争中立下了不朽的功业。英雄所见略同，当年共产党领导的抗日武装力量来到四明山梁弄一带，发现在这里，四明山余脉形成了天然的屏障，进可以控制浙东大片平原，退可以辗转于八百里巍巍四明，易守难攻，可进可退。1943 年 4 月 23 日，以何克希等为领导，分三路进攻梁弄，在狮子山与日军鏖战。这一役，800 多名将士牺牲，为解放梁弄、开创全国第 19 个革命根据地奠定了基础。自此，诗人的浅斟低唱，让位给慷慨激昂的救亡歌曲；游

俨然屋舍，为神光离合的四明山带来几许人间气息

击队员神出鬼没的身影，取代了迷离飘渺的仙踪。

四明山险峻的羊额岭下，有一个不到100户人家的小山庄，叫横坎头。这里，曾先后驻扎过新四军浙东纵队司令部、政治部，中共区委和浙东行政公署等机关，领导和团结着浙东敌后抗日军民。在横坎头村有一个安山岭，岭上有九棵高大挺拔的松树，岭下是当年的浙东区党委所在地，也就是横坎头反击战的战场。这九棵松树，因而被称为“红岗劲松”。

乱云飞渡仍从容。在残酷的战争岁月里，怀抱“驱逐日寇、创造新中国”的理想信念，战士们在抗日军政干校阅读《论持久战》，出版《新浙东报》，创办浙东鲁迅学院，经营韬奋书店。四明山见证了一个用青春和热血铸就的红色年代。

丹山赤水，四目通明。日月之行，若出其中；星汉灿烂，若出其里。更有碧血丹心，使大地重辉。奇哉，四明之目！壮哉，四明之光！

阅读链接：

适夷：《四明山杂记》，香港求实出版社，1949年版。
余姚市志编纂委员会编：《余姚市志》，浙江人民出版社，1993年版。
袁逸：《黄宗羲〈四明山志〉小考》，《浙江学刊》，1986年第1期。

雪窦山：溪山如玉

奉化剡溪，古名剡源。“溪流泻碧玉，蜿蜒出山麓。山溪雨蒙蒙，遗音在山谷。”（《剡溪九曲辞》）这是清代著名史学家全祖望笔下的剡源风光，清丽绝尘，宛若世外仙姝。剡源九曲，曰六诏、跸驻、两湖、臼坑、三石邨、茅渚、班溪、高岙、公棠。曲曲如画卷，曲曲有来历。其中最为著名的，是一曲六诏，位于西剡与东剡的交接地带，溪水潺湲、山峦蓊秀，东晋王羲之辞官后曾一度隐居于此。晋穆帝司马聃的六道诏书，都动摇不了他归隐的决心。二曲跸驻，吴越王钱镠发迹之前曾驻此地。四曲臼坑，是元代文学家戴表元的故里。他自号“剡源先生”，其著作也称《剡源戴先生文集》或《剡源集》。

九曲曲终，人家烟树，亭台楼榭，古镇溪口在焉。“浪暖仙源碧水层，武岭春色自澄凝。渔郎且向桃开处，应有胡麻饭数升。”（清蒋廷秀《溪口十景诗》）曾几何时，溪口还是一派鸡犬之声相闻的农耕社会图景。因缘际会，千年古镇蝶变为“民国第一镇”，虽然田园牧歌余韵犹存，却俨然一袭民国风情的盛装。

镇东翘角飞檐的武岭城楼是进出溪口的门户，城楼东西两面楼额都镌刻“武岭”二字。武岭路三里长街，次第散列着小洋房、文昌阁、蒋家宗祠、丰镐房、玉泰盐铺、武岭公园等许多与蒋氏父子有关的旧迹故地和大量清末民初的商号、民居，高低错落，中西合璧。

1924 年清明，时任黄埔军校校长的蒋介石回乡扫墓，见武岭之巅的文昌阁破败不堪，出资重建，改其名为乐亭，寓意“甚愿吾乡同志，朝夕同乐”，并撰《武岭乐亭记》志此桩盛事。文中起首说：“武岭突起于剡溪九曲之口，独立于四明群峰之表，作中流之砥柱，为万山所景仰。不偏不倚，望之巍然。”显然是借家乡风物，来抒发踌躇满志、顾盼自雄的心情。蒋介石和宋美龄结婚后每到溪口，就在此小住，文昌阁成了他们的私人别墅。1937 年 1 月 13 日，张学良因西安事变被送到溪口软禁，最早的住处也是文昌阁。1939 年 12 月 12 日，6 架日军侵华战机轰炸溪口，文昌阁被夷为平地。

小洋房，因所用的建筑材料水泥在当时被称为“洋灰”而得名。1937 年 4 月，蒋经国从苏联留学回国，蒋介石安排他在此住读，命他反思、清除赤化思想。蒋经国在日记里记为“涵斋”，意为“修炼身心、增加涵养的书斋”。1939 年 12 月 12 日，日本侵略者的飞机轰炸溪口，蒋经国的母亲毛福梅不幸在丰镐房后门口被炸塌的后墙压死。蒋经国闻讯后从江西赶来奔丧，悲愤中挥泪写下“以血洗血”四个大字，并立石碑于小洋房一楼。

溪口镇东北，有山名雪窦，苍润峻秀，佛光禅意，蒋介石推崇其为“四明第一山”。

史传，宋仁宗赵祯有一夜梦游“八极之表”，逢着一处奇山异水。醒来后，“慨想名山，感形梦寐”。于是令天下各州画当地名山进呈，供他与梦中之山对照。唯雪窦山“双流效奇，珠林挺秀”的景观，切合梦境，甚契圣心。于是下令重重赏赐雪窦寺僧众。在这件雅事过去约200年之后，国家形势岌岌可危，

千丈岩瀑布，迷离惝恍，仿佛从171米高空跌落的一个梦境（冯峰摄）

阅读链接：

王天苍：《溪口风光》，宁波出版社，2003 年版。

王舜祁：《溪口蒋氏》，宁波出版社，2008 年版。

沈潇潇：《诗里溪口》，http://www1.fhnews.com.cn

赵祯的第九代孙宋理宗赵昀却依然沉浸在祖先的梦境中，追书“应梦名山”四字，派人送到雪窦山。

雪窦山水也为历代名人雅士钟情中意。在唐代诗人方干的笔下，雪窦山景是一幅淡淡的水墨画：“登寺寻盘道，人烟远更微。石窗秋见海，山雾暮侵衣。”（《登雪窦》）王安石写千丈岩瀑布的诗则色彩缤纷：“拔地万重青嶂立，悬空千丈素流分。共看玉女机丝挂，映日还成五色文。”（《鄞西观瀑诗》）宋亡，邓牧作《雪窦山游志》，山光水色中，散发着若有若无的亡国余哀，成为散文中的经典之作。明成化三年（1467），日本画僧雪舟专程到雪窦山写生，回国后创作的代表作《四季山水图》，就是以雪窦山水为原型。

雪窦寺肇创于晋代。唐景福元年（892），常通禅师自安徽宣城前来主持寺事，遂成十方禅院。后周广顺二年（952），智觉延寿大师登雪窦山传法，一时，四方僧众纷纷而至，使雪窦成为中国禅宗参学的重要场所。北宋，雪窦寺又迎来一位法中大龙，他就是云门宗四世法孙明觉重显禅师。在他宗风大倡之下，雪窦寺发展成全国云门宗传播中心，他也被尊为“云门中兴之祖”。他最负盛名的经典之作《雪窦颂古》，不仅禅法深厚，且文采斐然，在北宋士大夫中风行一时，“参雪窦禅”也成为他们竞相追逐的时尚。如苏轼写道：“此生初饮庐山水，他日徒参雪窦禅。”（《过圆通寺》）直至晚年，他犹自以“不到雪窦，为平生大恨！”（元至元《奉化县志》）

1932 年重阳，中国佛教界领袖太虚大师出任雪窦寺方丈，

浪暖仙源碧水层，武岭春色自澄凝（孙盈摄）

一时真僧如云、法会连台。太虚驻锡雪窦五年，不仅为雪山剡水留下许多诗作，更将它推向“佛教第五名山”的崇高地位。

五代时，奉化人布袋和尚多次挂单雪窦寺，他圆寂后被信奉为弥勒转世。赵宋以降，雪窦寺被历代佛家奉为“弥勒应迹圣地”，渐成“弥勒道场”。太虚提议因弥勒道场故，列雪窦山为佛教第五大名山。此议一出，天下响应。

1949 年 4 月 23 日，人民解放军占领南京，一片降幡出石头。25 日，蒋介石携宋美龄、蒋经国拜别母亲的陵墓，离开了他常住的雪窦山妙高台。在经历了一段斑驳的民国往事之后，雪窦山最终归于平淡清寂。

普陀山：彼岸花

“忽闻海上有仙山，山在虚无飘渺间。”白居易《长恨歌》中这句诗正可以借来作“海天佛国”普陀山的绝妙写照。普陀原称“普陀洛迦”，取自梵文译音，是佛经所说观音居住的地方，汉语意为“观世音净土”。

普陀山孤悬海外，远隔尘寰，仿佛是造物之神为人间专设的一处清凉世界。近代学者蒋维乔在《普陀山》摄影画册中说：“山与水二者不易并美。以山而兼湖之胜，则推浙之西湖，以山而兼海之胜，当推定海普陀。”确实，普陀的地理条件得天独厚，“缥缈云飞海上山，石林水府隔尘寰”，山海相依、远离人寰的气韵与胜景令人神往。山重水复，时见庙宇嵯峨；暮鼓晨钟，应和惊涛裂石；海阔天空，更显佛土庄严。

两千年前，普陀山还是道人修炼宝地，秦安期生、汉梅福、晋葛玄都曾来山炼丹、修道，至今山上仍留有“炼丹洞”“仙人井”等遗迹。唐宣宗大中年间，天竺僧人来此修行，并向世人宣扬此处是观音显圣地。唐咸通四年（863），日本高僧慧锷从五台山迎奉观音像乘船回国，途经普陀莲花洋为风浪所阻，认为是观音不愿东去，只好将圣像留在岸上，跪拜而去。岛上居民舍

宅供像，俗呼“不肯去观音”。观音不肯去的故事广为流传，普陀山从此被奉为观音菩萨的应化道场。宋绍兴元年（1131），住持真歇禅师奏请朝廷，易律为禅，迁移700多渔户出山，普陀山遂成海上佛国。

唐宋以来，中外交通频繁，海上丝绸之路大盛。明州港（宁波）是重要的转道口岸，普陀山当海上要冲，为出入明州必经之地。商旅之路，风涛险恶，商人们信奉观音菩萨能现三十二化身，救十二种大难，备加尊崇。普陀山历代开山建寺，大兴土木正是在这一背景下出现的。高丽、日本、东南亚各国的船只停泊莲花洋，候风候潮，登山礼佛，以祈求航海平安。并与寺院互有馈赠，留下许多珍贵的纪念品。

“五朝恩赐无双地，四海尊崇第一山。”据《普陀山志》记载：中国历史上共有13位帝王、19位皇后和亲王为普陀山赐金、赐田、赐经，进行修缮和扩建。正因

石也解禅语（李中一摄）

阅读链接：

普陀山佛教会编：《普陀山小志》，1948 年普陀山佛教会印制。

普陀山管理局编：《普陀山揽胜》，上海古籍出版社，2004 年版。

薛冬、程东：《普陀山》，北京燕山出版社，1993 年版。

为有了唐宋元明清五朝恩宠，普陀山才有历史上的显赫地位。

历代帝王中，康熙与普陀山因缘最深。明末清初，荷兰殖民者据点普陀山，将寺院焚毁殆尽。康熙二十三年（1684），第一次南巡。弛海禁，众僧归山。康熙二十八年，第二次南巡。下诏重建普济寺大圆通殿。三十八年，第三次南巡。施金千两，又恩准将南京明朝故宫旧殿的琉璃瓦和顶梁结构拆运到普陀，盖建前、后两寺大殿。并赐额“普济群灵”，改名宝陀寺为“普济禅寺”。又赐题“天花法雨”和“法雨寺”额。以后屡有封赏。至此，普陀山进入全盛时期。拥有三大寺、八十八庵院、一百二十八茅棚，僧众三千余人。可谓是“山当曲处皆藏寺，路欲穷时又遇僧”。

辩证唯物论有历史周期律，佛家亦有成住坏空的轮回之说。盛衰无常，恩宠与浩劫相伴。千年来，普陀山经受的天灾人祸，兵燹火焚，连绵接踵。从大的劫数看，明初，朱元璋尽迁僧众入内地，焚寺庵 300 余间；明嘉靖年间，倭寇占山，政府再次焚寺迁僧；清顺治、康熙初年，荷兰海盗船上山掳掠，“僧藏尽空，宝地残毁”，清政府又实行海禁，香火中断；抗日战争时期，日寇的铁蹄踏碎了这座佛国清净地。然而，信仰不灭，善心不泯，每次劫难之后，普陀山总会迎来一次新生，废墟上又立起巍峨宝塔，冷寂的佛龛重现袅袅香烟，僧人归山，信众来朝。

普陀山，这座面积不过 12.5 平方千米的小岛，不但遍布着堂皇的庙宇，悬挂着帝王、总统的翰墨，陈列着无数稀世珍宝，也荟萃着雅士的风流、武人的豪迈。它是平民百姓常至的心灵

依托之所，也是失路英雄彷徨无助的情感寄托。

初唐四杰之一的王勃遥望海上仙山，想象它“南海海深幽绝处，碧钳嵯峨连水府”“宝陀随意金鳌载，云现兜罗银世界”(《观音大士赞》)。宋代文学家王安石说它“补洛迦山传得种，阎浮檀水染成花”。元代赵孟頫，奉诏渡海书写《昌国州宝陀寺记》碑文，书苏轼《赤壁赋》，镌于达摩峰崖壁。并有《游补陀》七律一首，首联曰“缥缈云飞海上山，挂帆三日上潺湲”。明末董其昌晚年寓居普陀白华庵，时值妙庄严路筑成，应方丈之请，挥笔书写“入三摩地”碑，“金绳开觉路，宝筏渡迷川”联，并撰书《普陀山修妙庄严路碑记》。现代郁达夫在此得到禅的启迪，写下“雪涛怒击玲珑石，洗尽人间丝竹音”之句。

对普陀山景观题名影响最直接的文人，恐怕是明代戏曲家屠隆。明万历十七年（1589），他应抗倭名将侯继高之邀，赴普陀山修志，期间遍游普陀山。《普陀十二景诗》是他畅游海天佛国风光，俯仰啸傲、兴之所至的产物，至今还在流传。如“波上芙蓉尽著花，香船荡桨渡轻沙。珠林只在琉璃界，半壁红光见海霞”，吟咏的是“莲洋午渡”之景。从屠隆题十二景开始，普陀山的许多景观才有了正式的名目。

因为地处海疆，明代抗倭名将，如胡宗宪、戚继光、俞大猷、侯继高，以及清代康熙年间的镇海总兵蓝理，也在戎马征战之暇，顶礼普陀观音。侯继高还主持修纂了《补陀山志》，他在山石上题写的“磐陀石”“海天佛国”，笔力遒劲，为秀丽的山水平添几分豪气。

明清易代之际，张苍水“扛鼎击剑”，“倡大义于江东”，功败垂成，散尽军队之后，登普陀而四顾茫然，赋诗道：“海岸真孤寂，青青三两峰。月圆清梵塔，潮上翠微钟。鹤梦来何处？龙吟隔几重？迎门有灯火，僧话旧时踪。”万丈雄心却报国无门，凡此种种，都只能付与山僧闲话。戊戌变法的领袖人物康有为题普陀山诗云：“第一人间清净土，欲寻真歇意如何？”从维新理想到保皇梦，从热衷政治到欲寻真佛，历经挫折失败的康有为难免有一种深深的幻灭感。

“佛灯朗耀，祖道恒传。”观音道场历千年香火不灭，更有赖僧众的爱惜维护。自唐代开山，普陀山高僧辈出，著名的有真歇、一山一宁、大智、天然、潮音、坷月、竹禅等等。这些高僧大德不仅定慧双修，于佛学多有创见，更有一颗济世护生的仁心。近代，谛闲大师、太虚大师等都在普陀山闭关和阅藏，虚云大师、弘一大师也登岛拜谒印光大师。印光大师自 1893 年驻锡普陀山，至 1929 年离山赴沪校印书籍为止，为时长达 36 年。1927 年，“政局初更，寺产毫无保障，几伏灭教之祸，而普陀首当其冲”（《印光大师永思集》）。由于大师舍命力争，普陀道场才得以保存。印光大师精研佛学、严持戒律、专修净业。在他的影响下，普陀山的念佛道场如雨后春笋似的发展起来，至今仍流传不息。缘于大师为净土宗的弘扬作出稀世的贡献，他被推为净土宗第十三世祖。

普济寺大圆通殿有联云：“莲池印月非空非色，法海藏天无古无今。”无论毁灭与重生，得志与失意，无论时空流转，人世代谢，在佛的究竟世界里，非空亦非色，无古也无今。然而，海天相接处的普陀山，如一朵庄严圣洁的白莲花，永远盛开在彼岸，在世人的心灵里。

雁荡山：江山人物两相待

温州雁荡山因“岗顶有湖，芦苇丛生，结草为荡，秋雁宿之”而得名。北、东、南三面都受海水包围，宛如漂浮在海上的一座仙山，因此享有“海上第一名山”之美誉。登山四望，海天寥阔，群峰苍茫，令人顿生“山登绝顶我为峰，海到尽头天作岸”的豪气。雁荡山有一百零二奇峰、六十六洞天、二十七飞瀑、二十三嶂峦之说。徐霞客曾经三至雁荡，搜奇探幽，难以穷尽，掷笔长叹：“欲穷雁荡之胜，非飞仙不能！”

雁荡，是火与水共同谱写的传奇。一亿多年前，大地动荡不息，地火喷涌，终于将沉睡深海的雁荡拱出陆地。在后来的漫漫岁月里，是水，与阳光、季风一起，雕刻着雁荡的容颜与身姿。水与火，相克相生、刚柔相济的阴阳两极，合力造就了集“奇峰、奇石、奇瀑、奇洞”之天下诸奇于一体的“寰中绝胜”雁荡山。

有了水与火的包容，雁荡恣意成长。秦的明月未来，汉的春风不渡，陪伴它的是孤独的惊涛、寂寞的山风，和一期一会飞跃万重关山而来的茫茫雁影。地处蛮荒海隅，雁荡虽然失去了诰封“三山五岳”的殊荣，却幸运地保留着鸿蒙初开时的模样。直至清代，在桐城派大家方苞眼里，它依然“独完其太古之容色，以至于今”（清方苞《游雁荡记》）。

雁荡，是造化的神来之笔，千变万化、神秘莫测，包含着无穷奥妙无穷美。千百年来，吸引无数的人探究它、欣赏它、品味它、解读它、描绘它，以各种方式表达对它的热爱之情。

据说，寻寻觅觅的谢灵运因为溪水盛发止步于雁山的大门之外，不过仍然留下和它有关的诗作两首。被后人奉为开山之祖的是西域僧人诺讵那。他千里迢迢来到东土大唐，在东海边的崇山峻岭中，觅得这样一处“山以鸟名，村以花名”的传教宝地，就在大龙湫插下锡杖。五代诗僧贯休为他的画像，赞曰：“雁荡经行云漠漠，龙湫宴坐雨蒙蒙。”

俗世之人初识雁荡的惊世容颜，缘于一次意外的发现。宋真宗大中祥符年间，因朝廷修建玉清昭应宫，大批的朝廷官吏和采木工、匠人等四处寻找古树巨木，来到雁荡，被隐藏在深谷莽林中千姿百态、森然耸立的奇山异石深深震撼了。

好奇的科学家沈括闻风而来，他以惊人的观察力、超前的认知力，对雁荡山的成因做了准确的推论：“原其理，当是为谷中大水冲激，沙土尽去，唯巨石岿然挺立耳。”（《雁荡山》）一句“原其理”，使沈括在流水侵蚀理论上一下子站在地质学前沿，领先世界700年。不仅如此，沈括用“雁荡奇秀”来表达他对雁荡的总体印象，一直被人广为引用，显示了他深厚的文字功力。

明代，两位旅行家一前一后飘然而至。一位是被后人严重低估的王士性，一位则是大名鼎鼎的徐霞客。王士性在他的游记中不但质疑了前人记载中的失实之处，而且绘声绘色地描摹了雁荡的象形石。他的《老僧岩》是对神秘雁荡的来历发出的一道悠悠“天问”：“苔衣深没胫，一定不知年。从君问息机，

茫茫无始前。”

徐霞客三至雁荡，留下游记两篇7000字。他对雁荡山的地质地貌现象、水系源流、胜景奇观特征等诸多方面所做的实地考察，弥足珍贵。“雁山诸峰，芙蓉插天，片片扑人眉宇”，生动地表达了他初见雁荡的喜悦之情。他为了探寻大小龙湫的源头、雁湖、天聪洞、石船坑等，梯子不够用，继之以树、以石、以绳、以藤，遍尝艰辛，甚至冒着生命危险，终于以自己的身到眼到，纠正了古志里的错误。

戴名世与方苞是在振兴古文事业上志同道合的朋友。两人都以桐城派大家的古文笔法，为雁荡山水写照传神。方苞之文，更见文以载道的文心理趣。他说：“兹山岩深壁削，仰而观、俯而视者，严恭静正之心不觉其自动。盖至此，则万感绝，百虑冥，而吾之本心乃与天地之精神一相接焉。”将游山的乐趣引向哲理的思索，别具一格。

错落群峰，至今依然保持着太古之初的容颜

“水尽空际飞，石尽天外立。”（清魏源《雁荡吟》）（施乐雁摄）

洋务运动的先驱魏源，勘察天下地形，以资世用，也曾一到雁山。他写了一首很长的七言古风《雁荡吟》，其灵动多姿、出人意表、气势恢宏，绝肖雁荡的鬼斧神工。他以文入诗，以史入诗，更能体现一个开风气之先的人物“读万卷书，行万里路”的人生追求和思想境界。

对于“搜尽奇峰打草稿”的画家们，雁荡实在是绝好的创作对象，取之不尽用之不竭的素材资源库。唐寅、文徵明、黄宾虹、张大千、潘天寿，哪个不是声名赫赫的一代画宗，又哪个不对雁荡山顶礼膜拜，摹之绘之，念兹在兹？黄宾虹，一游再游，一画再画。潘天寿，在他眼里，雁山“怪诞高华，令人不可想象”。雁荡山石之奇变，甚至勾引他“心灵之奇变”，技法之奇变，从而刷新了山水画的山石皴法与构图。张大千，远隔重洋，还深情地回忆起40年前那次美好的雁荡之行。

雁荡开发的历史，尤其不应忘记的是它的几位乡贤、父母官。他们对雁荡感情既深，影响也大。

袁采，衢州人。宋孝宗淳熙五年(1178)任乐清县令。他曾写过一篇《雁荡山记》，记叙了雁荡山的开发历史，是研究雁荡山风景开发和雁荡山佛寺发展历史的宝贵资料。袁采还组织绘制了多幅《雁山图》。它采用的是全景式的大图和局部性的分解图相结合的处理方式，比前人绘制的雁荡山图更能够表现雁荡山重冈复岭的宏大气势和移步换形的神奇景观。

元代李孝光，雁荡人，他一句“峭刻瑰丽，莫若灵峰；雄壮浑庞，莫若灵岩”(《雁山十记》)，将雁荡二灵的审美内涵判然两分，被世人广为认同。是他，见人所未见，最早发现了月下雁荡的夜之魅：“夜分，又数数开南牖视之，月欲坠，夜色如霜雪，诸峰相向立，俨然三四老翁冠而偶语，独西南一柱，白而长身者，盖谓天柱峰云。”

施元孚，一生痴爱，尽付雁山。他是清乾隆间乐清人，一名老庠生。不以科第成败为意，唯以山水为乐，并留下28篇雁荡山游记。施元孚的文字好，加之对雁

阅读链接：

（清）曾唯辑、胡永在点校：《广雁荡山志》，浙江摄影出版社，1990 年版。

蒋叔南重修：《雁荡山志》，线装书局，2009 年版。

温州市雁荡山风景旅游管理局编：《雁荡山》，浙江摄影出版社，1999 年版。

荡山水既熟稔于心，对其神韵又体察极深，因此他的游记真切生动，非寻常走马观花之作所能比拟。因为一直以雁荡山没有一部理想的志书为恨事，他又花了数年功夫，精心编了一部 12 卷的《雁荡山志》。论者说它的长处是遍核山景，读来了了在目。尤为特别的是，卷末有“游法”一门，这是他经数十个寒暑，于雁荡山中披奇剔险所得的游山心得、游山美学，更是一篇人与山之间以精神相往还的故事。

蒋叔南，乐清人。他是蒋介石、张群等人保定军官学校的同期同学，参加同盟会，投身辛亥革命、反袁护国战争。1915 年以后，作别了风云变幻的民国政坛，他遨游于山水之间，尤其对家乡雁荡，更是不离不弃。从“解甲归雁荡”，至 1934 年落水而逝，近 20 年他苦心经营雁荡山景区，维护古迹文物，改善交通条件，邀请康有为等名流入山考察，扩大雁荡山的知名度与美誉度。编辑出版《雁荡名胜》《雁荡山新便览》《雁荡山志》等书籍，“考览名胜，导引游客，凡游是山者，莫不称便”。“半世功名随流水，一生事业在名山”（冯玉祥挽蒋叔南联），终赢得“雁荡山主人”生前身后名。

乾隆二十八年（1763），浙江学政钱维城为施元孚的《雁荡山志》作序，序中说，天地山川有待于人，人也有待于天地山川，“其情固两相待也”。雁荡，深藏海陬林莽，因为有心人的发现、欣赏、建设，名扬天下。而知它爱它的人也因此和雁荡之名一样传之后世，共垂不朽。天下山川与人之间的关系莫不如此。故曰：江山人物两相待。

楠溪江：诗意栖居

水长而美为永嘉，此水便是楠溪江。它贯穿永嘉南北，自西北往东南，注入瓯江，归向东海。悠悠三百里楠溪，百转千回，有三十六湾、七十二滩之称。碧水盈盈，青峰点点，白帆片片，雪瀑隐隐，惯闻渔歌互答、船号声声，时见村落隔树参差、霜林滩上醉染，更兼有江上清风、山间明月。难怪陶弘景对楠溪美景赞叹不绝："山川之美，古来共谈。高峰入云，清流见底。两岸石壁，五色交辉。青林翠竹，四时俱备。晓雾将歇，猿鸟乱鸣。夕日欲颓，沉鳞竞跃。实是欲界之仙都，自康乐以来，未复有能与其奇者。"（《答谢中书书》）

康乐，即谢灵运。南朝宋永初三年（422）谪迁永嘉太守，一年的任期不过是他不算太长却风波险恶的官宦生涯中一页薄薄的履历，但当他离去时，行囊里却装满了以永嘉山水为主角的华美诗篇。后人是这样评价的："经营惨淡，钓深索隐，而一归自然。山水闲适，时遇理趣，匠心独运，少规往则。"（清沈德潜《古诗源》）这是中国诗歌史上第一批成规模的模山范水之诗，谢灵运因此被戴上了中国山水诗鼻祖的桂冠，楠溪江则拥有了中国山水诗摇篮的美誉。

有山皆绿、无水不清的楠溪江，本身就是一首曲折有致的长诗，它与谢灵运宿命般的相逢，是诗窟与诗魂的一见倾心，是诗溪与诗心的深情对望。当谢灵运乘一叶舴艋轻舟，沿溪顺流直下，或脚踏"谢公屐"，攀援于山崖之巅，见澄江似练，山色迷离，怎能不诗意沛然，不陶然欲醉，不与万物融为一体而达到忘我之境界呢？诗人没有辜负溪山美景,在他笔下,如“倒倾鲛室泻琼瑰”一般,倾泻出如星如月、如珠如玉的山水绝唱:“涧委水屡迷,林回岩逾密”(《登永嘉绿嶂山诗》)、“石室冠林陬,飞泉发山椒”(《石室山诗》)、“近涧涓密石,远山映疏木”(《过白岸亭诗》)、“疏峰抗高馆,对岭临回溪”(《登石门最高顶》)、“白芷竞新苕,绿蘋齐初叶”(《登上戍石鼓山诗》)……诗人以自身的忧患意识,体悟着楠溪山水的呼吸与生命。楠溪江不再是诗人的审美客体对象,还是诗人生命的寄托、精神的投射。在这些诗篇里,读者遭遇的是一个曾经苦闷的心灵,一个正在寻求解脱的漂泊者,一个最终游心大道、渊然自若的山水知音。

自从谢灵运辞别楠溪江水踏上归程,等待他的是辗转不安的仕途、遭诬陷被杀头的命运,不幸的遭遇令人扼腕叹息。然而,谢灵运把生命最精华的部分,永远留在了永嘉山水中。李白、苏轼追慕谢公故迹,分别写下这样的诗句:“将欲继风雅,岂惟清心魂……青嶂忆遥月,绿萝愁鸣猿”(李白《入彭蠡经松门观石镜缅怀谢康乐题诗书游览之志》)、“自言长官如灵运,能使江山似永嘉”(苏轼《寄题兴州晁太守新开古东池》)。

《宋书·谢灵运传》记载:“郡有名山水,灵运素所爱好。出守既不得志,遂肆意游遨,遍历诸县,动逾旬朔,民间听讼,不复关怀。”“不复关怀”,实为误解。实际上在短短一年的任期里,他实行的是“无为而治”的方式,重教化,兴郡学,提倡水利建设,勉励发展农桑,关心民间疾苦,做了不少好事。当人们日后诵读“永嘉四灵”之一翁卷“乡村四月闲人少,才

宁静的家园，古朴的诗意

了蚕桑又插田”的名句时，恐怕不会想到这繁忙的农桑风情和谢公也有着千丝万缕的联系呢。

昔时王谢堂前燕，飞入寻常百姓家。踏着世家大族行将没落的斜照余晖，谢灵运翩然莅临，不仅为南蛮荒地永嘉带来经济发展，更有礼乐教化、弦歌诵读。据记载，自从谢灵运在永嘉招士讲书以来，郡人向学之心日盛。“沿及李唐，人才稍出，至于赵宋元丰、淳熙之间，道学渊懿，文物之盛，庶几邹鲁之风矣。”（元任敬《洪武温州府图志序》）“永嘉四灵”“永嘉学派”“永嘉南戏”的出现代表了永嘉文化在全国影响力的高峰，其源头可以追溯到谢灵运出任太守时期。

如果说“永嘉四灵”“永嘉学派”“永嘉南戏”是永嘉文化的高地，那么更广阔、更连绵的文化地带则如灿灿星辰般撒落在楠溪两岸，以古村落为基地，在自然山水之间，不喧哗、不刻意，朴素地实践着中国人“耕读传家”的美好理想。

阅读链接：

《楠溪江文化丛书》整理出版委员会编：《耕读南溪》，浙江大学出版社，2005年版。

胡念望：《楠溪江》，中国旅游出版社，2005年版。

许宗统：《千年屿北》，浙江大学出版社，2006年版。

晚唐五代之时，中原名门望族避世南迁。楠溪江可游更可居，是他们构筑家园的理想国。塘湾村《郑氏宗谱》写得明白：始祖“爱楠溪山水之胜，定居清通乡四十三都双溪口”。渠口村的始祖也是“爱其山水之胜，遂家焉”。始祖们大约都具有爱丘壑、爱自然的高旷情怀，舍弃了繁华喧嚣的闹市，追山逐水来到这片世外乐土。如果说，楠溪江只能供谢灵运在日后的岁月里不断地回望和追忆，那么楠溪江人则幸运地拥有了祖祖辈辈在此繁衍生息、劳作歌哭的真实而永恒的家园。

青山绿水怀抱着一处处古朴恬静的村落：岩头、芙蓉、溪南、下园、苍坡、鹤湾、溪口、水云、花坦、廊下、黄南、潘坑、佳溪、岩龙、屿北……无不选址讲究，规划严谨，风格素朴。青山流水、茂林修竹、田舍书院，人居与自然合一，田园风光与耕读理想交融，生老病死与诗情画意共存。这是人类早已远去的美好家

楠溪江美得让时间似乎都停止了流逝。江上渔翁今人耶，古人耶？是“不知有汉，无论魏晋”的桃花源人吧

园的孤本，是未被世俗侵蚀的桃源梦境。尽管岁月给它们刻上了斑斑痕迹，却依然散发着清水芙蓉般的清新气质，闪烁着未雕璞玉似的天然光泽。

苍坡村以“文房四宝”布局，洋溢着浓浓的书卷气，针对村右的笔架山，铺砖石长街为“笔”，凿长条石为“墨”，辟东西两方池为“砚”，垒卵石成方形的村墙，使村庄为“纸”。它是耕读思想在古村规划建设中的充分体现。

屿北村内有始建于南宋淳熙十三年（1186）的尚书祠（汪氏大宗祠），还有30多座古宅，40余座四合院大屋。每座院子都有一个典雅的堂名，曰：翕和、三多、茂秀、阳和、钟寿、九如、闲存、三祝、更新、乐善……处处蕴含着村人对生活的理解和诠释，体现着光风霁月的淡泊情怀，值得人们细细咀嚼品味。

溪口村的东山书院是楠溪江最早的书院之一，为南宋进士、著名理学家、曾任太子讲读的戴蒙辞官之后所创办。由于教育子弟成绩斐然，朝廷赐号“明文”。楠溪中游的古村落村村有书院，乡民尊师重教，孩子们牛角挂书，许多村落都出过进士甚至状元。

绿水一湾，春暖花开。年复一年地，人们过着安守本分却不乏诗意的生活。更有乡村文人将山水情怀与耕读理想或形之于诗：“澄碧浓蓝夹路回，崎岖迢递入岩隈。人家隔树参差见，野径当山次第开。”或提炼为乡村八景：“长堤春晓、丽桥观荷、清沼观鱼、琴屿流莺、笔峰耸翠、水亭秋月、曲流环碧、塔湖印月。”或写在亭侧：“五月秋先到，一年春不归。”或刻在门楣：“一等人忠臣孝子，两件事读书耕田。”

在水一方，水美且长。世世代代渔樵耕读于楠溪两岸的人们无愧于谢公教化苦心，也没有空负他留下的文采风流，更对得起这一片好山好水。据载：楠溪江“山峰挺秀，涧水呈奇，人生其地者，皆慧中而秀外，温文而尔雅”（清乾隆《永嘉县志》）；乡民“徘徊水光山色，拂云坐石，逍遥自乐”（明朱伯清《珍川朱氏宗谱·伯清公珍川十咏序》）。人，诗意栖居在大地上。谢灵运仓促的一生没能最终实现的理想，不经意中在楠溪江畔铺展成一幅幅温暖美好的现实图景。

江心屿：诗·禅·灯

瓯江入海处，波涛浩瀚，一屿孤悬，即江心屿。

西晋堪舆大师郭璞为温州建城选址，是以伏羲在《连山易》“君物龙，臣物龟，民物货”中的“臣物龟”来定位温州城的。江心屿就像一只翘着头浮于瓯江上的神龟，也就是古城温州的乾（天）位，即温州一城灵气之所系。

距佛教东来不算太久，西域高僧诺讵那尊者就相中这片江中之地，结茅修行。因为它浮于浪涛明灭之间，脱却人寰的喧嚣，清绝闲旷，正是天造地设的清修之地。然而，其时毕竟还只是一块不为人知的方外之地，直到永嘉太守谢灵运与它相遇。当时，他被排挤出京，苦闷的心情下，遍游江南江北之地，寻找意中的风景。正在嗟叹道路曲折、新景难寻时，在瓯江之上忽逢江心美景，不禁轻快地吟出了“乱流趋正绝，孤屿媚中川。云日相辉映，空水共澄鲜”(《登江中孤屿》)这样的传世佳句。在他笔下，这块乱流竞渡之中的孤屿呈现出一派明媚鲜妍的景象。自谢公赋诗之后，江心屿名声大著，吸引了无数海内外名流。

唐开元二十年（732），孟浩然登上孤屿，为周遭景色所陶醉，挥笔写诗相赠友人："悠悠清江水，水落沙屿出。回潭石下深，绿筱岸旁密。鲛人潜不见，渔父歌自逸。忆与君别时，泛舟如昨日。夕阳开晚照，中坐兴非一。南望鹿门山，归来恨如失。"（《登江中孤屿赠白云先生王迥》）中国诗史上的"双子星座"李白、杜甫，都爱而不到，只好遥寄一点诗心："江亭有孤屿，千载迹犹存"（唐李白《与周生》），"孤屿亭何在？天涯水气中"（唐杜甫《送裴二虬尉永嘉》）。自谢灵运以下，1500年间，这样的锦绣词章多达500余首，如繁花复瓣一般，将江心屿装点成一座芬芳馥郁、摇曳多姿的"诗之岛"。

成就江心屿盛名的，不但有诗，还有它的悠久、深厚的佛教传统。自诺讵那尊者以来，佛事日盛。屿上梵宇丛林、晨钟暮鼓，缁流往来、梵呗声声，蔚为一处"江天佛国"。

早先，岛上有一条中川河穿流而过，将江心屿分为东西两部分。河东有东塔，建于唐咸通七年（866），塔院名普寂禅院，建于唐咸通十年（869）。河西有西塔，塔院名净信讲寺，都建于宋开宝二年（969）。

宋绍兴七年（1137），蜀僧青了奉诏由舟山普陀来住持普寂禅院和净信讲寺。青了禅师见两寺分列两岛，往来不便，便趁当时中川淤积之机，率众抛石填平，于上建中川寺，宋高宗赐号江心寺。

江心寺宏伟庄严，宋宁宗时品评天下禅宗丛林，被列为十刹之一。不仅国内僧侣慕名而来，日本、新罗等国的学问僧也来求学，研习佛理，极一时之盛。宋"永嘉四灵"之一的徐照在《游江心寺》诗中有"两寺合为一，僧多外国人"之句，可以为证。江心寺也派遣僧人到日本、新罗学习交流。近悦远来，孤屿不孤，成为中外交流的桥梁。除了僧侣之外，还有很多士子来岛上寄读。南宋状元王十朋，在一介布衣时，就在此寒窗苦读，并且与青了禅师结成方外交。他为江心寺题写的对联堪称千古佳对："云朝朝朝朝朝朝朝朝散，潮长长长长长长长长消。"此联绝妙之处不仅在于别出心裁地借用一字多音、一音多义达成多样的解读效果，更在于描述了江心屿四周潮起潮落、云聚云散的空灵境界，令人在诵读、赏味之时，领悟到人生哲理，但觉禅意深远，警世醒心。

诗心与禅意，并非江心屿悠悠历史的唯一主题。这里，还曾经庇护过逃难的皇帝、暂寄过流离的孤臣，寄托了他们中兴和复土的梦想。

宋建炎四年（1130），为躲避金兀术的兵锋，宋高宗赵构奔逃入海，曾驻跸江心屿东院。也许是江心屿佛光普照下的祥和与安宁，安抚了他惶恐的心情，他欣然为普寂禅院留下了"清辉""浴光"二榜。南宋末，文天祥逃离元人的拘押，为寻找渡海南奔的宋室益王和广王，历尽艰辛，辗转来到温州。当他发现益王、广王，以及勤王的将士已经于一个月前离开江心屿，前往福州之时，这位钢铁男儿在高宗留下的御座和"清辉""浴光"遗墨前，不禁热泪滚滚，饮恨吞声。在江心屿短暂停留的一个月里，他写诗、讲学、招募义兵，在大厦将倾之际，犹不忘儒者的追求和民族的重托。后来，晚清名臣、经学大师阮元登上江心屿，拜谒文信国公祠，追忆这段往事，赋诗道："独向江心挽倒流，忠臣投死入东瓯。侧身天地成孤注，满目河山寄一舟。朱鸟西台人尽哭，红羊南海劫初收。可怜此屿无多土，曾抵杭州与汴州。"（《温州江中孤屿谒文丞相祠》）可谓沉痛之极。

江心屿上的东、西两塔，还维系着温州海洋经济发展的光

辉岁月，经历了温州走向现代社会之途的趔趄步履，生动诠释了“向海则兴，背海则衰”的历史规律。

由于地理位置优越，早在春秋战国时期，温州就开始出现原始的港口雏形。自唐以来，温州的商业与造船业非常发达，外销和航运完全依靠温州港，而蹲踞瓯江入海口的江心屿是船舶的必经之地，江心屿双塔也就成为来往船只的重要导航标志。有趣的是，两塔的建造原本出自宗教目的，它们的巍峨显赫和佛灯光耀，是为了引渡挣扎在茫茫欲海中的世人，却无意中符合了航标与船只“三点成一线”的科学原理，而具备了灯塔的功能。尤其在夜间，夜色茫茫的江海上，东、西两塔的万盏佛灯，

潮起潮落，云卷云舒，屿上双塔朝暮迎送，屹立如斯

成为船只的归航方向，千年来指引了无数归舟安全靠岸。

在海岸开放的时候，无数的丝绸、瓷器通过温州港运往朝鲜、日本、真腊（今柬埔寨），为温州经济创造了繁荣的景象。中国人也从这里走向世界，开阔了眼界。比如元成宗时，永嘉人周达观从温州港出发，出使真腊，他根据游历见闻写成的《真腊风土记》，为后来几百年国内外学者所推崇。然而，随着明、清政府一道道“厉行海禁”命令的推行，海岸寂寞了，温州遗憾地和一个正在徐徐拉开大幕的大航海时代擦肩而过。直至第二次鸦片战争，温州优良的港湾引来了贪婪又精明的入侵者。依据 1876 年签订的《烟台条约》，温州被辟为通商口岸。1877 年 4 月，英国首任驻温领事抵达温州，设临时领事馆于江心屿孟楼（又称浩然楼）。1894 年，在江心屿东塔下面，建成具有文艺复兴时期风格的海关税务司公寓，即英国驻温领事馆与巡捕房。

东、西两塔原本都是翘角飞檐、回廊曲折，后来，英人借口檐廊上栖息的鸟叫声扰人，强令拆除东塔的塔檐与回廊，致使东塔一直以中空无顶的奇特姿态兀然而立。后来塔顶自然生长一株榕树，无土培植，根垂塔中，枝繁叶茂，又成为鸟类的乐园。

虽然温州拥有优越的地理条件，但是现代化的脚步仍旧缓慢。据一位在温州生活了 25 年的英国妇女回忆，因为来往的侨民不多，贸易额不大，“事务既单调又少得可怜”，“一个领事为了保持健康苗条，每天一二次绕岛跑八圈”（英苏路熙《乐

往中国》)。因为事务太少，后来领事馆就撤走了。可见其时的温州，虽然对外开放的曙光已经显现，但是由于种种限制，毕竟没有成为像上海那样的东方大港。它的成长要在百年以后一个真正意义上的开放年代才能实现。

潮涨潮退，云卷云舒。无论历史风云如何变幻，江心屿永远默默守候在瓯江之心，为往来船只指引方向。

阅读链接：

黄立中主编：《江心屿历代题咏选》，浙江古籍出版社，1995年版。

汪德亨选注：《江心屿诗选》，东方出版社，2003年版。

（清）释元奇编集：《江心志》（影印本），江心屿景区管理处影印，2005年影印。

仙都峰：仙乡帝里何处是

好溪连绵曲折，婉转如带，沿途点缀无尽美景，宛如一条诗画长廊。至丽水缙云县境内，溪称练溪。清风拂波，湛湛涵碧，点缀着青峰簇簇，即人称“天遣林泉”、道教洞天福地之二十九洞天的仙都峰。

仙都峰古名缙云峰。唐天宝七年（748），缙云刺史苗奉倩上奏唐玄宗，说六月八日那天，朵朵七彩祥云轻覆围绕在缙云山独峰之顶。云中仙乐嘹亮，鸾鹤蹁跹。继而听到山呼“万岁”之声九次，群山应和，绵绵不绝，从申时直至亥时，声音才停息。此时的唐明皇在开创了开元盛世之后，正沉醉于盛世荣辉与美人温存中，闻此祥瑞之事，自然龙颜大悦，大赞“此乃仙人荟萃之都也”，于是敕令缙云峰改名仙都峰。他甚至要摆驾亲往仙都，被苗奉倩以道路遥远崎岖为由劝阻。

姑不论苗奉倩是否为迎合唐玄宗喜好歌功颂德、梦想羽化登仙的心意，而发明了这个仙人来朝的祥瑞故事，仙都确实自古就是一方仙气氤氲的灵地。

“仙都佳绝处，必定在鼎湖。”仙都至奇伟至壮观的景观为鼎湖峰。鼎湖峰傍溪而立，高 170.8 米，如春笋，如天柱，拔

地而起，耸入苍穹。临水照影，绰约多姿；映衬星汉，大气磅礴；茕茕独立，秀出群山，尽得刚柔兼济之妙。风吹山似来，云动山如往。山景因晨昏阴晴，变幻无穷。峰顶710平方米，平坦轩敞，苍松翠柏间蓄着一泓深水，四时不竭，名曰鼎湖。传说唐虞之世，中华民族的祖先轩辕黄帝在仙都采药炼丹。丹炼成后，鹤舞燕集，黄帝驾赤龙升天而去。山巅为丹鼎压陷，聚水成湖。白居易有诗云："黄帝旌旗去不回，片云孤石独崔嵬。有时风激鼎湖浪，散作晴天雨点来。"（《缙云山鼎湖》）所歌咏的正是这段传说。

鼎湖峰上盛产龙须草，又名缙云草。丛生，茎圆且细长，长及一米以上，可入药、织席，李时珍《本草纲目》有载。据说，黄帝骑龙飞天时，群臣、后宫争相攀附，龙须不堪重负，拔落坠地，化而成草，即龙须草。但是黄帝的长子、女儿，以及几位大臣不愿攀龙附凤、鸡犬升天，以后就在此世世代代居住，成为和光同尘的缙云山中子民。

天遣林泉仙都峰（陈黎明摄）

阅读链接：

《轩辕黄帝与缙云仙都》编辑委员会编：《轩辕黄帝与缙云仙都》，浙江人民出版社，2001 年版。

缙云县风景旅游管理局编：《千古缙云》，西泠印社出版社，2009 年版。

陈建波：《处州名胜古迹》，浙江古籍出版社，2010 年版。

鼎湖峰的后山是仙都主山之一——步虚山。步虚，原是道教名词，指斋醮中道士在醮坛上边赞诵边步行的仪式动作。东晋时这里有缙云堂，为祭祀黄帝和道教活动场所，两晋南北朝时期许多著名道士，如陆修静、孙游岳、陶弘景等在此辟谷修炼。北宋铁面御史衢州赵抃有诗云："妙峰高处即仙居，多为朝真作步虚。却是清风明月夜，一声倾听属樵夫。"(《登步虚山》)写出了道家清寂无为的境界。

来往着这样一群洒脱出尘、飘飘欲仙的高士道人，仙都山山水水之间都飘荡着世外的放旷之气，荟萃着仙家的灵逸色彩。

道家留下芳踪，儒家也不甘人后。宋淳熙壬寅（1182），朱熹巡历到缙云县，在仙都山水间乐而忘归。并作七绝一首："出岫孤云意自闲，不妨王事任连环。解鞍盘礴忘归去，碧涧修筠似故山。"（《追和徐氏山居韵》）当时朱熹连续弹劾台州太守唐仲友，二者既政见不合，又有学术门户之见。但是朝廷对此没有表态，朱熹只好一边等候朝旨，一边游山玩水。所以诗中才有"王事任连环"之语，同时用"忘归""闲云"来表明自己宠辱不惊、忘怀得失的心迹。朱熹虽然逗留时间不长，却引来了一批慕名而至的缙云学子，纷纷来执弟子之礼。朱熹离开后，他的学生建读书堂于仙都岩。宝庆三年（1227），在鼎湖峰对面的伏虎岩下创建礼殿，作为讲贯之所，以示纪念。咸淳丁卯（1267），缙云进士、户部尚书潜说友拨款扩建，名独峰书院。可见朱熹在缙云留下的不仅仅是骚客风雅，更有物化遗迹和开一地学术风气的功绩。

南宋状元郎王十朋的到来，又是另一重心境。王十朋力主抗金，无奈孝宗皇帝在内外压力之下，转向与金人和议。失意的王十朋辞官还乡，途经缙云县境，走访仙都林泉，留下“皇都归客入仙都，厌看西湖看鼎湖”（《游仙都》）之句，皇都、西湖与仙都、鼎湖对举，表达了他对时局的不满和失望。不过，当他徜徉在步虚山上，松林寂寂、竹林潇潇，他抑郁的心情似乎渐渐平复，而写出了“老僧长揖归方丈，只有钟声伴夕阳”（《游玉虚宫》）这样隽永清新的诗句。

后来，追逐仙履帝迹、神山秀水而来的还有沈括、徐霞客、汤显祖、袁枚、朱彝尊等名人。20世纪，抗日战争爆发后，杭州沦陷，丽水成了大后方，一大批的文人墨客也相继到来。1938年，著名画家潘天寿护送家人避居缙云，以后多次到仙都游览写生，并赋诗记叙自己与仙都的这段因缘，其中有句云：“五云留我暂栖迟，始识云间峰壑奇。”（《过仙都》）

文人墨客在游历之余，多喜欢留下墨迹，并刊石为纪。仙都峰因为名人游踪频密，历千余载之后，遗存了大量摩崖石刻，计唐代3处，两宋55处，明代33处，清代7处，民国17处。其中“铁城”摩崖，字径320厘米，镌刻在险峻的芙蓉峡上，气势迫人，为明缙云知县、书法家郝敬所书。“铁城”二字是为表彰李键的高尚气节。李键，号铁城，明嘉靖进士。学问渊博，志洁行芳。因为不愿与魏忠贤同流合污，隐居仙都，执意不仕，意志坚如铁城。

昔人已乘赤龙去，仙都仙迹空茫茫，“唯有银河秋夜月，鼎湖烟浪到人间”（宋沈括《鼎湖烟浪》）。但山水之间依然长久地流传着始祖的故事、仙人的传说。更何况，轩辕黄帝的子孙们，无论是世代栖息于斯山斯水中，还是往来酬唱、执经弦歌，都怀着一份真切切、沉甸甸的人间情怀。

南湖：烟雨旧踪

“轻烟拂渚，微风欲来”，描绘的是嘉兴南湖的迷人风光。烟雨迷离，湖光微茫，轻舟欸乃，菱歌曼曼，正是江南好光景。

南湖古称滮湖、马场湖，早年似乎不如同城的西南湖热闹。有名的烟雨楼一开始也不在南湖。五代吴越国广陵王钱元璙在湖滨筑烟雨楼作为登眺之所，楼名取杜牧“南朝四百八十寺，多少楼台烟雨中”之意。南宋建炎中，金兵南渡，攻破嘉兴，钱氏留下的歌台舞榭连同烟雨楼一道灰飞烟灭。

前朝胜迹总是被不断追忆模拟，后来烟雨楼又几度兴废，直至明朝嘉靖年间，嘉兴知府赵瀛疏浚城河，淤泥废物利用，在南湖上堆出来一个湖心岛，在岛上缀以亭台楼阁，烟雨楼这才最终落户南湖烟雨中。

明代，南湖步入它的盛景期。那时的杭嘉湖平原，交通便捷，人烟辐辏，市镇繁华，商贸往来频繁。嘉兴号称“东南一都会”，人民生活富裕，习俗侈靡，热衷冶游。明天启《嘉兴县志》记述南湖：“西则灯含窣渚，北则虹饮濠梁。倚水千家，背城百雉，蒹葭杨柳，菱叶荷花，绿漫波光，碧开天影，雕舷笙瑟，靡间凉燠，此一方最胜处也。”特别是夜幕降临，满

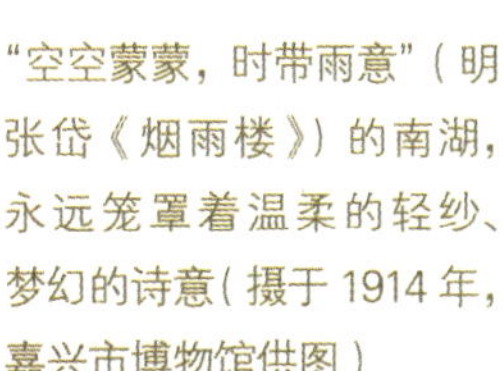

“空空蒙蒙，时带雨意”（明张岱《烟雨楼》）的南湖，永远笼罩着温柔的轻纱、梦幻的诗意（摄于 1914 年，嘉兴市博物馆供图）

湖灯火，处处笙歌，游人扶醉，乐而忘归，是南湖一天中最惬意的时光。西南湖的风头早被南湖抢走，连它的别名鸳鸯湖也一并奉送给南湖了。

明亡后，张岱写《陶庵梦忆》，处处留恋前尘旧梦。文中记录了南湖游踪，笔触集中在南湖精舫种种风情：年轻的船娘，笑语盈盈，摇橹而来。船中不载别的，只载书画酒茶。与人有约，不约在别处，只约在烟雨楼前。人来了，上了船，兰舟桂桨，荡漾于烟波飘渺间，茶烟袅袅，意态闲闲，船中人不聊别的，只聊风花雪月的事。

连船娘都这么风雅可人，更让人想见文人雅士啸傲俯仰于湖光水色中的儒雅风流、雍容有度。比如李日华。他是万历年间进士，生性恬淡，见朝政昏暗，无意仕进，归隐嘉兴。《秋日独坐，怀南湖醉游》这首诗可以窥见他淡泊心志和娴雅性情：“秋雨淡无色，高梧翻昼阴。鸟来窥散帙，客到罢弹琴。世态交游见，风期山水深。湖南好风月，梦里亦追寻。”

李日华的雅人深致只为晚明士人心态留下一种注脚，南湖勺园主人吴昌时从备极荣宠到身败名裂的命运起伏，则生动诠释着明末乱象丛生的社会危机。

吴昌时是明末著名社团复社的骨干成员之一。他的勺园不仅仅是吟风弄月的风雅之所，更是结交同道、指点江山的政治活动据点。勺园风光如何？有诗为证："鸳鸯湖畔草黏天，二月春深好放船。柳叶乱飘千尺雨，桃花斜带一溪烟。"勺园之乐如何？"主人爱客锦筵开，水阁风吹笑语来。画鼓队催桃叶伎，玉箫声出柘枝台。"（清吴梅村《鸳湖曲》）然而此中之乐与功名之乐相比如何？主人终究抛下一园好花好柳，顾自往京城寻觅他的青云路去了。青云路，不归路！纵是呼朋引伴，长袖善舞，最终只落得东朝弃市的凄凉结局。

是非成败转头空，吴昌时死后三个月，杀他的崇祯皇帝自杀了，大明也亡了。清顺治年间，当年勺园的座上宾吴梅村重返故地，伤心惨目，写下了一首哀怨凄迷的长诗《鸳湖曲》。长歌当哭，他不单痛悼"白杨尚作他人树，红粉知非旧日楼"的物是人非，也不单感慨"人生苦乐皆陈迹，年去年来堪痛惜"的人世无常，更寄托着深沉的黍离之悲、家国之恨。因为岂止是雕栏玉砌朱颜改，而且朝代变了，社会也变了。到了康熙年间，勺园基本毁弃。雍正年间，勺园已经废为渔庄，唯有旧时老柳数十枝，依约晚风。至民国时期，更是面目全非，沦为渔家晒网之场。

入主中原的满族人渐渐坐稳了江山，老百姓也过回寻常日子去了。康熙十三年（1674）冬，嘉兴人朱彝尊客居幕中，忆念家乡故时风物，挥毫写下百首《鸳鸯湖棹歌》。棹歌源自于民间，原是船工行船时所唱的歌谣，朱彝尊借用这一民间歌调，一唱三叹，赋物移情，用雅俗共赏、清新自然的语言，描绘了

"宜烟宜雨宜晴处，四面湖光百尺楼。"（清朱彝尊《鸳鸯湖棹歌》）（杜镜宣摄）

南湖美丽的风光，更记录了清朝前期嘉兴地区的社会环境和生活。笔底深处依然流泻着对故朝深深的眷恋。

满人的马蹄曾经无情踏碎江南的温柔蕴藉和风流典雅，但是具有反讽意味的是，入侵的外族往往臣服于被侵者的文化。乾隆皇帝就是一个极好的例子。据说他六下江南，八登烟雨楼，好处处题诗留迹的他自然也为南湖留下了宸翰，题诗多达十余首。除了咏叹南湖美景之外，还表达了新朝统治者那种特有的登临送目、俯瞰江山的洋洋自得。譬如这一首："未年丑岁两经行，烟雨都逢副盛名。却讶今番出新样，自过江后总开晴。柳丝窣地折腰舞，梅朵烘春笑口迎。更上高楼聊极目，水村近远望分明。"他还让画师绘了烟雨楼全貌图，在热河避暑山庄仿建了一座烟雨楼。不过没了江南春雨之中那一片氤氲迷蒙，这样的烟雨楼终究是不像的。

乾隆走后，为了表示对这位帝王的尊崇，烟雨楼从此门扉紧闭。乾隆爷没有预料到的是，在他身后，世界潮流浩浩荡荡，冲开了天朝的国门，也冲开了烟雨楼尘封百年的大门。1912 年，民国缔造者孙中山登上烟雨楼，并留影纪念。

在一个更壮观的时代变局来临之际，历史选择了南湖来见证那件中国历史上开天辟地的大事。1921 年 8 月初，11 个年轻人自上海乘火车到嘉兴，他们登上了南湖的一条船，把在上海没有完成的会议开成了。后来，在新中国的语汇里，这条船被称作“红船”，这次会议就是宣告中国共产党成立的中国共产党第一次代表大会。烟雨南湖也因此有了一个崇高的身份——革命圣地。

有人说：“南湖虽小，映照古今，不让八百里洞庭；小船如苇，一箭光阴，射穿两千年画卷。”（梁衡《嘉兴南湖红船之铭》）诚哉斯言！

阅读链接：
南湖革命纪念馆等编：《中共“一大”南湖会议》，浙江大学出版社，1989 年版。
史念：《关于吴梅村的〈鸳湖曲〉》，http://www.cnjxol.com/
赵群乐主编：《南湖经典系列》，五洲传播出版社，2011 年版。

钱江潮：大地潮歌

“我浙江有物焉，其势力大，其气魄大，其声誉大，且带有一段极悲愤极奇异之历史，令人歌，令人泣，令人纪念。至今日，则上而士夫，下而走卒，莫不知之，莫不见之，莫不纪念之。”这是《浙江潮》杂志发刊词的开篇之句，时为1903年，发起者为一群留日浙江青年。文中所述之物乃是钱塘潮，又名浙江潮。

古来形容钱塘潮“势力大”“气魄大”的名句不可胜数，略举一二：“浙江八月何如此，涛似连山喷雪来”（唐李白《横江词六首》其四），“天地黯惨忽异色，波涛万顷堆琉璃”（唐杜甫《美陂行》），“八月涛声吼地来，头高数丈触山回”（唐刘禹锡《浪淘沙》），“海面雷霆聚，江心瀑布横”（北宋范仲淹《和运使舍人观潮》），“天排云阵千雷震，地卷银山万马奔”（北宋米芾《绍圣二年八月十八日观潮浙江亭》），“似万群，风马骤银鞍，争超越”（清曹溶《满江红·钱塘江观潮》）。在诗人的笔下，钱塘潮之气势真是无与伦比，一言以蔽之，“八月十八潮，壮观天下无”（宋苏轼《观浙江涛》）。

钱塘潮何以“带有一段极悲愤极奇异之历史”呢？这里指的是伍子胥、文种化身潮神的传说。胥、种两人都是忠肝义胆、屡立奇功，却一个皮囊裹尸，抛入大江，一个伏剑而死，狗烹弓藏。两人本来各为其主，势不两立，被冤杀后却结为盟友。从此，钱塘江上，两个忠魂结伴而来，素车白马，扬波雪愤。那惊天骇地、吞吐日月的涌潮，正是胥、种的千年孤愤，是英雄的“未死报仇心”。

传说，寄寓着浙江百姓对含冤英灵的敬畏与同情。与此同时，有另外一些人并不满足于诗意的表达和文学的想象，对钱塘潮的产生给出了朴素的科学解释。东汉王充认为，涌潮强弱与月亮盈亏圆缺、河道的地形密切相关。这大概是世界上第一个从物理学角度解释涌潮的理论。公元 762 到 779 年间，唐代窦叔蒙创制了推算高低潮位的方法，比伦敦桥潮位预报早 400 多年，他还推算出潮周期是 12 小时 25 分钟 12 秒。宋代燕肃则推断钱塘江的巨大沙洲是涌潮形成的重要条件。以后又有元代宣昭的《浙江潮候图说》、明代杨魁的《见潮论》、近代杭辛斋的《浙江潮源委考》等重要文献陆续问世。因此，对中国科技史研究有素的英国科学家李约瑟说，许多国家的暴涨潮虽然

较大，但由于远离古代文明的中心，均没有像钱塘江潮那样，受到历代论述影响，对潮汐学的发展产生巨大的推动力。

钱塘江边的人既惯见江上的春花秋月，也不惧它奔腾咆哮、野性难驯的浪潮。农历八月十八，一年一度的观潮盛会，成为集体的狂欢，官、民共享的嘉年华。浙江观潮民俗至少可以追溯到东晋时期。不但民间流传着“葛洪观涛”的传说，而且顾恺之的《观涛赋》中也有“临浙江以北脊，壮沧海之宏流”的描述。至北宋时则弄潮之风大行。潘阆为此写下《酒泉子·忆余杭》：“长忆观潮，满郭人争江上望。来疑沧海尽成空，万面鼓声中。　弄潮儿向涛头立，手把红旗旗不湿。别来几向梦中看，梦觉尚心寒。”想象恢弘，声色俱佳，成为宋词中的传世名作。

观潮、弄潮习俗最盛行的当数南宋之时。宋室南渡，行在杭州繁华富庶，人民耽于安乐。轻死易发的越地民风与北方贵族王公、文人画家带来的华贵风雅相结合，

八月十八潮，壮观天下无（钱雪军摄）

催生了既彪悍勇猛又诗情画意，且充满世俗欢乐的潮文化。且看周密《武林旧事》中的精彩描写：每年八月十八，是朝廷检阅水军的日子。这一天里，看潮人倾城而出，城外车马塞途，仕女云集，地无寸隙。涌潮来临，战船在波浪中溯流而上，忽分忽合，变化种种阵势。骑兵弄旗、标枪、舞刀，出没狂涛，如履平地。倏尔烟炮鸣放，黄雾四起，战船隐匿得无影无踪，耳畔唯闻山崩地坼的潮声。忽而又有无数凫水勇士，披发文身，在波谷浪峰间高举彩旗，踏波踩浪，旗尾不湿，竞相展示弄潮儿的风采。

南宋皇室和钱塘江潮的缘分颇为有趣。南宋第一个皇帝高宗赵构从登基伊始，就被金兵追得东逃西窜。一天，歇脚于钱塘江边的归德院，半夜忽闻一片喧腾，犹如千军万马来势汹汹，惊恐欲逃。后探子来报，知是潮声，才定下心来。第二天，题“潮鸣”二字赐归德院。退位当太上皇以后，他迷恋上观潮，每年八月十八，都和孝宗出城检阅水兵，观弄潮之戏。潮本有信，但偶然也有失信的时候。南宋德祐二年（1276）二月，元军攻到杭州，不知涌潮厉害，扎营在沙滩上。南宋朝廷暗自高兴，急盼涌潮把元军卷走，可以不战而胜。谁知“江潮三日不至”，君臣相顾黯然，以为天助元军，宋王朝气数已尽。

潮能娱人，也能成灾。从公元775年到1949年的1100多年间，钱塘江发生较大洪潮灾230次，平均每5年一次。咸水几度影响到嘉兴、湖州、吴江一带。土地一旦经咸水浸泡，非得四五年方能恢复。所以潮灾关涉到富饶的杭嘉湖、萧绍甬平

“早潮才落晚潮来，一月周流六十回。”（唐白居易《涌潮》）（沈达摄）

原的安全，关涉到无数人的身家性命。

2000 年的海塘修筑史，也是一场人与自然之间漫长的博弈史。规模宏伟的钱塘江海塘，相传始筑土塘于汉代。五代十国时，吴越国苦心经营两浙地区，以保境安民为国策，兴修水利，发展农桑。后梁开平四年（910），江潮汹涌，危及杭州海塘，吴越国王钱镠发夫 20 万，建筑捍海塘。因为土塘不牢固，创竹笼填石筑塘和榥柱固塘之法，塘岸得以巩固。如今，杭州一带还流传着“钱镠射潮”的传说。

经过历代劳动人民的摸索创造，到清代，总结出了鱼鳞大石塘的建造技术。为了保卫江南这个大粮仓，清政府不惜巨资建筑海塘。整个清代，据不完全统计，一共在海塘上花了 2680 万两白银，平均每年 10 万两，最多年份花 40 万两。因此有“黄河日斗金，钱塘日斗银”的俗语。清高宗弘历六下江南，四巡海塘，甚至亲自为海

阅读链接：

林炳尧：《钱塘潮》，http://www.cctv.com

李君益：《钱塘江与钱塘潮》，中国青年出版社，1963 年版。

钱塘江志编纂委员会编：《钱塘江志》，方志出版社，1998 年版。

塘打桩，显示了统治者对海塘的高度重视。

江南大地源源不断的贡赋和漕银，为开创“康乾盛世”提供了物质保障。然而，欧风美雨日渐迫来，盛世繁华恍如一梦。在民族生死存续的紧要时刻，有识之士已经不满足于缝缝补补式的改良维新，他们呼唤革命的浪潮，将旧世界席卷而去，开出一片新天地。以救亡、启蒙为己任的《浙江潮》，热烈地赞美着、讴歌着、祝愿着：“可爱哉！浙江潮。可爱哉！浙江潮。挟其万马奔腾排山倒海之气力，以日日激刺于吾国民之脑，以发其雄心，以养其气魄……我愿我青年之势力，如浙江潮。我青年之气魄，如浙江潮。我青年之声誉，如浙江潮。”

这气势万千的“浙江潮”，最终汇入全中国的革命洪流，以摧枯拉朽之势将清王朝送进了历史的废墟。1916 年 9 月 15 日，即农历八月十八日，孙中山抵达海宁县盐官镇观看钱塘潮。面对雷霆万钧、奔腾而至的钱塘大潮，孙中山感慨万千，留下了“当今世界潮流，浩浩荡荡，顺之则昌，逆之则亡”的著名论断。

“岁月消磨人自老，江山壮丽我重来。”（元方行《登子胥庙因观钱塘江潮》）钱塘江潮亘古如斯，日夜发大声于海上。它是大地的音乐、雄魂的长啸，它是江海的合奏、天人的交响，它是历史与现实的共鸣，是浙江人民与潮共舞的时代赞歌。

莫干山：清凉世界现世图

莫干山的得名，注定了它不平凡的身世。

春秋末期，群雄争霸，遍地狼烟。相传，干将、莫邪夫妇，奉吴王命在此山中采精铜铸剑，淬以剑池之水，试以万年之石，终于炼成天下无以争锋的雌雄双剑，号曰莫邪、干将。干将携雌剑进献吴王。吴王为使天下无此第二剑，杀干将。干将之子赤长大后，携雄剑前往复仇，路遇侠客之光。之光割下赤头，与剑一起献给吴王。吴王用汤镬煮赤头，之光乘吴王靠近汤镬之时，割下王头，又割己头，三头相搏，

莫干山号称“清凉世界”。山上遍植修篁，凤尾潇潇，竹吟细细，绿云拂拂。一座座西式风格的别墅点缀其间，为这座江南名山染上了浓郁的异域色彩

最终俱烂，干将之子终报父仇。后来，莫邪、干将铸剑的这座山，就被命名为莫干山。

莫干山的历史就是这样在刀光血光、快意恩仇的背景中登场，其恢宏盛大、动人心魄不亚于一出希腊悲剧。

然而，历史总是起承转合，出人意表。接下来很长的一段时间，莫干山在它的修篁幽谷里隐藏起自己的凌厉品质、森然剑气，在世人面前呈现出柔美、安详、宁静的侧影。

在地势平缓、水网交织、四季分明的杭嘉湖平原一带，莫干山宛若一块异质飞地，它以挺拔的身姿秀出地表，莽莽群峰恰似一道绵亘十余里的绿色屏风，挡住了从海上吹来的东南季风，气流受阻抬升、膨胀，使得山上长夏吹凉送爽，终岁云雾飘渺。

如此一处炎炎人间里的清凉世界，怎能不被那些孜孜不倦地寻觅好山好水的修行人看重呢？自从南朝梁僧人惟正在此结庐，四方僧侣纷纷安顿在莫干诸峰，到清朝康、乾间已是缁流云集，梵宫遍布。数百年的时间，莫干山在山花自开自谢、山月时盈时缺的光景里迎来送往一拨拨问道的行脚、祈福的香客、寻幽的骚人。

世上终归没有永恒的乐土。近代，中国的命运被一次次改写，莫干山也几经起伏，几番风雨。太平天国的战火烧遍东南，也烧到莫干。清代后期，莫干山上的寺庙或毁于战火，或缺少供养，从此佛号消歇，香烟寂寥，僧人星散飘零，山间唯余断壁残垣。

莫干山的重获生机，竟然得益于洋教士的青睐。1894 年，在上海传教的美国浸礼会教士佛利甲从杭州沿运河行至莫干山，见此处茂林如翠，泉鸣如佩，更兼幽静、清凉，惊喜的心情大约不亚于当年哥伦布发现新大陆。在他的推介之下，陆续有传教士上山赁屋居住，并在外文报纸上把莫干山称为天然“消夏湾”。1898 年第一座西式别墅在山上建成，随后几年间西人纷纷占山购地建房。到 1926 年，共建成 154 座别墅。外国人公然在中国的名山上大建别墅，强占莫干山部分主权，并成立了维持秩序的“避暑会”，俨然一副“反认他乡为故乡”的姿态，倚仗的就是自鸦片战争以来清政府和西方列强签订的一系列不平等条约。

吊诡的近代中国，侵略者有时却是开拓者，掠夺者常常也是输入者。传教士的

莫干朝暾

到来，毕竟为莫干山带来了新的机遇，塑造了别样的气质。翠岚修竹掩映着一幢幢造型各异、精致优雅的西式别墅，中国的山水也能与异域的建筑元素相安无事。每当夏天来临，外国人如候鸟一样翩然而至，莺声滴沥、衣香鬓影，朴实的山民甚至能见到穿泳衣的香艳女郎。沉寂已久的深山又热闹起来，莫干山宛如一座“天上的街市”；教堂的钟声和唱诵声，取代了当年的幽幽梵呗，飘荡在竹梢树杪。从幼稚园到公墓，从游泳池到教堂，从网球场到图书馆，从绿化到清洁，从成立自治组织到制定章程，西人把西方的生活方式成功复制到莫干山上。难怪郑振铎在 1926 年 8 月上莫干山时，写下《避暑会》一文，既愤懑“他们的通告所占的地位和语气，似乎比当地警察局的告示显得冠冕而且有威权些”，又“不得不叹服”他们“立刻把这些公共的事业整整有条的举办了起来”的“合群力与办事的有条理”。

莫干山毕竟不是洋人永久的伊甸园。1926 年，在民国政府浙江省主席张静江的主持下，莫干山主权回归。乱纷纷你方唱罢我登场，随着洋人逐渐退出，莫干山又迎来了新的主人，他们中有达官显贵，有大亨巨贾，有海上闻人。但是，莫干山上并非只有风月与笙歌：在“停止内战，一致抗日”的共同呼声中，1937 年的莫干山见证了国共两党的政治博弈；日寇入侵，莫干山曾经庇护过逃离战火的人们；风雨如磐的 1948 年，蒋介石在莫干山松月庐召集幕僚开会，推出“金圆券”政策，没想到却加速了蒋家王朝的覆灭。

在那个旧的时代还没有闭幕的时候，有一个对莫干山影响颇深的人物上场了。他，就是黄郛，辛亥革命元老，蒋介石的拜把兄弟。南京国民政府成立，黄郛曾任上海特别市长、外交部长。1935 年因与日本签订《塘沽协定》，承认伪满洲国，舆论大哗而托病退隐莫干山。

官场失意的黄郛，在他生命的暮景里，在莫干山和山下庾村搞了一场乡村建设实践，并将此作为他人生的最后寄托。在他的积极推行下，莫干山公益会、莫干山讲经堂、莫干山小学、藏书楼、农村教育馆、农村改进会、公共仓库、蚕种场、牛奶厂陆续建成。特别是莫干山小学，凝聚着他晚年所有的理想。按照他的规划，学生免费入学，学校里设有农事实习场（含蚕种场）、造林场、苗圃、花园、畜牧场等。学生们除了听课以外，要参加实地劳作，采桑、养蚕、造林、种花等等。目的在于培养农村工作的基本人才，最终达到以学治村的目标。1938 年，黄郛病逝，归葬莫干。尽管和那个年代所有的乡村建设实践一样，黄郛的种种努力最终付诸东流，但毕竟为这座古老的名山注入了现代化的活力。

如今，历史的烟尘也早已消歇，“清凉世界”莫干山重归幽静宁谧。也许，唯有清泉、绿竹、白云，才是莫干山真正、永远的主人吧。

阅读链接：

莫干山志编纂委员会编：《莫干山志》，上海书店，1994 年版。

周庆云等：《莫干山志》，大东书局，1936 年版。

顾艳：《到莫干山看老别墅》，湖北美术出版社，2003 年版。

方岩：撑持天地间

“方岩居中，游遍浙东”（陈从周语），说的是永康方岩雄踞金衢盆地中央的优越位置。它更令人赞叹不绝的则是奇诡瑰丽的山形地貌。势急峰危、灿若流霞，气势磅礴、动辄数千甚至上万平方米的绝壁大石面，节理纵横，“苍劲雄伟到不可思议的地步”；“间有瀑布奔流，奇树突现，自朝至暮，因日光风雨之移易，形状景象，也千变万化，捉摸不定”。1933 年，郁达夫游方岩，连连惊叹山之伟观，到此“可以说得已臻极顶了”。和这鬼斧神工的自然景观相比，从前中国画里“南宗北派的画

雪后的五峰，安详宁静，充满无言的力量

山点石，都还有未到之处”（《方岩纪静》）。

文人千里迢迢来此人间绝境，无非是为了寻幽探胜，吊古思今。而四方百姓却因为这里有一位极灵验的胡公大帝，络绎不绝进山焚香祈祷。

胡公，即北宋胡则，永康人，举进士后，历任太宗、真宗、仁宗三朝，“十握州符，六持使节”，最后加封兵部侍郎致仕。范仲淹为他撰墓志铭，用“进以功，退以寿；义可书，石不朽。百年之为兮千载后”，为他一生做了总结评价。

其实在北宋衮衮诸公中，胡则的地位和声名都不算显赫，却在四十年的宦海沉浮中，做到了宽刑薄赋，清正廉明。胡则最大的一桩德政是在灾荒年月，向朝廷奏免了浙江衢、婺两州的身丁钱，解民于倒悬。所以，在他少年时代读书的方岩，人们为他立庙祭祀。宋高宗赵构赐予“赫灵”二字，表彰胡公为民请命的崇高人格。

也许是“正直之谓神”，也许是中国的老百姓从来无法左右自己的命运，不知从何时起，这位为民请命的清官成了“有祷无不答，有求无不应”的神灵。关于他屡显神异的传说不胫而走，供奉他、膜拜他、恳求他赐予平安幸福的地方和信徒也越来越多。不但金衢一带处处有赤面长髯的胡公像，远涉重洋也能看到胡公庙里摩肩接踵的信男信女。

距热闹喧腾的胡公庙不远的寿山坑，别有洞天。寿山自东而西有鸡鸣、桃花、覆釜、瀑布、固厚五峰环拱，处处是千丈的绝壁，和巨大的石洞。五峰书院、丽泽祠、学易斋，就设在石洞中。郁达夫来的时候，这里虽已是“清幽岑寂到令人毛发悚然的一区境界”，但在昔日却是一番“谈笑有鸿儒，往来无白丁”的景象。

五峰书院的前身是寿山石室，南宋大儒陈亮在此设帐讲学。石室高大、轩敞，不附缘饰，红尘不到，完全是一派天真，却更显得阔大高迈。这独具的韵味与“洞主”陈亮豪迈不羁的性格、和主流思想背道而驰的学说主张真是异常的契合。陈亮，生于患难之世，因为喜欢纵论国事，触怒当朝权贵，数度下狱，但是仍然不改他超迈粗豪的气度，在政治主张上力主抗金，在思想学说上独抒“盈宇宙者无非物，日用之间无非事”之见，指摘理学家空谈“道德性命”。

宋淳熙九年（1182），理学大师朱熹到永康五峰访问陈亮，尽管两人的学术观点势如冰炭，朱熹依旧受到陈亮的热烈欢迎。朱熹在此盘桓数月，两派学说相互辩难，相互砥砺，声势日盛。偌大的石洞中，回荡着“王霸义利之辩”的慷慨演说声，听讲的学子则落落大满，座无虚席。

明代，王守仁心学在这里大张其帜。正德间，应典、卢可久等在此共倡王守仁“良知之学”，建丽泽祠祀朱熹、吕祖谦、陈亮等。后知府陈受泉又命吕瑗创建正楼三楹，定名五峰书院，奉祀王守仁。至此，五峰书院名噪一时，远近名儒翕然景从。清代后期，因为国运衰微，问学者日少，书院冷清了。

20世纪30年代中期，这一带忽然又热闹起来了。时值国家危难，因缘际会，书院成为浙江省政府办公地点。1937年“八一三”淞沪抗战爆发后，浙江成为东南抗日的前哨。11月，嘉兴、湖州失守，杭州告急，省政府决定他迁。25日，省政府奉命改组，桂系爱国将领黄绍竑出任省政府主席。在获悉方岩有天然岩洞可防空袭、且大小旅馆数十家足敷省府之用后，黄绍竑决定将省政府迁至永康方岩。

从1937年12月到1942年5月，浙江省政府驻扎方岩期间，正是浙江正面战场的第一期抗战阶段。省政府在这里颁布战时纲领，指挥作战，维持经济，安置难民。在烽火连天的战争间隙，

运筹帷幄，有条不紊。

1938 年 1 月，为了纪念在抗日战争中阵亡的将士，唤起民众团结抗战救亡，省政府在桃花峰下运动场上树起一座“抗战阵亡将士纪念碑”，于 1939 年“七七”抗战纪念日前竣工。著名学者、浙江通志馆馆长余绍宋题书。碑文由时任浙江省临时参议会议长陈训正（陈布雷胞兄）撰稿，省主席黄绍竑题写。

石的傲岸，瀑的灵动，都只为衬托书院的清幽宁静

战火纷飞，文明的爝火不息。浙江通志馆坚持修纂志书。在文澜阁《四库全书》跋涉几千里以避兵燹的文化苦旅中，方岩是它一个暂时停泊的驿站。杭州灵隐寺的洪超法师，携经学及其他图书千卷，至洪福寺设图书馆，供人阅读。各种书刊、报纸的出版繁荣一时。从方岩发出的不屈的声音，温暖了无数困顿的心灵，陪伴人们度过风雨如晦的漫漫长夜。

1939 年春，周恩来以国民党中央军委政治部副部长的身份，视察东南抗日前线，在方岩五峰与黄绍竑晤面，共商抗日大计。为纪念这次历史性的会见，表示携手合作的诚意，周恩来和黄绍竑共同种植了两株泡桐树。至此，国民党正式承认中共在浙江的合法地位，在浙江境内实现了停止内战、一致抗日，形成了浙江全境的抗日民族统一战线。浙江抗日面貌焕然一新，各种抗日组织空前活跃，共产党领导的敌后游击战多次重创日寇，有力支援了正面战场。

如今，胡公庙依然香火鼎盛，五峰书院却沉入了历史的一角、时间的深处。两株泡桐树历六十多年的风雨，已然是枝叶交柯，亭亭如盖。烈士墓地里长眠着为国赴难的英灵，受着永久的纪念和追思。

方岩，奉祀着胡则“为官一任，造福一方”（毛泽东语）的执政理念，包容了陈亮的“功利主义”异端学说，见证了抗战时期各方力量精诚团结、抵御外侮的信念。据说，方岩的得名是因为它庄重雄伟，酷似擎天方柱。这不正是“为天地立心，为生民立命，为往圣继绝学，为万世开太平”的人格理想在天地之间的依托和支撑吗？

阅读链接：

永康县志编纂委员会编：《永康县志》，浙江人民出版社，1991 年版。

郁达夫：《屐痕处处》，天津教育出版社，2006 年版。

徐赤金、童文贤：《浙江省政府迁永康方岩》，http://www.ykda.zj001.net

北山：千古风流

“千古风流八咏楼，江山留与后人愁。水通南国三千里，气压江城十四州。”（《题八咏楼》）在南渡至浙的婉约派女词人李清照的笔下，昔日金华府呈现出一派雄浑阔大的气象。金华古称婺州，因其地处金星与婺女两星争华之处得名。观其山川形势，历来为兵家必争之险。尤其是周匝于城北的北山，崔巍绵延，蟠郁苍劲，周回三百六十里，左右分支回峦，连屏拱卫，护佑着这座历史文化名城。北山是神仙游化，也是儒家讲堂，还是禅者净地。它的苍苍群山掩藏着庄严往事，幽幽洞窟紧锁着高华仙迹。它不但是金华一地精气之所聚，也是其文脉之所系。

在历代典籍、诗文中，北山有多种称谓，如长山、常山、金华山。唐代袁吉《登金华山》诗中道：“金华山色与天齐，一径盘纡尽石梯。步步前登清汉近，时时回首白云低。”描述的就是高峻雄秀的北山风光。历史文献对之记载最早的当是东汉袁康的《越绝书》，其《越绝外传记吴地传第三》中说：“乌伤县常山，古人所采药也，高且神。”在东汉初平三年（192）之前，金华属乌伤县，常山即北山，也称长山。那时的方士们常到北山采药炼丹，并将北山与华山、泰山等五岳名山并称，公认为“神山”。

赤松山，隶属于北山山系。清代雍正《浙江通志》卷十四《山川九》载赤松山“在县北十五里。一名卧羊山，即黄初平叱石成羊处。其山往往白石错落，如群羊散牧”。赤松山的得名，与别号“赤松子”的“黄大仙”黄初平（或云“皇初平”）有极深的渊源。

这个黄初平就是深受民众喜爱的除妖驱邪、惩恶扬善的“黄大仙”。历代帝王对他的善举和功德也极为推崇，多有封诰。农民出身的明太祖朱元璋还写了一首《牧羊儿土鼓》诗，其中有“群羊朝牧遍山坡，松下常吟乐道歌”之句。1915 年梁仁庵道长携同黄大仙的画像、灵签和药签从广州南迁至香港，并于 1921 年建成香港黄大仙庙。几十年间，黄大仙信仰不但在香港得到蓬勃发展，而且传播至东南亚及美国、加拿大一带。

“二皇不可见，小酌酬清饮……满壁先贤句，摩挲仔细看。”（南宋王柏《题宝积观》）文人墨客欣羡黄初平兄弟那种超然物外、无拘无束的神仙日子，纷纷题诗作画。如李白在《古风五十九首》第十七首中写道：“金华牧羊儿，乃是紫烟客。我愿从之游，未去发已白。”在《对酒行》中又有“松子栖金华，安期入蓬海。此人古之仙，羽化竟何在”的描写。苏轼题《顾恺之画黄初平牧羊图赞》，云：“先生养生如牧羊，放之无何有之乡。止者自止行者行，先生超然坐其旁。”无不借黄大仙的故事，表达人生几何，不如流连烟霞、遨游于八极之表的仙道思想。

北山属于喀斯特地貌，在地下水的侵蚀下，亿万年来大自然的鬼斧神工，造就了 50 多个地下溶洞。其中双龙、冰壶、朝真三洞在唐代被封为道教三十六洞天的最后一处洞天——金华洞元天。三洞中，朝真洞位置最高，洞中泉流跟冰壶、双龙上下相贯通。明崇祯九年（1636），徐霞客曾考察过这三个洞，

“北面一道屏障，自东阳大盆山而来，绵亘三百余里，雄镇北郊，遥接着全城的烟火，这就是所谓金华山的北山山脉了。”（郁达夫《金华北山》）

用简约的文字概括了它们各自的特色：“朝真以一隙天光为奇，冰壶以万斛珠玑为异，而双龙则外有二门，中悬重幄，水陆兼奇，幽明凑异者矣。”（明徐宏祖《徐霞客游记》）

徐霞客当年进入双龙洞的方式颇为有趣。他是借了洞口一老妇人家的浴盆，“解衣置盆中，赤身伏水，推盆而进隘”。数百年后，郁达夫的入洞方式几乎如出一辙，是“用了一只浴盆似的小木船，人直躺在船底，推进一二丈路，岩石尽，而大洞来了”（郁达夫《屐痕处处》）。

郁达夫在游记中曾提到《重修智者广福禅寺碑记》，它联系着一段重要的故实。智者寺，为南朝普通七年（526）梁武帝为国师“智者”娄约法师敕建，北山因此在佛教界中有了显赫的地位。智者寺香火鼎盛时，曾有寺僧千余，为江南名刹。南宋时重修，陆游为之题记并书。徐霞客在游记中说它当时已经凋落，到郁达夫时，几度沧桑，更加衰颓坍塌，碑记的字迹也大半剥落了。

郁达夫说他早识北山之名，始于《学案》等书籍。此处当指《宋元学案》中的《北山四先生学案》。四先生之首的何基，早年师承朱子高徒兼女婿黄干，后回故里，隐居北山盘溪，人称“北山先生”。黄宗羲评价何基：“北山介然独立……有汉儒之风焉。”他的学问先传王柏，再传金履祥、许谦，此四子所传之道，即名重天下的“婺学”。北山一脉，师承相递，硕儒辈出，连绵数百年，对元明理学产生很深的影响，被称为朱学的正宗。而何基在北山隐居、著述，也为林壑清美、仙迹飘渺的北山添上了厚重的一笔。

如今，北山学说已成遥远的绝响，黄大仙庙前信众如云，双龙洞前游人如织。江山胜迹，用易安居士“千古风流”四字来形容，不亦宜乎！

阅读链接：

金华市地方志编纂委员会编：《金华市志》，浙江人民出版社，1992年版。

郁达夫：《屐痕处处》，天津教育出版社，2006年版。

高致华：《金华牧羊——黄大仙大传》，宗教文化出版社，2006年版。

江郎山：山若有情山亦老

江郎山很老，它 1.35 亿岁了。

一座很老的山是有看头的。不同的位置，不同的人，不同的心境，看到的风景不一样，感受也不一样。所谓“横看成岭侧成峰，远近高低各不同”，又所谓“看山是山，看山不是山，看山还是山”。

地质学家探究它出生的奥秘。他们给它开的出生证明是这样写的：孕育于白垩纪，是全球迄今已知的最高大的陡崖环绕的砾岩孤峰。他们说，自白垩纪以来，江郎山经历了峡口盆地的形成、红层沉积、盆地抬升、断裂变动、外动力侵蚀、地貌老年化、再次间歇性抬升等一系列连续的演化发展过程，呈现出了丹霞地貌演变中神秘而又令人惊叹的地史记录。“艰难困苦，玉汝于成”，长达 1.35 亿年，江郎山默默承受着日抬夜沉，风侵雨凌，终于造就卓尔不群的神采风貌。

据说，只要看过以下六座山，也就阅尽丹霞地貌一生的风光了：

打个比方，贵州赤水是十五志于学，福建泰宁三十而立，湖南崀山四十不惑，广东丹霞山五十知天命，江西龙虎山六十耳顺，浙江江郎山七十从心所欲不逾矩。在中国丹霞这个大家庭里，江郎山年最高，位最尊，宜乎“苍颜白发，颓然乎其间”也。

烂漫的诗人无意寻找科学答案。面对摩天插云、烟岚迷乱的江郎山，白居易不禁生出飘渺的幻想。“安得此身生羽翼，与君来往醉烟霞”（《江郎山》），此处的“君”就是江郎山吧。如能腋下生双翼，就可以和山君共居琼台仙阁，共醉晚霞晓雾，共度花朝月夕了，何等美妙，何等梦幻。

爱国词人辛弃疾，流寓江南，为此生壮志难酬、为故国恢复无望、为朝廷苟且偷安，忧心忡忡。在“暖风熏得游人醉”的时局里，他内心是孤独的：“落日楼头，断鸿声里，江南游子，把吴钩看了，栏杆拍遍，无人会，登临意。”（《水龙吟·登建康赏心亭》）在这样深重的寂寞情怀里，猛然撞见壁立千仞、遗世独立的江郎山，他竟惺惺相惜了。“三峰一一青如削，卓立千仞不可干。正直相扶无依傍，撑持天地与人看。”（《江郎山和韵》）这正直无依，这撑持天地，不正是夫子自况？

行色匆匆的旅行家徐霞客，却为江郎山三度流连。在他非凡的旅行阅历里，江郎山的“奇”“险”“神”给他留下深刻印象。他在游记中写道：“悬望东支尽处，其南一峰特耸，摩云插天，势欲飞动。问之，即江郎山也。望而趋，二十里，过石门街。渐趋渐近，忽裂而为二，转而为三；已复半歧其首，根直剖下；迫之，则又上锐下敛，若断而复连者，移步换形，与云同幻矣！夫雁荡灵峰、黄山石笋，森立峭拔，已为瑰观。然俱在深谷中，诸峰互相掩映，反失其奇。即缙云鼎湖，穹然独起，势更伟峻，但步虚山即峙于旁，各不相降，远望若与为一。不若此峰特出众山之上，自为变幻，而各尽其奇也！”（《徐霞客游记》）“移步换形，与云同幻”“特出众山”“自为变幻”十六字，实得江郎山之神韵。

郁达夫屐痕尚在兰溪，就开始遥想江郎山那一片旖旎风情。“阿奴生小爱梳妆，屋住兰舟梦亦香。望煞江郎三爿石，九姑东去不还乡。”打动郁达夫的是当地流传的一个凄美的爱情传说。很久很久以前，金纯山下住着江郎、江亚、江灵三兄弟。他们爱上了经常下界游玩的仙女，并结为夫妇。但是仙凡始终有别，仙女一去不复返，三兄弟日日翘首等待仙女翩然归来，岁月如流，终于把自己望成了三爿巨石——郎峰、亚峰、灵峰。天下望夫石的传说随处可见，但是望妻石绝对独此一处。多情才子心有戚戚，自然发出“郎峰是天下最多情的山峰”的赞叹。

无论白居易、辛弃疾、徐霞客，还是郁达夫，终究都是江郎山脚下的匆匆过客。真正终生守望江郎的是唐代宿儒祝其岱。祝其岱，号东山，通经史，擅诗文。朝廷曾授予银青光禄大夫，因不满武则天专权，坚辞不就，隐居江郎山，开馆讲学，吸引了许多钦佩他品格才识的向学之士，也为这座亿年古山增添了脉脉书香。长期在江郎山生活，他对这里的一草一木都倾注了感情，随心会景，视野、心思所及俱是文章。曾写一诗云：“江郎山独高，嵬嵬插天表。绝顶一登临，众山皆渺小。”写出了江郎山的雄伟气势，和自己的博大胸襟。

万山之表，三石耸峙，这便是2010年入选世界自然遗产名录的中国丹霞第一奇峰江郎山

祝其岱曾经作诗表明心志："待得天风吹荡净，定然策杖到人间。"(《题江郎草舍》)然而，他似乎再也不愿走出江郎山。祝其岱活了96岁，在与江郎偕老的日子里，完成自己生命的圆满。他的家族也在此世世代代繁衍生息，人才辈出，蔚为望族，北宋时，受封"江郎世家"。后人继承其生前的事业，在江郎山北麓创立"江郎书院"，大兴重教之风，培养了许多读书人。

时人评价祝其岱："诗无邪思，文有卓识，气浩词严，一扫当世芜秽之习。"思无邪，气浩然，天地之间，唯有巍巍江郎可以安放。

江郎山垂垂老矣，有情人来此，定能读出它"老迈"之躯中隐藏着多少沧桑故事，多少人间情怀。

阅读链接：

江山市志编委会编：《江山市志》，浙江人民出版社，1990年版。

衢州市志编委会办公室编：《衢州史话》，浙江人民出版社，1987年版。

朱诚等：《浙江江郎山丹霞地貌发育的年代与成因》，《地理学报》，2009年第1期。

烂柯山：浮生一梦

南朝梁任昉的志怪小说《述异记》记载了这么一则故事：信安郡，也就是现在的衢州，有座石室山。一天，有一个名叫王质的樵夫到山中砍柴。他撞见几个小童一边下棋一边唱歌，不觉入迷。童子拿果子给王质吃，他含在嘴里饥饿感就全没了。也不知过了多少时候，童子问王质怎么还不回家啊。王质这才惊觉，一回头，童子不见了，而自己砍柴用的斧头柄已朽烂。回到家中，亲人早就不在人世。原来，山中不到一局棋的功夫，人间已经忽忽数百年过去了。这个传奇故事广为流传，石室山也就被叫做烂柯山了。

这一道天生石梁，其貌奇，其势动，如飞又如住。
在大自然的伟大魔力面前，人唯有感觉自身的渺小。

阅读链接：
陈峻：《衢州》，生活·读书·新知三联书店，2004年版。
郁达夫：《屐痕处处》，天津教育出版社，2006年版。
烂柯山志编纂小组编：《烂柯山志》，浙江人民出版社，1998年版。

烂柯山的风景如何呢？郁达夫的《烂柯纪梦》写得很好："在青葱环绕着的极深奥的区中，便来了这巨人撑足直立似的一个大洞；立在山下，远远望去，就可以从这巨人的胯下，看出后面的一湾碧绿碧绿的青天，云烟缥缈，山意悠闲，清通灵秀，只觉得是身到了别一个天地：在一个城市里住久的俗人，忽入此境，哪能够叫他不目瞪口呆，暗暗里想到成仙成佛的事情上去呢？"

引来郁达夫的惊叹、唤起他梦幻般感受的，正是那烂柯山上最奇崛的一道风景——天生石梁。石梁乃是一道天生桥，桥洞高10米，东西宽30米，南北深20米。片石嵯峨，彩虹雄跨，横空出世，无所依傍。据地质学家说，很早以前，这里是一片汪洋，是地壳运动造就了这样一个自然界奇观。沧海桑田，再联系到"洞中方一日，世上已千年"的烂柯传说，谁到此不会折服于造化的伟力，不感觉到自身的渺小，而生出"人生天地之逆旅，百代之过客"的无穷喟叹呢？历来描写烂柯传说和石梁景观的诗篇无不寄托着历史的沧桑感和人世的虚幻感。其中最具代表性的当是唐孟郊的《烂柯石》："仙界一日内，人间千载穷。双棋未遍局，万物皆为空。樵客返归路，斧柯烂从风。惟余石桥在，犹自凌丹虹。"寥寥四十个字，道出了古代中国人独特的宇宙观和时空观，闪烁着思辨的哲学光芒。

烂柯山不但是道家七十二福地之一，佛家与儒家也在此安营扎寨。石桥寺建于梁大同七年，是一座江南名刹，香火鼎盛。理学大师朱熹曾在烂柯山上的梅岩书院聚徒讲学。他与吕祖谦

意态悠闲烂柯山

在著名的“鹅湖之会”辩论之后，在衢州再次围绕《春秋》、《礼》学、儒佛之辨等问题展开了激烈的争辩，史称“三衢之会”。据说梅岩书院是这次论战的主战场之一。遥想当年，两位哲学大师在烂柯山上，雄姿英发，宏论滔滔，为江山添得几多娇。

烂柯的传说还衍生出了围棋文化，烂柯山因此被视为围棋仙地。在中国人的语境里，围棋不是单纯的智力运动，也是哲学的思索、人生的参悟，更是“有约不来过夜半，闲敲棋子落灯花”（南宋赵师秀《约客》）的闲闲心境。尺幅之上，黑白子进退攻守之中，自有洞天，令人忘怀世间得失。樵夫王质想来是颇有些慧心的人，在一个日暖花香的美好日子里，逢着几个快活游戏的仙童，便忘却了日常的营生，在歌声中陶醉，在棋局中神迷，不知不觉间消磨了数百年的人世光阴。朱熹在《游烂柯山》中写到：“局上闲争战，人间任是非。空叫采樵客，柯烂不知归。”一生忧时伤世、纠结于人欲天理的朱老夫子，想必也歆慕那浮生偷得一梦的半日逍遥吧。

仙霞岭：雄关古道夕阳斜

仙霞岭，莽莽苍苍，横亘在浙闽省界。它山中有山，五步一湾，三步一岩，绝壁千寻，重峦深锁，历来以险峻著称。郁达夫曾在《仙霞纪险》中极力渲染它的险："要看山水的曲折，要试车路的崎岖，要将性命和命运去拼拼，想尝尝生死关头，千钧一发的冒险异味的人，仙霞岭不可不到。"

正因仙霞岭握东南锁匙，扼浙西门户，居高临下，势及千里，所以战略地位十分显赫。这样的兵家必争之地，注定了仙霞岭在冷兵器时代与战争难以分隔的宿命，注定了在它美丽轻盈的名字下将凝聚着一段段铁与血的故事。

仙霞岭一带共有六道关隘，其中最重要、最伟峻的是仙霞关。仙霞关又有五道关，险要之处，仅容一马通行，山势崔嵬，弯道曲折，步步皆险，实在是一道天造地设的雄关。所以自古与剑门关、函谷关、雁门关齐名，并称中国四大古关口。

自汉、唐以来，仙霞岭就把自己的名字深深镌刻在中国东南方的战争史上。宋元更迭、元明交替、明清易代，仙霞岭无不目睹双方的列戟连云、旌旗猎猎；近代，太平天国运动、军阀混战、北伐战争、抗日战争、国共战争，仙霞岭也从未缺席。

更别提那些数不清的小战役了。战争永远是残酷的，《长生殿》作者洪昇，途经这一片屡被战火焚烧的土地时，叹息道："居人乱后惟荒垒，巢燕归来只数家。一片夕阳横白骨，江枫红作战场花。"（《衢州杂感》）

"在阶级存在的时代，战争是两个和平之间的现象。战争是政治的继续，也就是说是和平的继续。和平就是政治。"（毛泽东《关于战争与和平的一段话》）这是伟人的论断。寻常之人不懂政治，他们的愿景是赶紧抓住战火之间的和平年月，获取生活所需的物资，顺利到达想去的地方，偶尔还能欣赏路上的风景。仙霞古道的存在，为实现这样朴素的生活理想提供了可能性。

古道在历史上被称作闽浙官道、江浦驿道。它从浙江省江山市大南门开始，穿越 10 个乡镇，进入福建省浦城县。在江山境内 75 千米，在浦城境内 45.5 千米，全程 120.5 千米。这条穿行在蛮荒山水中的道路，维系着熙熙攘攘的商旅记忆，记录着士人大夫相迹于途的荣耀时光，流淌着无数挑夫的辛勤汗水。

公元前 138 年，汉武帝发兵进攻闽越国，兵分海陆两路，其中陆路便是越仙霞岭，因山开路，进入闽地。所以有诗道："东南谁辟此蚕丛，汉武楼船首纪功"（清鲁增煜《登仙霞岭》）。唐末，黄巢率军转战浙皖赣一带，在进攻宣州失利后，转战浙东。乾符五年（878），从衢州经江山，在古道原路的基础上，凿山平险，加以修整，"直趋建州（今福建建瓯）"。古道得以延伸、拓展。后世又不断由官府负责，或个人出资修建，从简陋的土路到坚实的石路，越修越好。

仙霞古道的开路先锋虽然是战争，是征服者的野心，但是有了路，就有了来往的行人，沿路的村镇、驿馆。当岁月静好，现世安稳，这里就上演着一幕幕繁华的人间盛景。

有人说，这是一条"宋诗之路"。因为至宋代，尤其是南宋时，浙闽之间的交流频繁起来，做官、求学、赶考，无论是入闽，还是至浙，这里是必经之地。王禹

遗落山中的明珠——仙霞岭枫溪（毛洪章摄）

偁、梅尧臣、苏舜钦、文彦博、欧阳修、赵抃、王安石、汪藻、韩驹、黄公度、陆游、杨万里、朱熹、辛弃疾、刘克庄，或宿儒，或显宦，或名士，接踵而来，浩然而歌，为喋血群山增添了诗情画意。

这也是一条交流之路。官道就是驿道，是政府设的交通要道，沿途设有驿站、驿铺与驿馆，承担着传送公文、迎送官员、运送货物等等功能。清代鼎盛期，沿途驿铺计18个之多，平均6公里设1铺。清代施闰章的《过岭行》描述了这一盛况："前有驿使过，百里起埃尘。去时若流水，来时若连云。妇女杂方物，舁载何纷纷。"

南来北往的人群里，甚至还有外国人的身影。唐贞元二十年（804），著名学问僧空海一行在海上遭遇台风，漂流至福建霞浦，数月后到达京城长安。据后人考证，他由闽入京，走的就是仙霞古道。以后，意大利著名旅行家马可·波罗，著名传教士、学者利玛窦，也曾经取道仙霞。乾隆五十八年（1793），英国公使马戛尔尼在热河朝觐过乾隆帝后，在两广总督长麟陪同下，也从这儿南下广州。长麟允许他沿途采集优良的茶树苗和种子，带到当时的英国殖民地印度，在印度大量培植、传播，使印度成为当今全球最大的茶叶出口国。马戛尔尼带去的茶苗里，应该就有著名的仙霞茶。

这又是一条商贸之路。清代顾祖禹《读史方舆纪要》称："凡浙入闽者，由清湖舍舟登陆，连延曲折逾岭而南至浦城县城，西复舍陆登舟以达闽海。中间二百余里，皆谓之仙霞岭路。"

古道沿线及浙、赣、皖等地出产的丝绸、瓷器、茶叶等，源源不断地通过仙霞古道，进入东南沿海的福州、泉州、广州等港口，从而连接了海上丝绸之路。

南宋时期，清湖凭借水陆码头的特殊地位，成为浙闽赣三省边境货物集散地。舟车纷纷、货如星列，比县城还要热闹。明清时期，渡口有装卸码头 17 处，过塘行 10 余家，逐渐形成商业会帮，有绍兴帮、江西帮、徽州帮等。清湖商埠，有外地三帮，有本地五行，相当兴盛。至民国，虽然发展态势已经渐趋式微，但是渡口的桅杆依然“插得和筷子笼里的筷子一样密”。

货物舍舟登陆，北上南下，便派生出一支由百万挑夫组成的浩浩荡荡的内陆运输大军，俗称“挑浦城担”。挑夫的工作是极为辛苦的，在仙霞岭这样一个“一面

当周遭的一切都归于宁静，唯有古老雄关，无言诉说如风往事（沈法天摄）

阅读链接：
陈峻：《衢州》，生活·读书·新知三联书店，2004 年版。
郁达夫：《屐痕处处》，天津教育出版社，2006 年版。
蔡恭：《仙霞古道史话》，http://21js.com/program/Blog

是流泉涡旋的深坑万丈，一面又是飞鸟不到的绝壁千寻”（郁达夫《仙霞纪险》）的险要所在，空手的行人都觉得胆战心惊，更别提挑着沉重的担子翻山越岭了。他们风尘苦旅，年复一年地往返奔波于崇山峻岭之间，一根沉甸甸的扁担，一头挑起全家人的生计，一头挑起世间的繁华。

1933 年，为讨伐十九路军将领蔡廷锴与李济深在福建的独立活动，蒋介石急电三省总剿何应钦，限 40 天完成江（山）浦（城）公路，以打通仙霞天险。正如郁达夫所预言，“汽车路一开，这些碉堡，这座雄关，将来怕都要变成些虚有其名的古迹了”（《屐痕处处》），渐渐地，仙霞古道的交通地位就让位于新修的公路了。而更为深刻的社会背景应该是，随着现代工业社会的到来，为农耕社会输送血液的古道，自然也完成了自己的历史使命。

热闹了上千年的古道寂寞了，仙霞岭上的村镇也渐次冷落下去，岭上明珠廿八都却幸运地在被遗忘的时光里，留住一份独特的气质。这座“一鸡鸣三省”的小镇，曾经是军旅的驻地、商人的中转站、挑夫的休憩地。他们中有人长久地在此居住，子孙繁衍，宗族延绵，给古镇带来了一百四十多个姓氏，南腔北调九种方言，徽派、闽派、浙派争荣的各色建筑，以及多姿多彩的手工技术、饮食文化、生活习俗。

“青山原不动，白云自去来。”远去了冷兵器时代的鼓角争鸣，暗淡了农耕文明的热闹繁华，消失了古老中国的诗情画意，唯余雄关古道，唯余苍莽仙霞，于西风残阳里，在历史时空的深处，不生不灭，不来不去。

世家风流

自三国两晋始，
北方世家大量南迁，
北方学术文化风尚被带到江浙。
从此以后，
浙江世家大族
在中国历史上大放异彩。

引　言

在中国传统文化中，家族的传承与发展历来被重视。正因如此，在漫长的历史长河中，涌现出诸多世家大族，这些家族在政治、经济、文化等领域大放异彩。然而，从殷商到隋唐，中国的政治中心、经济中心一直位于北方。毋庸讳言，相比中原地区而言，这一时期江浙地区在经济发展、文化建设、人才培养等方面都略显逊色，世家大族的发展及影响远不如北方。

自三国两晋始，中国政治经济中心不断南移。东汉末年受战争影响，北方世家大量南迁，北方学术文化风尚被带到江浙一带。同时南方人士入仕朝廷，江南地区在政治、文化积累等方面取得了一定成绩，以致东吴时期是江东大族发展的黄金时期，富春孙氏世家的崛起就是典型的例子。从此以后，浙江的世家大族在中国历史上光彩照人。

浙江世家大族的发展与自然文化背景、历史背景是分不开的。浙江地区气候宜人、土地肥沃、物产丰富，向来人文荟萃，英才辈出。吴越文化源远流长，尤其是随着我国政治经济中心的南移，江浙一带在政治经济上的地位日益重要。正是在这样的背景下，浙江涌现出一大批在政治、文化等领域独具一格的

世家大族，其中不乏延续几百年的世家。如余姚虞氏经学世家是著名的文化望族，东晋会稽王氏世家独霸东晋政坛，北宋钱塘沈氏世家在科学史上占据一席之地，明清海宁查氏世家成为文字狱的牺牲品，孝义传家的明姚江孙氏世家延续100多年，等等。这些各具特色的世家大族为丰富和发扬吴越文化作出了巨大贡献。

浙江地处东南沿海，进入近代后，受欧风美雨不断浸染，对国家危机民族危亡的感受异常深刻。在这样的历史背景下，不少世家大族脱离了传统的发展轨迹，不断吸收近代文化，以国家民族的振兴为己任。在文化上涌现出开近代风气之先的瑞安孙氏世家；在经济上创造了“南浔四象”丝商奇迹；在民族危亡前出现了兄弟同殉国的富阳郁氏家族，这些家族表现出的新特征极大地丰富了吴越文化。

千百年来，浙江地区世家大族不断涌现，出现了百舸争流的景象。受篇幅限制，本书仅选取部分有代表性的家族进行介绍，难免挂一漏万，但多少能从一个侧面反映浙江世家大族在历史上的地位和作用。

三分天下有其一：三国富春孙氏世家

东汉末年，群雄逐鹿，天下三分，孙氏家族独霸江东，与魏、蜀三分天下。与曹操、刘备相比，孙权既不像曹操那样出生官宦世家，有北方士族豪门的支持，也不像刘备那样贵为皇室后裔，有优良的血统，能在道义上占先机，孙氏家族与曹、刘相比显然要寒碜得多。但即便如此，通过孙坚、孙策、孙权父子的一番艰苦曲折的努力，孙氏入主江东，终于成为一方霸主。

富春孙氏出自名门，相传是孙武的后裔，但我们从《三国志》的记载可知，富春孙氏本属“孤微发迹”。东汉末年，孙武的二十代孙孙钟，即孙坚的父亲，隐居富春（今富阳），在富春江中的沙洲种瓜为业。为了躲避东汉末年的战乱，随母迁居江西，母亲去世后迁回祖籍富春。富春孙氏发迹，据说因孙钟遇仙人指点。孙钟在沙洲种瓜的时候，遇到三位少年向他学习种瓜的方法，孙钟毫不吝啬地将方法传授给他们。作为交换，三人给他指点死后的坟地，告诉他葬于此地，日后必出天子。当然，这只是民间的传说，以及后人的附会罢了。

富春孙氏的扬名，是以镇压东汉末年的农民起义为契机的。东汉熹平元年（172），会稽人许昭在句章兴兵作乱，尊其父为

孙权像

越王，煽动周围几县群众，人数达到数万。孙坚（155—191）以郡司马的身份招募壮勇千余人，与州郡官兵一道，击溃了这股反叛的势力。以此为起点，孙坚先后出任三县县丞，获得了良好声誉。东汉中平元年（184），黄巾起义爆发，在镇压起义的过程中，孙坚更是表现神勇，朝廷封其为长沙太守，前往镇压长沙郡的黄巾军队，孙坚不到一个月就平定了区域内的战乱。朝廷为了表彰他的功绩，封其为乌程侯，孙坚开始在东汉政治舞台上大放异彩。至此，富春孙氏依靠军功在历史上开始崛起。

东汉末年的政治纷争，为缺少背景的孙坚提供了扩充实力的机会。中平六年（189），汉灵帝驾崩，董卓专权，群雄纷纷讨董。孙坚起兵后，便做了两件大事：先是逼死了荆州刺史王睿，再杀南阳太守张咨，大大打击了董卓叛党的气焰，孙坚的名声大振。董卓畏于孙坚的武力，许以高官厚禄，但遭到孙坚的严辞拒绝，坚决不与乱臣贼子合作。在攻下洛阳后，孙坚面前出现了一个巨大的机遇。孙坚当时驻军洛阳城南，在皇宫的废井中，打捞出传国玉玺。作为代表“真命天子”正统地位的传国玉玺，一直是各方势力觊觎的对象。这时的孙坚实力并不算雄厚，在袁绍的威胁下，他审时度势，交出玉玺，用玉玺换取巨大的政治权益。在讨伐董卓的过程中，孙坚军队多次正面与董军交锋，且取得大胜，不仅壮大了声威，而且在瓜分政治权益中占了上风，为孙氏三分天下打下了坚实的基础。

孙坚在讨伐刘表的过程中，不幸罹难，孙策（175—200）继承了其父的事业，以广陵（今江苏扬州）名士张纮为军师，决意创业江东。他向袁术要回父亲的军队时，遭到拒绝，这坚定了孙策摆脱袁术控制的决心。在孙策的积极进取下，获得了江东士民的支持，先后占领吴郡、会稽等五郡，平定江南，奠定了孙氏政权的基业。建安三年（198），曹操封其为吴侯。建安五年（200），曹操与袁绍在官渡鏖战。孙策野心勃勃，欲偷袭许昌，挟汉献帝以令诸侯。遗憾的是，出征前在一次狩猎中被刺客所伤，不久后身亡，他的遗愿落在了弟弟孙权身上。

孙权（182—252）上台后，面临的一个重要的问题是在守住父兄开创的基业下，如何获得东吴的发展契机。孙坚、孙策父子在开创吴国基业时，主要是依靠军事力量扩充地盘，站稳脚跟。但要守住一代基业，仅凭军事力量是远远不够的。其实在孙坚、孙策父子时，已经表现出超出一般割据势力的政治远见，十分重视人才。孙策时，张昭、周瑜、鲁肃等后来的吴国建国功臣已经被笼络到孙氏政权之下。孙权主政后，继续笼络

南下避乱的北方望族和江东土著，其麾下有一支可观的人才队伍，陆机称之“江东盖多士矣”（陆机《辨亡论》）。在军事上，与刘备结盟，在赤壁大败曹操，奠定了三分天下的格局。此后又偷袭刘备，取得荆州。时机成熟后，于 222 年称吴王，229 年称帝，正式建立吴国，与魏、蜀形成鼎立之势。自孙权建国，到吴天纪四年（280）灭亡，共经过三代四帝，长达 59 年。

江东吴国政权，经孙坚和孙策、孙权父子三人苦心精心经营而逐步建立，它在缺少像魏、蜀那样的政治资源时，依靠江东人才，制订合理政策，打下三分天下的基业，充分体现了孙权家族的政治智慧。

历史已经成为过往，孙氏世家的辉煌早已成为云烟。这正如明代文学家杨慎在《临江仙·滚滚长江东逝水》中感叹的：“滚滚长江东逝水，浪花淘尽英雄。是非成败转头空，青山依旧在，几度夕阳红？白发渔樵江渚上，惯看秋月春风。一壶浊酒喜相逢，古今多少事，都付笑谈中。”是非成败已不需评说，他们的故事依然在激励后人。

智言慧思

英雄无觅，孙仲谋处。

——（南宋）辛弃疾《永遇乐·京口北固亭怀古》

阅读链接：

（明）罗贯中：《三国演义》，人民文学出版社，1953 年版。

尹颙公：《孙权传》，吉林文史出版社，1990 年版。

杨师群：《中华姓氏谱·孙姓》，华艺出版社，2000 年版。

江左豪族：魏晋余姚虞氏经学世家

虞翻像

余姚虞氏是江南最有代表性的士族之一，素有“江左豪族”之称。自东汉以来，历经六朝，余姚虞氏文化名人辈出，成为当时江南数一数二的文化世家。据1993年出版的《余姚市志》统计，虞氏家族从事学术活动的有25人，其中18人史籍记载有学术著述62种965卷，内容涉及经学、史学、诸子学等多方面。而其家族成员，在经学方面的造诣最为显著。

西汉末年，北方战乱频繁，部分北方士族开始南迁绍兴、宁波等地。余姚虞氏正是在此背景下，于东汉中叶由河南迁徙而来，是较早南迁的家族。此后余姚虞氏在浙江开枝散叶，几百年间绵延不绝，涌现出好几位名扬全国的经学大师。

余姚虞氏历来崇尚儒学，家族藏书丰富，为学气氛浓厚。发展到虞翻时，大有所成。虞翻（164—233），字仲翔，三国时期著名经学家。他从小深受家庭文化的熏陶，在他给孙权的上表中毫不忌讳称其家族四代相习孟氏《易》。虞翻年少时，便在易学上表现出极高的天赋。他博览群书，广泛涉猎两汉时期的各家易学，并进行了深入研究。他打破了儒、道两家的隔阂，将道家解《易》的方法引进过来，最终形成了流传千古的《周易注》。虞翻的易学成果一经问世，就得到时人的认可。当时的儒学大家孔融对其毫不吝啬溢美之词，夸赞道："睹吾子之治《易》，乃知东南之美者。"（《三国志・吴书・虞翻传》）在学术上，他集当时及前代易学之大成，对后世易学的发展产生了深远影响。从唐代到清代，有众多学者研究他的周易思想。

虞翻的学问不仅被世人所推崇，也鼓舞了虞家子弟研习经学的热情。虞翻的儿子虞耸继承了其父的衣钵，淡泊功名利禄，潜心学问，对易学颇有研究。他在天文历法上成就显著，流传于世的有《穹天论》一书。他提出了太阳围绕地极旋转，"没西而还东，不出入地中"的一种新的天文观点。

在魏晋更替期间，虞氏家族备受打击。虞翻的第五子虞忠作为吴国宜都太守，面对东晋军队的征伐，拒不投降，后战死沙场。孙吴亡国之后，虞氏家族在西晋政权中备受排挤。直至西晋后期，虞翻之孙、虞忠之子虞潭凭借军功再度在西晋政坛上崛起，累官至侍中、右光禄大夫、开府仪同三司（从一品官衔），爵至武昌县侯，权倾内外。虞潭在政治上的崛起，再次提高了虞氏家族的声望。但这种政治声望的提高，并没有影响到虞氏族人对经学的孜孜探寻。

东晋时期，以虞喜、虞预为代表的虞氏一代"以儒学立名"，发扬了家族的经学传统。虞喜（281—356），字仲宁，东晋著名经学家、史学家。他受虞氏家学影响，淡泊功名利禄，钟情经学。他涉猎广泛，涉足《尚书》《毛诗》《论语》《孝经》等儒家经典，留下诸多传世作品，如《尚书释问》《毛诗释》《论语新书对张论》《孝经注》等。在清朝人严可均编辑的《全晋文》中，收入他个人的经学著作就有 15 篇，可见虞喜的经学成就在两晋时期具有很强的代表性。虞喜的成就，使他在当时名噪一时，东晋政府因其名多次征召、察举，但他为了研究学问拒不出仕。东晋永和元年（345），朝廷为祭祀问题争论不休，最后不得不派人专程到余姚向他请教。虞喜的博学也得到了同时代大儒贺循的赞赏，贺循为了能与虞喜探讨经学，特意在余姚修了一座住宅与虞喜为邻。虞喜不仅热心于经学，也像他的先祖一样，通过专研易学来学习天文历法。他跳出了族祖虞耸的“穹天论”框架，提出了“安天说”，指出：“天高穷于无穷，地深测于不测”，“方则俱方，圆则俱圆”（《安天论》），极大地丰富了古代对天、地的认识。虞喜对天文学的最大贡献还不在于此，他在分析古星图和星空时发现了星星的位置略有偏移，即“岁差”，提出每 50 年差 1 度的结论。经现代科学观测得出，每 72 年相差 1 度。虞喜在缺少精密测量工具的前提下，得出如此接近的结果，实在难能可贵。虞喜的结论被著名科学家祖冲之引入到历法中来，编订了《大明历》，大大提高了中国古代历法的精确性。

虞喜之弟虞预（约 285—340），字舒宁，因年少丧父，跟随哥哥虞喜一起生活，从小耳闻目染，熟读儒家经典。他由经入史，在史学上成就了一番事业。东晋时，虞预官至著作郎，但遗憾的是不能参与官修《晋书》，他决定私撰一部国史。经过多年努力，编撰了一套 40 卷的纪传体史书《晋书》。此外，虞预热心地方志的编修，他著述的 20 卷《会稽典录》是不可多得的了解东晋时期古会稽境内风土人情的志书。尽管此书原本已经佚失，但从现存的多种辑书中，依然可以看出原著的恢弘规模。

余姚虞氏几百年间一直保持着良好门风，人才辈出，在中国经学史上光彩照人，堪称典范。虞氏家族在乱世中传承并发展了儒学文化，不仅使易学发扬光大，也激励了子孙学习儒学知识的热情。余姚虞氏也因累世经学而获累世公卿，被尊为“江左豪族”。

阅读链接：

钱茂伟：《浙东学术史话》，宁波出版社，1999 年版。

吴光主编：《中国文化世家・吴越卷》，湖北教育出版社，2004 年版。

唐燮军、翁公羽：《汉唐之际的余姚虞氏及其宗族文化》，浙江大学出版社，2010 年版。

“王与马，共天下”：东晋会稽王氏世家

王导像

琅琊王氏本是北方豪族，在晋室南渡之前已经活跃在政坛。西晋建立初年，王祥（185—269）和王览（206—278）两兄弟身居高位。年轻时的王祥对母十分孝顺，他就是民间流传“二十四孝”中“卧冰求鲤”故事的主人公。西晋建立后，司马王朝为标榜孝道，对他百般笼络，王祥位列三公，成为开国元老，但不久便以年老多病，告老退休。其弟王览的官位虽没有兄长那么显赫，但也担任过光禄大夫一职。王祥和王览两兄弟的出仕奠定了日后王氏家族在政坛上的显赫地位。

西晋末年，少数民族南下，皇帝司马邺被俘。为挽救皇室危亡，公元317年，镇守建康的晋宗室司马睿重建晋室，史称东晋。北方的动荡迫使不少世家大族南渡，这些南渡的豪族在东晋皇室建立的过程中立下汗马功劳。其中山东琅琊王氏起到了主导性作用，以致后来权倾一时，被世人称为“王与马，共天下”（《晋书·王敦传》）。

西晋末年严峻的政治形势，迫使琅琊王氏思考家族的政治前途和命运。王览之孙王旷、王敦（266—324）、王导（276—339）开始密谋晋室南渡的问题。王旷首先发起倡议，建议司马睿移镇建康，即现在的南京，其堂兄王敦、王导极力附和，拥戴司马睿在建康重兴晋室，奠定了东晋100多年的基业。在拥立司马睿称帝的过程中，王旷率领家族成员先行渡江，定居会稽，至此，会稽王氏家族发展壮大起来。然而不幸的是，永嘉三年（309），时任淮南内史的王旷率3万兵卒渡过黄河，与叛军交战，王旷全军覆灭，从此下落不明。

由于王旷的堂兄王敦、王导都是中兴晋室的关键人物，王氏家族备受皇恩。司马睿登基后，甚至要拉着王导同坐龙床，共同接受百官朝贺，但王导保持清醒头脑，坚决不同意。后来，王导官拜丞相、骠骑将军，封武冈侯，被皇帝称为“仲父”；王敦也被封为大将军，都江、扬、荆、湘、交、广六州诸军事，成为地方实力派将领。两堂兄弟可谓是一主内一主外，权倾朝野，形成了“王与马，共天下”的政治格局。

王旷失踪时，其子王羲之（303—361）才6岁，这给年幼的王羲之的生活蒙上了一层阴影。失去父亲的王羲之，虽然在叔伯父等人的关怀下逐渐成长，但因失去家庭支柱，无论在政治地位还是经济实力上，王旷一脉远不如王导、王敦一系，会稽王氏在整个南渡的王氏家族中处于较低的位置。王旷、王导、王敦毕竟同宗，王氏家族的政治命运时刻影响着会稽王氏家族的发展。

随着王氏家族政治势力的膨胀，王敦专擅朝政的行为引起了晋元帝对整个琅琊王氏宗族的不满，于是王导、王敦的权力不断被架空。永昌元年（322），忍无可忍的王敦以“清君侧”为名，在武昌（今湖北鄂州）起兵反叛。王氏家族的政治对手借此不断攻击，要求元帝诛灭王氏一族。在政治叛乱面前，家族的每个成员无法逃避，必须明确自己的政治立场，处于政治边缘的会稽王氏也无法幸免。在都城建康的王导终日惶恐不安，每天率领子侄前往宫门外领罪，王羲之也跟随在队伍之中。晋元帝念在王导有拥立之功，没有因此怪罪，赦免了琅琊王氏一族，会稽的王氏族人也逃过一劫。

王羲之像

王羲之作为会稽王氏的代表在政坛上并不得志。23岁起才担任秘书郎等闲职。尽管有堂伯父王导的提携，多次被要求到朝中担任侍中、吏部尚书等要职，但他为人正直，不满堂伯父放纵贪官污吏的行为，拒绝同流合污。王羲之这种孤傲的性格得到时任太尉郗鉴的赏识。郗鉴为了与王氏联姻，特派人去王府观察，大家听到择婿，个个神情庄重，只有一人在东床上坦腹而卧，郗鉴闻此，决定将女儿嫁给他，此人就是王羲之。王羲之34岁时，在岳父郗鉴等人的推荐下，出任江州刺史，开始为官一方。永和六年（350），出任右将军，担任会稽太守。在任上，他励精图治，但受人排挤，愤而辞职。

王羲之虽然官场不得志，但在书法上却有很高造诣，其《兰亭序》成为书法史上的瑰宝。王氏家族毕竟是政治豪族，王羲之的子女在政坛上也有一定影响。

王羲之的次子王凝之（？—399），官至江州刺史、左将军。娶宰相谢安侄女谢道韫为妻，隆安三年（399），孙恩叛乱时被杀害。王羲之六子王操之，担任侍中、尚书、豫章太守等职。王羲之幼子王献之（344—386），先后担任过州主簿、秘书郎、秘书丞、长史、吴兴太守等职。先娶表姐郗道茂为妻，后在简

文帝强逼下休妻，再娶简文帝女儿新安公主司马道福，生女儿神爱，神爱后来被安帝司马德宗立为皇后，王献之成了皇帝的老丈人。

王氏家族在两晋政坛上树大根深，虽然“王与马，共天下”一度遭到皇帝的猜忌，但在士族门阀制度之下，会稽王氏很容易获得政治资源，这也使得会稽王氏能在剧烈的社会变迁中立于不败之地。

智言慧思

旧时王谢堂前燕，飞入寻常百姓家。

——（唐）刘禹锡《乌衣巷》

阅读链接：

徐斌：《旷古书圣：王羲之传》，浙江人民出版社，2007年版。

史玉娟编著：《文化家族》，哈尔滨出版社，2009年版。

马晓坤、孙大鹏：《两晋南朝琅邪王氏与陈郡谢氏比较研究》，中国社会科学出版社，2011年版。

政治豪强：东晋南朝上虞谢氏世家

唐代大诗人刘禹锡的“旧时王谢堂前燕，飞入寻常百姓家”(《乌衣巷》)，道尽了人世间的沧桑。沧海桑田，时世变换，淘尽了多少世家大族。想当初，谢氏家族拥有着无尽的光辉与荣耀。东晋王朝建祚后，曾将当时名望家族的世系与门第按照等级编撰成《十八州世族谱》，其中王、谢、桓、庾四家名列前茅，陈郡谢氏仅次于“王与马，共天下”的琅琊王氏，可见谢氏家族的显赫。

绍兴上虞谢氏来源于陈留谢氏，其始祖为谢衡。谢衡（260—312），生于三国对峙纷争中，小时苦读《诗》《书》，钻研儒学，拥有救济苍生的抱负，官至太子少傅，是谢氏中官位较高的一位，但并未拥有较大的权力。

南渡以后，谢氏在东晋政府中，成为一支重要的政治力量，谢氏诸多族人在东晋政权中担任高官。谢衡之子谢鲲（281—323），初渡江，东晋权臣王敦就任命他为长史，但因与王敦政见不合，外任豫章太守，驻守一方。王敦叛乱时，欲借谢鲲的才望，但谢鲲心向晋室，极力劝阻王敦篡位。谢鲲之弟谢裒，在成帝时担任吏部尚书。谢鲲子谢尚，在穆帝时官至尚书仆射，

进号为镇西将军。谢氏家族有多人进入了东晋政治领导核心，但让谢氏在东晋名声鹊起的还是谢裒之子谢安（320—385）。

谢安出生时，谢氏家族颇有政声，地位已经相当显赫。谢安少时，已经显现出非凡才华，当时的丞相王导很欣赏他，将他召进相府，官拜佐著作郎，引起府中的异议。谢安想到“道法自然”的玄学名理，提出辞职，退隐会稽东山。以致在当时士人中出现了“安石（谢安的字）不出，如苍生何”（《晋书·谢安传》）的感慨。升平三年（359），谢安之弟谢万因兵败被废黜，谢安为了承担家族责任再次步入仕途。太元八年（383），前秦苻坚率领号称百万的大军南下，志在吞灭东晋，统一天下。谢安抛弃个人安危，以征讨大都督的身份负责军事，以8万大军大破苻坚，是为军事上以少胜多的“淝水之战”。“淝水之战”的胜利，护住了晋祚，建立了谢氏家族的不朽奇功。

清　钱慧安《谢太傅东山丝竹图》

谢安在淝水建立的奇功，使谢氏成

为江左最高门第，其家族地位及声望达到了最为辉煌的顶峰。谢安死后，谢氏家族虽然在东晋政府中的地位骤然下降，但谢氏家族的传统地位，不可能完全被抹掉。谢安逝世不久，朝廷在对“淝水之战”论功行赏时，“追封谢安庐陵郡公，封谢石南康郡公、谢玄康乐公、谢琰望蔡公、桓伊永修公”（《晋书·孝武帝纪》），在分封的五位公爵中，谢氏占了四名，一门四公，在当时创造了奇迹，可见东晋政府对谢氏的倚重和认可。

谢安死后，尚书令、谢安的五弟谢石（327—389）成为谢氏家族在政坛的领导人物。太元十二年（387），东晋政府授予谢石卫将军、开府仪同三司的头衔，成为政府的核心领导人物之一。谢石死后不久，谢安之子谢琰（？—400），迁尚书右仆射，领太子詹事，后加右将军，说明陈郡谢氏在东晋政坛依然具有很强的影响力。

谢氏在政坛的影响力可从晋宋递嬗中的禅让大典上窥见一斑。东晋末年，权臣刘裕控制朝政，他为实现皇帝梦想，需要一个冠冕堂皇的仪式进行皇权的交接，即在晋宋交替时要举行一个仪式——禅让大典。420 年 7 月 10 日，晋恭帝下诏，将皇位禅让给刘裕。这里就出现一个问题了，由谁来“持节奉册”，请刘裕即皇帝位？显然刘裕不可能无耻到从晋恭帝手中直接拿诏书，而刘裕也不可能脸皮厚到要晋恭帝亲自送到自己手中，这里就需要一个中间人，而且需要一个有分量的人物。完成这个任务的是谁呢？就是谢安嫡孙谢澹。据《晋书·谢安传》记载：谢澹元熙中为光禄大夫，复兼太保，持节奉册禅宋。谢澹的分

量是够重的，谢氏家族是东晋望族，由其家族成员参与禅让大典，代表着世家大族对刘宋政权的认可，这也从一个侧面说明了谢氏家族崇高的地位和威望。

从东晋到南朝，是谢氏的黄金时代。他们不仅有在社会上排名第二的门第，而且还享有政治特权。根据近人的研究，在东晋到南朝末年的两百多年中，“谢家见于史传的人数就达 100 个，共 11 代，其中担任官职的有 76 人。在这些当官的人中，三品以上高官者 33 人，四到六品中级官吏者也有 33 人，七品以下者 10 人”（王大良《中华姓氏通史·谢姓》）。可见，谢氏家族作为政治豪门的气魄。

东晋南朝时，谢氏家族作为一个重要的政治世族在历史舞台上闪耀着耀眼的光芒。谢氏家族的兴亡与士族门阀政治的兴亡密不可分。唐代以后，庶族地主的崛起改变了传统的政治格局，部分世家大族快速衰落，辉煌一时的谢氏家族也逃不脱历史的命运，在唐代走向衰落，不能不令人深思。

阅读链接：

萧华荣：《华丽家族：六朝陈郡谢氏家传》，生活·读书·新知三联书店，2008 年版。

周淑舫：《东山再起——六朝绍兴谢氏家族史研究》，浙江大学出版社，2009 年版。

马晓坤、孙大鹏：《两晋南朝琅邪王氏与陈郡谢氏比较研究》，中国社会科学出版社，2011 年版。

尊奉道教的孔子后人：东晋南朝会稽孔氏世家

孔稚珪像

会稽山阴孔氏是江东颇具代表性的世家大族，在它身上体现了浓厚的时代文化特性。会稽孔氏在学术上遵从儒学，但信仰上推崇道教，在佛教流行后又在“会同佛道”的名义下坚持家族的道教传统，并成为江东奉道世家中的核心家族。在其家族文化中，儒释道三家合流的痕迹异常明显。

会稽孔氏并非山阴土著，其始祖孔潜为逃避东汉末年的战乱从北方迁入会稽的山阴，此后该家族在山阴繁衍生息下来。作为传统的儒学文化世族，孔氏向来尊奉儒学，并恪守儒家伦理道德观念，在经学、史学等方面有深厚积累。南迁后的孔氏家族，可查考的最早的儒学大家是经师孔潜之孙孔冲。史载，孔冲（生卒年份不详）是一位学识广博的“通儒”，在家乡教授《诗》《书》《礼》《易》《孝经》《论语》等儒家经典。然而，自孔冲以后，会稽孔氏家族中再难出现大儒、通儒，相反在道

教领域涌现出不少人物。两晋时，会稽孔氏中出现了道教信仰，孔潜之曾孙孔愉（268—342），信奉道教，道术甚高，百姓为他立生庙，相传最后归隐新安山中。孔愉侄孙孔道民、孔静民、孔福民等三人成为天师道江南首领孙泰的弟子。后来孙泰通过传播天师道，在周围吸引了众多信徒，妄图谋反，被朝廷警觉，遭到镇压。其信徒孙恩率信众为其报仇，发动叛乱。在此次叛乱中，孔道民、孔静民、孔福民遭到牵连而遇害。会稽孔氏家族的发展路径与传统的儒学世家并不完全相同，是什么导致这个传统的儒学世家发生转变的呢？

从时代环境来看，东汉末年以后，中原战乱频繁，世家大族纷纷南渡，饱尝了国破家亡、妻离子散痛苦的世家大族开始在精神领域寻求寄托，而传统的儒家哲学和兴盛一时的玄学，无法满足和支撑这时世族名士的精神需求和精神世界，于是，新的宗教和信仰成为一种时需。东汉时，张道陵在四川鹤鸣山创立天师道，入道者须出五斗米，又称五斗米道。东汉末年黄巾起义，使五斗米教辉煌一时。西晋后，五斗米教开始分化，在士大夫中传播的专称天师道，该派强调奉守道戒，主张清静无为，这种信仰与世家大族的精神需求恰好契合。在魏晋时期，除了会稽孔氏外，还有琅琊王氏、吴郡杜氏等江左豪族都信奉天师道。在他们的文化体系中，形成了儒、玄、道兼容并蓄的文化特征。

南朝宋齐两世，会稽孔氏并没有因为东晋孙泰、孙恩谋反遭受重创而弃道从儒，相反道教信仰更加兴盛，走出了几位著名的奉道人士。如孔愉曾孙孔祐，祐子道徽，道徽兄子孔总，还有孔道隆、孔灵产和孔稚珪（447—501）祖孙三代，他们延续了祖辈天师道信仰的传统。孔祐聪慧过人，会稽太守王僧虔聘请他为主簿，孔祐不接受，最后为修道隐于四明山中。其子孔道徽有其父遗风，笃信天师道，不愿从事仕途，隐居于南山。道徽兄子孔总，品德高尚，遇饥寒没有衣食，也不愿意接受县令的推荐出任官职。其族人孔灵产的道教信仰十分虔诚，他在任晋安太守时就想隐居修道，

阅读链接：

张承宗、孙中旺：《会稽孔氏与晋宋政治》，《浙江学刊》，2000 年第 5 期。

王永平：《东晋南朝时期会稽孔氏家族文化探论》，《社会科学辑刊》，2003 年第 2 期。

吴正岚：《六朝江东士族的家学门风》，南京大学出版社，2003 年版。

可没有机会，宋明帝泰始年间被罢官，罢官后潜心修道，修建了一座馆舍供其专门奉道，每到吉日，他必定会在屋子里分别面向四个方向朝拜。孔灵产的名声远播，被齐高帝萧道成所欣赏，成为了齐高帝的术士。齐高帝对他礼遇有加，一次，专门用竹箱盛着孔灵产抬上灵台，让他占卜吉凶，并赐予白羽扇和白色几案供其修道。

然而，随着佛教的兴起，会稽孔氏的道教信仰受到了外部的巨大冲击。南齐竟陵王萧子良笃信佛教，永明五年（487）萧子良位居司徒后，广泛召集宾客，大力鼓吹佛教。他一再劝说孔稚珪皈依佛教。孔稚珪在给萧子良关于佛法教理的书信中强调“民积世门业，依奉李老”，同时又认同道教与佛教“二道大同”（《弘明集》）。孔稚珪以家传道教信仰为由，拒绝了萧子良强加于他的奉佛要求，同时也没有反对佛教。在梁朝时，孔氏家族中出现了一位佛教信徒孔云童，史料记载他：“颇有父风，而笃信佛理，遍持经戒。”（《梁书·孔休源传》）

两晋南朝时期，是儒释道三教互相吸收融合的历史时期，会稽孔氏家族对儒释道三教的态度，正是这个时代发展趋势的反映。会稽孔氏家族随着历史条件及社会价值取向的转变，而不断调整自身的立场和态度，勇敢地顺应儒、道、佛相互融合的时代潮流，从而维护家族势力的发展，增强家族的文化凝聚力，成为东晋南朝时期一个典型的文化世家。

由武力强宗到文化士族：南朝吴兴沈氏世家

沈约像

著名历史学家陈寅恪先生曾将东晋初年的世家大族分为两类："一为文化士族，如吴郡顾氏等是；一为武力强宗，如义兴周氏等是。大概均系由武力强宗或地方豪霸逐步进入文化士族。……吴兴及从吴兴分出的义兴周、沈、钱等族则为地方武力强宗，最为豪霸。"（《陈寅恪魏晋南北朝史讲演录》）陈寅恪先生的眼光十分敏锐，南朝吴兴沈氏世家就是一个典型的武力强宗，然后步入文化士族的家族。

吴兴沈氏先祖原定居于北方，秦汉之际为躲避战乱迁居寿春，东汉初又从寿春徙居会稽乌程县（今德清县武康镇）。因乌程县后属吴兴武康县，所以历史上称沈氏为吴兴武康人。吴兴沈氏家族原本以武功著称，直到南朝刘宋时因沈约的崛起，才逐渐转化为一个文化世家。

魏晋时期天下战乱不已，士族门阀政治成为这一时期主要的时代特征，到东晋时，甚至出现了士族与皇权共治的局面。然而对吴兴沈氏家族而言，既非儒学世家，又无士族之名，要想在上流社会立足，通过军功起家是最为便捷的方式。

吴兴沈氏家族在历史上崭露头角，开始于东晋。孙吴亡后，江东旧族备受摧残，影响力大为下降，原本声望不显著的吴兴沈氏家族反而依靠军事实力快速崛起。当时人称江东的豪族莫过周、沈两家，这里的“沈”就是指吴兴沈氏家族。

东晋初年，吴兴沈氏家族企图在乱世中依靠武力求得生存。东晋司马睿立国，主要依靠琅琊王氏家族的王导、王敦兄弟的支持，但随着东晋政局渐趋稳定，司马睿试图强化皇权，与王氏的矛盾日益凸显。王敦为达到代晋自立的政治目的，有意拉拢沈充（？—324），而沈充也希望通过支持王敦，打破现有的统治秩序，提高家族的声望，就追随王敦反叛。沈充出征前对妻子夸下豪言壮语：“男儿不竖豹尾，终不还也！”（《晋书·沈充传》）由于王敦代晋不符合当时士族门阀的根本利益，没有得到世家大族的支持，因而遭到了强力抵制，沈充也兵败被杀。隆安三年（399）爆发了反对东晋王朝的孙恩之乱，当时沈穆夫（？—399）为孙恩的前部参军，孙恩兵败后被捕处死，与他一道被处死的还有他的父亲沈警和兄弟仲夫、任夫、预夫、佩夫。

沈氏家族虽然在这次变乱中遭到了打击，但并没有放弃武力强宗的打算。南朝宋齐时，沈氏家族的军功最盛。沈穆夫之子沈田子（383—418）跟随宋武帝刘裕起兵，被封营道县五等侯，义熙五年（409），沈田子随刘裕北伐南燕，后屡建战功，赐爵都乡侯；沈田子之弟沈林子（387—422）也跟随刘裕起兵，后以军功封侯。此后，沈氏家族诸多子弟官居高位，声名远播，沈氏成为东南著名的武力强宗之一。

不过，沈氏家族成员虽以武功获取高位，但在南朝士族门

阀社会中依然不处于权力中心，个人及家族的社会地位无法得到充分的保障。沈林子之子沈璞（416—453），因其父是刘宋开国功臣，早年就深受宋文帝赏识器重。元嘉十七年（440），文帝格外宠爱的次子始兴王刘浚被任命为扬州刺史，特命沈璞为主簿辅佐刘浚。然而，宋孝武帝登基后借口“奉迎之晚”，将沈璞处死，家族也受到株连。依靠军功维系家族的繁荣，实在太困难了。

南朝时，门阀士族重文轻武是一大传统，在政治上一直是以文化著称的江北士族掌权，东南豪族多受打压。沈氏以军功起家，自然受其排挤，即便是在宋、齐时期，沈氏家族最为兴盛的时候，当时的士族社会依旧认为沈氏是“吴兴土豪”，不能入士流。南齐时，沈氏子弟已不愿称出身将门，沈璞之子沈约（441—513）便以家世为将为耻。受此影响，沈氏家族开始自觉地从尚武转向习文，企图依靠文化成就淡化家族的“武功”。

沈氏家族从武力强宗到文化士族转型的标志是沈约的崛起。沈约，字休文，著名史学家、文学家。他学问高深，声名远赫，执梁、陈之际文坛牛耳，成为文坛领袖，享誉一时。沈约从少年时代起，决心以振兴家族为己任，用功读书。青年时期的沈约已经“博通群籍”，并对史学产生了浓厚的兴趣。他20岁左右立志修撰一部《晋书》，耗时20年终于完成了120卷的《晋书》，但很可惜的是未能流传。他的史学作品最后流传下来的，只有被称为二十四史之一的《宋书》。在文学上沈约也有很高的造诣，他是声律论的创始人，影响了诗歌格律的发展。沈约的崛起标志着沈氏家族步入文化世家的行列。

沈约之后，沈氏家族出现了诸多享有一定声誉的习文者。沈约的儿子沈旋，秉承父业，在文学、史学领域方面多有成就，留有《尔雅集注》传世。沈约孙子沈众才华横溢，他给《千家诗》作的注释得到梁武帝的高度赞赏。

作为一个长久以来具有悠久尚武传统的家族，家风变易绝对不可能如此容易，原有家族精神也不会顷刻间荡然无存。“尚武”作为一种文化“基因”已经蕴涵在家族文化当中。在此后的岁月里，沈氏家族成员习文兼涉武者众多，但是，随着文化影响的日益深入，文化士族的烙印愈加深刻。沈氏家族的崛起和转变，正是时代发展潮流的体现。

阅读链接：
吴光主编：《中国文化世家·吴越卷》，湖北教育出版社，2004 年版。
唐燮军：《六朝吴兴沈氏及其宗族文化探究》，中国社会科学出版社，2007 年版。
周扬波：《从士族到绅族：唐以后吴兴沈氏宗族的变迁》，浙江大学出版社，2009 年版。

割据一方的地方望族：唐五代临安钱氏世家

钱镠像

百家姓中“赵钱孙李”的顺口溜大家耳闻能详，但是如以人口数量而论，赵、钱两家无论如何都排不进前10位。根据2011年人口普查的结果，钱姓居96位，算不上大姓。《百家姓》成书于北宋初年吴越钱塘地区，故而以宋朝皇帝赵氏、吴越国国王钱氏、吴越国王钱俶正妃孙氏以及南唐国王李氏为百家姓前4位。由此可见，钱氏家族在吴越地区具有巨大的影响力。

钱氏家族在晋朝时已经南迁，定居长兴，临安县世居钱姓经长兴迁来。唐末以前，临安钱氏家族在历史上算不上世家大族，但吴越国开创者钱镠（852—932）的出现，使得钱氏家族在历史上突然崛起。

钱镠，临安人，是一位富有传奇色彩的历史人物。他出身贫寒，祖父辈都是农人。据说他出生后，因为面相怪异、啼声粗野而被父亲钱宽认定是个“不祥之兆”，将他弃于屋后的井中，是外婆将他捡回养大，因此有了一个很有意思的乳名——婆留。正是这样一个几乎死于襁褓之中的婴儿，在距今1200年前，开创了中国历史上第一个钱姓地方王朝，创造了钱氏家族此后延续千年的辉煌，临安钱氏家族从此成为中国历史上不可小视的大家族。

钱镠成长的时代并不太平，恰逢唐朝末年，群雄割据，战乱四起。但正是这样的时局，为钱镠开创一番伟业提供了机会。以贩私盐为生的钱镠弃商从军，加入镇压黄巢起义的队伍，屡立战功，从此走上了仕途。景福元年（892），钱镠被封为镇海军节度使、润州刺史，拥兵两浙（浙东、浙西），获得唐昭宗钦赐的“金书铁券”（相当于免死金牌），上书：免钱镠九次死罪，子孙三次死罪；一般罪过，有司不得加责。吴越钱氏地方割据的雏形至此开始出现。天复二年（902），钱镠被唐政府封为越王；5年后，朱温篡夺皇位，改国号为梁，并册封钱镠为吴越王。到梁末，吴越地区正式被加封为吴越国，成为五代十国之一。钱镠成就了一代霸业。

吴越国立国时，在南方十国中，并不算强国，地狭人少，国力有限。但钱镠施行了多项惠民政策，他注重农桑，兴修水利，修筑海塘，开拓海运，繁荣商业。在政治上网罗人才，以中原王朝为尊，避免战争。在他的统治下，饱受战乱的吴越地区得到了修养生息。为了能够让统治政策得到延续，他还留下了“心存忠孝，爱兵恤民，勤俭为本，忠厚传家”（清吴任臣《十国春秋》）等十条遗嘱。正因钱镠打下了如此雄厚的家业，吴越国从唐末一直到北宋统一，立国达80余年。江浙的经济、文化在五代吴越国钱氏统治时代获得了空前的大发展。

钱镠不仅是吴越国的奠基者，还为钱氏家族的开枝散叶立下汗马功劳。据《十国春秋》记载，“钱武肃王（钱镠），妻室六房，有子三十三人”，他执掌吴越国后，其子孙成为江浙各州的地方之主，钱氏家族很快在江浙地区繁衍开来。现今苏南钱氏支脉的先祖就是钱镠的第六个儿子钱元，他曾任苏州刺史。

钱镠去世后，其子孙遵照嘱托，兢兢业业治理吴越国。吴越国经历了三世五王，相继担任国王的有钱元瓘、钱弘佐、钱弘倧和钱弘俶。其中最值得称道的是钱元瓘的第九子、吴越国的末代国王钱弘俶（929—988）。公元974年，宋太宗赵匡胤讨伐南唐，矛头直逼江南。钱弘俶遵祖训，以中原王朝为尊，拒绝了南唐后主李煜的求援建议，帮助宋太宗灭掉南唐。然而，南唐亡国后，赵匡胤感到东南的吴越国是肘腋之患，决定挥师南下，消灭吴越国。钱弘俶面临着痛苦抉择，是保社稷还是保子民平安？他在祭告钱镠陵庙时痛哭："嗣孙俶不孝，不能守祭祀，又不能死社稷。"（诸葛针、银玉珍编著《吴越史事编年》）最终下定决心，遵从祖训避免干戈，归顺北宋王朝。他不顾自己承受的屈辱，捆绑双手赴开封，以显示纳土归宋、俯首称臣的诚意。钱弘俶的最大历史功绩，正是在于能顺应历史潮流，未动干戈，归顺宋王朝。钱弘俶当时将吴越国境内13州1军86县55万余户，以及兵民11.5万口，无条件交给北宋王朝，如果钱弘俶凭借此番力量决意与北宋开战的话，两浙生灵必遭荼毒。欧阳修在《有美堂记》夸耀杭州的繁荣时，毫不吝惜地夸耀钱氏的功劳，指出："独钱塘自五代时知尊中国，效臣顺，及其亡也，顿首请命，不烦干戈，今其民幸富足安乐。"

相传，为了感激钱弘俶的功劳，以及出于对他北上安危的担心，他的宰相吴延爽率众修建九层高塔祈祷他平安归来，塔名为"保俶塔"。"保俶塔"几经崩毁，几经重建，至今仍屹立在西湖北岸的宝石山顶。

淳化元年（990），北宋王朝对归顺的钱弘俶依然不放心，命令其子孙全部从杭州迁到汴京，当时居住杭州的约3000钱氏族人奉诏北上，后分散在开封、洛阳、南阳一带。北宋后期，因金兵南下，北宋王朝自身难保，宋室被迫南迁，又有一部分钱氏子嗣回到江南。

虽然钱氏族家族再没有出现过政治强人，但千百年来涌现出无数的文化精英。到了近代，更是出现了“井喷”现象，诸如钱穆、钱钟书、钱玄同等等都是钱氏后裔，以致民间有“千年旺族”的称呼。临安钱氏家族千年不息，堪称中国传统家族中的一朵奇葩。

阅读链接：
何勇强：《钱氏吴越国史论稿》，浙江大学出版社，2002 年版。
［日］池泽滋子：《吴越钱氏文人群体研究》，上海人民出版社，2006 年版。
李最欣主编：《吴越钱氏家族文化研究》，齐鲁书社，2010 年版。

浙南进士村：宋庆元吴氏世家

浙江丽水市庆元县东南部的松源镇大济村，是一个有着悠久历史与灿烂文化的古村落。宋至清，这个小山村涌现了 26 名进士，大小官吏 300 多人，上百名硕学大儒，成为远近闻名的“进士村”。而这些人才都出自一个家族，即庆元吴氏家族。

吴氏祖先原世居会稽，唐天祐元年（904），吴姓始祖吴祎为躲避战乱从会稽迁居松源。北宋景德元年（1004），松源吴氏五世孙吴崇煦（968—1039）迁居于大济村，此后子孙繁盛，人才辈出，大济村和吴氏家族日渐显名于世。

松源吴氏家族成员，很早通过推荐获取了一定官位。始祖吴祎，因排行十二，

浙南进士村

担任过都巡，被称“十二都巡公”。吴祎之孙吴源（935—1018），字用明，号余庆，在宋太祖时，受举荐赴仕途，一度担任安西都督府大都督。吴祎之孙吴深（940—1026），字用卿，号余芳，出任过颍州太守，后升大中大夫，加封太保，身居显位。吴祎之孙吴泽（961—1039），字用霸，号以武，同样受举荐赴仕途，官至骠骑将军，加封太尉。迁居大济村的吴崇煦虽然没有显赫的功名，但同样拥有一定的身份和地位，他官居录事，一个低级文官。可以说，庆元吴氏家族在进士涌现前，就不是一般的平民百姓，几代的官居显位，为后世的勃兴奠定了基础。

在封建社会，走上仕途有许多途径，但通过科举而赴仕途，谓之正途。吴崇煦肇基大济以后，为了延续家族的辉煌，他意识到通过科举是实现个人及家族理想的必由之路。为了让子孙后代将来能“光宗耀祖”，吴崇煦创办了“豹隐洞书屋”，聘请贤儒教授家族子弟，这足见他的远见和魄力。功夫不负有心人，宋天圣二年（1024），吴崇煦的长子吴縠（986—1053）荣登甲子科进士，成为庆元第一个进士。吴縠才华横溢，品德高尚，官至勤政殿中丞，被时人称为补天有术。又过了10年，景祐元年（1034），吴崇煦的第二个儿子吴毂（988—1055）也荣登甲戌进士，兄弟二人皆中进士成为美谈，当地人建起“双桂坊”以显荣耀。吴崇煦也因此获赠“大理坊”，以表彰他为朝廷培养了股肱之才。

有了吴縠、吴毂的榜样，吴氏家族通过科举赴仕途的越来越多。在吴氏家族里涌现出兄弟同登进士、四人同科、舅甥同

登金榜的佳话。

吴崇煦长子吴穀的第五、第六子吴畀、吴翊自幼锐意进取，用心攻读，于熙宁六年（1073）同登癸丑科进士，传为佳话。宋政和二年（1112），吴氏家族的吴穀之孙吴彦申，吴彦申之弟吴逵，吴穀之曾孙吴兢、吴枢四人，同登壬辰科进士。同年，吴彦申的外甥，后来出任丞相的李纲，也中进士，舅甥同科，成为美谈。

今大济村村口牌楼

此后200多年间，庆元吴氏家族涌现出不少进士。据统计，“从宋天圣二年（1024）至明永乐十五年（1417），先后考取进士的有吴穀、吴毂、吴戭、吴克、吴桓、吴畀、吴翊、吴庸、吴行可、吴适、吴彦申、吴逵、吴兢、吴枢、吴悖常、吴惇夫、吴遵路、吴懿德、吴洪淇、吴潜、吴异、吴人可、吴巳之、吴椅、吴松龙、吴琛等26人，其中宋朝25人，明朝1人。一个村占全县32名进士的81.25%”（虞文喜主编《丽水地区人物志》）。

吴氏族人通过科举入仕后，在家族门风的熏陶下，大都成为主政一方的清官。吴穀第四子吴桓，宋熙宁三年（1070）中进士，后任湖州长兴县令，为官清廉，当地士民编有“召父杜母知何在？今日复见长兴宰”（虞文喜主编《丽水地区人物志》）的歌谣。他逝世后，民众痛哭悼念。吴穀第五子吴畀，任夹州教授时，深受当朝大学士翁彦琛喜爱，劝其在朝廷任职，不必赴州县，但吴畀为了实现政治理想，先后出任萧山县尉、蔡州推官等地方官。吴畀在任上宽严相济，对那些因饥寒所迫沦为

阅读链接：

虞文喜主编：《丽水地区人物志》，浙江人民出版社，1995 年版。

吴光主编：《中国文化世家·吴越卷》，湖北教育出版社，2004 年版。

叶贵良：《大济：三朝文化浙南进士村》，浙江大学出版社，2009 年版。

匪者，宽容大度；“盗匪”首领给以重罪，同时晓谕富户，降低谷价售给饥民，辖区百姓深受感动，偷盗风气逐渐绝迹。

在金军南下时，吴氏家族的这些进士们成为抵御外敌的勇士。靖康元年（1126），金兵南下，吴枢受宋钦宗征召，出任赴金营议和使者，出使过程中，吴枢义正辞严痛斥金人背信弃义，荼毒生灵，侵占大宋国土。金人大怒，欲用鼎镬将其烹死，他面无惧色，竭力抗争，被金人羁押一年后放回，终不辱使命。南宋建炎元年（1127），吴兢出任江西会昌县令时，金兵势头正盛，各地勤王的义军纷纷溃败，当时御营前将军兵败哗变，百姓惨遭杀戮。吴兢不畏生死，挺身前往贼营，晓之以民族大义和利害关系，使叛军接受招抚。朝廷为了表彰他的功绩，升他为处州府判，后再升为新州太守，成为主政一方的地方大员。

作为进士群体，他们深受儒家文化熏染，除了“立德”“立功”之外，还重视“立言”，著书立说，弘扬大道。吴毂著有《隐豹文集》4 卷，吴畀著有《鹤斋集》20 卷，吴庸、吴行可等均有著作传世。尽管他们都获得了高官厚禄，但不忘自己的精神追求，值得人们敬佩。

现今，作为浙南进士村的大济村，依然保存着庆元吴氏家族曾经辉煌过的历史遗迹，从现存的牌楼、老屋中依然可以窥探到进士村往昔的荣耀和文化风范。吴氏家族留下的文化财富，值得我们称道。

“鱼头参政”：北宋平湖鲁氏世家

鲁宗道像

平湖鲁氏家族在宋代成为当地最大的家族，其家族的崛起与“鱼头参政”鲁宗道（966—1029）的精心耕耘、树立的优良门风有直接的关系。

鲁宗道，字贯之，祖籍谯县（今安徽亳州），后中进士，官至参知政事，成就一代名相之名。鲁宗道致仕后定居当湖，从此鲁氏家族在平湖繁衍生息下来。

鲁宗道幼年艰苦的经历塑造了他坚毅、勤俭的品格。他出身贫寒，年幼时父母双亡，只能寄养于外公家。然而，众舅皆是习武之人，缺少文化涵养，平时对鲁宗道多有轻慢，以致年幼的鲁宗道决定发奋图强，通过科举改变自己的命运。很幸运，北宋咸平二年（999）中进士，初任濠州定县县尉，开始走上仕途。

鲁宗道从政后，名声鹊起，以为百姓办实事、勇于直谏、清廉、正直的风格，获得“鱼头参政”的美誉。“鱼头参政”的头衔大有来历：鲁宗道因多次在皇上面前直谏，指出皇帝的过失，而且毫不隐晦地抨击当朝贵戚的昏聩，以致众人认为他的脾气如同鱼头那样坚韧，再加上“鲁”的上半部分是“鱼”，所以就有了“鱼头参政”的美誉。纵观鲁宗道从政的经历，“鱼头参政”的美誉丝毫不过分。

咸平六年（1003）至景德三年（1006）他任海盐县令，开始主政一方，就初露头角。当时县境出海水道年久失修，河床淤塞，鲁宗道到任后，立即召集乡勇疏通“蓝田浦”，便利了水运和农田灌溉。当地百姓为了感激他，将其称为“鲁公浦”。

天禧元年（1017），始设谏官，鲁宗道为其中一员。他在任期间，对地方长官的选拔提出了尖锐的批评意见。认为皇帝应该效仿汉宣帝“必亲见而考察”，然后“察其应对，设之以事”（《宋史·鲁宗道传》）。宋真宗高兴地采纳了他的意见，认为他忠直可靠，是国家的栋梁，并在殿壁上书“鲁直”两字。

鲁宗道从政勤廉，治家勤俭，得到了宋真宗及时人的夸赞。宋真宗在位时，一次紧急传唤他入宫，送信使者在他家久等不见人，最后他从酒肆归来，使者好心对他说：“耽误了这么长时间，如果皇帝问起来应该怎么回答？”鲁宗道淡然自若地说：“如实回答便可。”使者无不担心地说：“朝廷规定大臣不准到酒肆那些地方去啊！”宗道回答说：“欺君之罪，可是臣子的大罪呀！”入宫后，真宗果真问起缘由，鲁宗道解释说：“我家境贫寒，有老朋友来看望我，拿不出像样的餐具和食物招待，只能去酒肆。”真宗一听，不但没有怪罪他，还大加赞赏他这种勤俭、务实的作风。北宋重臣司马光在《训俭示康》一文中，还举到这个例子，告诫子孙“由俭入奢易，由奢入俭难”，要其儿子学习鲁宗道的美德。

鲁宗道为官后一直受到大用，先后任户部郎中、龙图阁直学士兼侍讲、右谏议大夫并参知政事等职，身居高位。他的去世也与耿直的脾气有关。天圣七年（1029），一向忠于朝廷的

平湖鲁公亭

曹利用，仅因得罪权贵和内侍，被朝廷贬斥，并永不叙用，曹利用羞愤难当，自缢而死。平日与其有隙的鲁宗道，抛弃个人私怨，一再追问判处的情况，在得知曹利用受不公平待遇后，当晚“遽觉气塞”而死去。此故事在沈括的《梦溪笔谈》中有详细记载。鲁宗道逝世后，章献太后亲临祭奠，赠兵部尚书，表彰其功德。鲁宗道后归葬于当湖镇桑园弄，并建有专祠，供后人悼念。

作为平湖鲁氏家族的第一代，他选中平湖作为家族繁衍之地，就是出于“非娱乐也，聊适意而已”（朱壬林《当湖文系初编》）的考虑，再加上鲁宗道高洁品德为后世做出了良好的垂范，此后鲁氏家族人才辈出。

鲁宗道特别重视对后代的教育。曾撰《家训》告诫子孙，首先要“仁廉自守，忠贞体国”，“服田力穑，畏法谨赋”；如不能，则要“勤俭经营，安分守业”；如再不能，则应该“善精一技，不致失所”。鲁氏还办有书塾，专门教育鲁氏子弟，在宋代鲁氏家族科举之盛成为一时佳话，并发展成为当湖第一大族。

从北宋崇宁五年（1106）至南宋景定三年（1262）的156年间，鲁氏家族走出了20名进士。现今在当湖有一座古桥称为“三登桥”，这就是为了纪念鲁詹、鲁訔、鲁訔三兄弟同时中举而修建的。

鲁氏家族不仅在科举、仕途上有所作为，在文学等方面也有不少贡献。鲁詹（1082—1133），字巨山，官散郎，提举两浙路市舶，有不少诗文传世。鲁訔（1099—1175），字季钦，出任过余杭县主簿、衢州江山县知府。他编辑的《杜工部草堂诗笺》

成为后世研究杜甫诗作的必读书目。

宋代，是鲁氏的繁盛时期，当湖镇素有一半皆属鲁氏之称，这与鲁宗道之始树立的家学门风不无关系。光绪《平湖县志》记载："鲁简肃园，自县治迤东皆其遗址。"从中还能看到鲁氏家族昔日的余晖。世事变迁，尽管辉煌的鲁氏家族已成为一种历史记忆，留在我们的文化血脉中，但鲁氏家族勤俭朴实的家学门风依然值得我们学习和借鉴，因为这里闪现的是中华民族历来的修身、齐家、治国的美德。

阅读链接：

（北宋）司马光：《训俭示康》，见王水照编选《唐宋散文精选》，江苏古籍出版社，2002年版。

郭杰光：《鲁宗道与鲁氏家族》，《嘉兴日报》2007年5月11日。

《世家大族》课题组：《"金平湖"下的世家大族》，中国文史出版社，2008年版。

“沈氏三先生”：北宋钱塘沈氏世家

中国传统社会里，崇文读经一直是时代的主流，科学技术被视为奇技淫巧，属于旁门左道，历来被人轻视。然而，在北宋钱塘沈氏家族里既有擅长科学的科学家，又有精通文墨的文学家。这种看似矛盾的现象却在沈氏文化世家中出现了。

让钱塘沈氏文化世家跃然史书的是沈括（1031—1095）。他是北宋时期著名的科学家、文学家。《宋史·沈括传》评价他“博学善文，于天文、方志、律历、音乐、医药、卜算无所不通，皆有所论著”，可谓全才。沈括的影响不只在当时，他的历史功绩显著，还被英国皇家学会会员、剑桥大学著名汉学家李约瑟博士誉为“中国整部科学史中最卓越的人物”（《中国科学技术史》）。

沈氏家族能够出现这样的人物与当时的社会文化环境分不开。中国科学技术在宋代取得了辉煌成就，一些闻名于世的科学家纷纷涌现，沈括则是当时耀眼明星中最璀璨夺目的一颗。科学的进步与宋学的出现有很大关系，宋学以义理之学代替了汉学的训诂章句之学，士人开始寻找经世致用的方法，因此天文、地理、医学的地位得到提高。沈氏家族作为一个新兴的文化世家，正是在这个背景下出现的。

在沈括之前，钱塘沈氏家族是个官僚家族，成员多是中低层官僚。沈括的曾祖父沈承庆，在吴越国时期，曾经担任过营田使，进入北宋，一度担任大理寺丞。沈括的祖父，英年早逝，没有留下太多的记载。

沈括的伯父沈同和沈括的父亲沈周，相继考中进士成为地方长官。可以说，此时的钱塘沈氏家族与文化世家毫不沾边。但这样的家庭环境，为沈氏家族文化大家的出现创造了条件。

沈括自幼受到了良好家教，再加上他聪慧过人、勤奋好学，14 岁就读完了家中藏书。一个人才识的快速增长莫过于“读万卷书，行万里路”。沈括的父亲沈周四处为官，沈括从小就跟随父亲走南闯北，增长了不少见识。沈括年长后，像他的伯父、父亲一样走上了仕途。宋仁宗嘉祐八年（1063），沈括进士及第，出任扬州司理参军，掌管刑讯。熙宁六年（1073），沈括出任集贤院校理，因职务上的方便，他能接触到皇家藏书，这一时期他的天文知识突飞猛进。王安石变法失败，沈括因此受到牵连，遭到贬斥，虽然一度再起，授龙图阁直学士，官居高位，但他给后世留下的还是他在科技上的成就。

沈括一生著作等身，可考的达到 35 种以上，但流传下来的以《梦溪笔谈》最为著名。该书总结了古代到北宋时期我国的科技成就，涵盖了自然科学、工程技术几乎所有领域。在天文上，他创造了“十二气历”，按气节划分了月份，这几乎与我们当前流行的公历完全相同。在物理上，总结了凹凸镜原理，发现了地磁偏角，这比哥伦布发现美洲后意识到地磁偏角早了 400 多年。在化学上，他发现了石油的作用，当然，作为“中国科学史上的坐标”（《中国科学技术史》）的沈括，其贡献远不止于这些。

钱塘沈氏家族当然不仅涌现出沈括一人。沈同之孙、沈括的侄儿沈遘（1025—1067），很有政治才干，上奏《本治论》10 篇，

指出当时官员奏折中浮华之词充斥、无益于时政的弊端，得到宋仁宗的欣赏，仁宗皇帝特命其修《起居注》。英宗时，拜翰林学士。母亲去世后，沈遘辞官守孝，居丧期间著有《西溪集》10 卷，成就了他在文学上的地位。

沈遘的弟弟沈辽（1032—1085），自幼喜欢《左传》《汉书》，有很好的文化修养，尤其擅长散文歌赋。他成年后与当时的文化名流曾巩、苏轼、黄庭坚相互唱和，王安石还模仿其笔法。他的文笔优美，王安石曾有“风流谢安石，潇洒陶渊明”（《宋史·沈辽传》）之誉，留有《云巢集》传世。

沈括、沈遘、沈辽的名气在当时就已经很响亮，素有“三沈”之称，影响文坛。南宋时，高布将他们三人的作品收入《沈氏三先生文集》刊行，流传于世，影响后人。

阅读链接：

［英］李约瑟：《中国科学技术史》，科学出版社，1975 年版。

祖慧：《沈括评传》，南京大学出版社，2004 年版。

吴光主编：《中国文化世家·吴越卷》，湖北教育出版社，2004 年版。

一门三宰相：南宋鄞县史氏世家

史浩像

南宋时期,史氏世家是鄞县（宁波）最为显赫的豪门望族，一家三代为相，二人封王，堪称中国历史上的奇迹。史氏家族最初并不是一个显赫的家族，它的兴起有一个逐步发展的过程。在由诗书人家转变为官宦豪族的过程中，第五世史浩（1106—1194）起到了关键作用。

史氏家族第五世史浩，原名若纳，字直翁，先后担任官州教授、国子博士、中书舍人、翰林学士、参知政事，被封为魏国公，死后追封为越王，配享庙廷。史浩也成为史氏家族拜相封王的第一人。

在史浩之前，鄞县史氏并不是一个望族。鄞县史氏祖籍陕西杜陵，后迁居江苏溧阳，再从溧阳移居四明鄞县，定居在东钱湖下水一带。

史浩祖上虽有一定功名，但并无显赫地位，不过家门一直注重诗书和品德修养。史浩曾祖史简，担任过郡吏，但不幸早亡，其妻叶氏年仅 25 岁，怀有身孕，叶氏父母不愿女儿年轻守寡，动员其改嫁。叶氏因腹中有遗孤，坚决不同意父母的做法。这个遗孤就是史浩的祖父史诏，史诏在叶氏的严格教导下，研习诗文，专研儒学，在当地颇有名声。大观元年（1107），朝廷征召有贤德的优秀人才入太学，史诏不忍与母亲分离，坚决不接受郡守的推荐，与母亲跑到大田山躲避起来。史诏生有五子，长子师仲，即史浩的父亲，少小就有才名，7岁能作诗，对时事很有研究，他针对当时社会上一片奢华的氛围，预测盛极必危，果然不久金兵南下。史浩就是在这样的家庭氛围下成长起来的。

史浩从小好读书，在叔父史木的培养下，贯通经史百家，遍览佛老典籍，在桃源书院，广泛交友，认识了汪思温、郑覃、袁燮等人。南宋绍兴十五年（1145）中进士，开始仕途。史浩的才干得到了孝宗的赏识，至隆兴元年（1163）首度拜相，任右丞相兼枢密使。史浩主政时大力提拔抗金志士，主张给岳飞平反。同年在对金策略上主张退守长江，静观金人之变，然后相机而动，反对张浚贸然出兵北上。而孝宗接受了张浚建议，直接越过丞相，命令张浚挥师北伐，史浩遂请求罢相。后来张浚果然兵败山东，孝宗不得不下罪己诏承担责任。淳熙五年（1178）再次出任右丞相，史浩向孝宗进贤，广泛录用贤士，三请朱熹，重用陆九渊等江浙名士，朝廷风气为之一新，5年后以年老请求退职回乡，朝廷封魏国公后致仕。

史浩两次出任宰相，在南宋堪称一代能相。他由寒士而致宰相，深知民间疾苦。史浩在《恤民》一文中告诫当政者要“宽民力以固邦本”，他认为贤明的君主应该减少人民的徭役负担，赋税应该做到公平公正。在对待人才上，主张唯贤是举，举贤不避亲。著名的爱国将领陆游与史家有姻亲关系，史浩在向朝廷推荐时十分自信，毫不回避。

史浩不但是治国能臣，而且在儒学发展上颇有建树。他以自己的政治实践为基础提出了教化修养应该从帝王做起，指出帝王除去私欲，才能改善政治，变革风俗。

在封建社会，史浩能够提出这样的观点，实在需要一定的勇气和高深的见识。在人性论上，传统儒家认为人性本善，但史浩提出人性既非善亦非恶，人性当中并不含有先天的道德因素，并大胆地指出一切合理的欲望都是善。这些观点对人性的解放，存在积极作用。

史浩非常重视教育。他晚年退居家乡时编辑有针对幼童的《童丱须知》100 篇，该书用通俗的语言介绍儒学的基本道理。如告诫子孙父母抚养他们的艰辛，应该孝顺父母；应该勤俭节约，反对奢侈浪费，女儿辈不能钟情于漂亮首饰和鲜艳衣物；他要求下一代应该对穷人有怜悯之心等等。这些内容无不代表了儒家的精神要求与道德价值。正因如此，史家也培养了端正的门风，以致人才辈出。

史浩之子史弥远（1164—1233），有其父的遗风，早年能礼贤下士，举荐贤能，与学者吕祖谦等交好，治学也有一定成绩。1187 年中进士，后历任礼部侍郎兼同修国史、礼部尚书、同知枢密院事。嘉定元年（1208）拜右丞相兼枢密使，被追封为卫王，成为史家第二位既当宰相又封王的人。开禧三年（1207），韩侂胄北伐失败，西线主帅吴曦叛变，他联合杨皇后除掉韩侂胄，稳定了南宋的政局。宝庆元年（1225），宁宗去世，他拥立赵昀为理宗，被封为魏国公，后升左丞相兼枢密使。但他凭借拥立理宗有功，擅权用事，打击异己，使南宋政坛更加昏暗。

史浩的侄孙史嵩之（1189—1257），是史氏家族的第三位宰相。嘉定十三年（1220），中进士，历任京湖制置使兼知襄阳府、刑部侍郎、京湖安抚制置使、参知政事等职。嘉熙三年（1239），收复襄阳，立下战功，官拜右丞相兼枢密使。次年，父亲去世，按照礼法，应该弃官守孝3年，但借皇命3个月后复起，这种做法遭到太学生的强烈反对，史嵩之不得不在家闲居13年。

史氏三代为相，除了史浩之外，史弥远、史嵩之在正史不得贤名，尤其是祖孙三代对金均为主和派，遭到诸多儒士的抨击。南宋政权早已成为云烟，史氏家族的功过是非有诸多评述，孰是孰非留给后人评说。

史氏家族除了有这些政坛上的争议人物外，也有著称于时的学者。据黄宗羲《宋元学案》记载，史渐、史涓、史弥忠、史弥坚、史弥巩、史弥林、史定之、史宾之、史蒙卿等史氏家族成员，对四明学派的建立和发展均有贡献，这也算得上史家对儒家学术的贡献吧！

阅读链接：

吴光主编：《中国文化世家·吴越卷》，湖北教育出版社，2004年版。

许勤彪主编：《宁波历史文化二十六讲》，宁波出版社，2005年版。

李磊明主编：《璀璨的文化星空·浙东学术文化名人》，宁波出版社，2009年版。

诗书传家：南宋永嘉薛氏世家

薛季宣像

南宋是我国儒学思想发展颇为繁盛的时期，这一时期流行着诸多学说流派，有程颢、程颐、朱熹为代表的程朱理学，也有自成一说的陆九渊为代表的心学派和永嘉事功学派。而在流行于浙东永嘉的事功学派中，薛季宣（1134—1173）起到了承前启后的重要作用。正是薛季宣的崛起，奠定了永嘉薛氏家族诗书传家的传统。

在薛季宣之前，永嘉薛氏家族在南宋只是一个有一定影响的官宦世家。他的祖父薛立强做过江宁府的观察推官，他的几位伯父也很有才干。三伯父薛弼参加过岳飞的抗金部队，是一个具有很高军事才能的官员。他的父亲薛徽言，官居起居舍人，负责记录皇帝日常行动与国家大事，与南宋高层关系密切，但是在薛季宣 6 岁时，感染风寒，英年早逝，伯父薛弼将薛季宣收养。

薛季宣成长的家族环境并不算好，在南宋激烈的政治斗争

中，他的家族居然分属不同派别的政治集团。薛季宣的父亲薛徽言，是对金强硬派，坚决反对向金求和，与秦桧存在巨大的政治分歧；而收养薛季宣的伯父薛弼却和秦桧关系密切。尽管政治立场不同，但并没有导致家族的分裂。薛徽言去世后，秦桧果断地取消了薛季宣因袭的父荫。但是，因薛弼的关系，薛季宣的父荫在其10岁前得到恢复，获得寄禄官，享受一定的资历待遇。薛季宣成年后，也不回避伯父与秦桧的亲密关系，反而处处维护。薛季宣特殊的成长背景，不仅没有为他的求学、仕途、交游带来麻烦，反而因此能够结识不同立场、不同派别的官员学者，同时幼年时跟随伯父四处交游，开拓了他的视野，也对他的思想的形成带来意想不到的影响。

薛季宣的官宦生涯一直不如意，值得一提的仅是绍兴三十年（1160）出任鄂州武昌县令，立下的功劳。1161年，金兵分四路侵宋，武昌县和与之毗邻的两淮地区成了战争前线。南宋官僚纷纷将家眷遣送回乡，而薛季宣却把家属留在城中表达抵御敌军的决心。在任上，他组织民夫运送军粮到信阳前线，并暂摄信阳军事，表现出很强的组织调度能力和军事才能。在组织本县备战时，薛季宣积极动员群众，取得了很好的效果。然而，薛季宣的仕途并不都像在武昌县那样如鱼得水。从武昌县解任后，他在家等待缺补将近9年，这对于一个有志于立功的士人来说是多大的精神压力。直到乾道七年（1171）秋，他才出任大理寺主簿，负责处理从北方流入淮西的饥民问题，在兴修水利、安置灾民上获得孝宗的赏识，于次年出任湖州知州，但是很不幸，抱负未展，于1173年死于任上。对薛季宣而言，不顺的仕途似乎是一种肉体与精神的双重折磨，想成就一番事业，仕途却崎岖坎坷。可能正因如此，他对世事的了解、为官一方后的体悟，才使他认识到空谈义理的弊病，在学问上成就了一番事业。可谓失之东隅，收之桑榆。

南宋时期，国家分裂，战乱频繁，社会问题突出，当时的知识分子都在思考救国之道和强国之路，薛季宣也不例外。他与常人不一样的是，对朱熹的理学，产生极大怀疑。面对实际问题，他认为注重“经世之学”才是正道，空谈义理对时事无补。永嘉学派重要代表人物吕祖谦非常佩服他的学问，曾写信给理学家朱熹，称赞薛季宣在田赋、兵制、地形、水利等方面颇下工夫，世间少有人能赶上他的学问。薛季宣这种务实的学风，与其从政的经历息息相关。

薛季宣的贡献还在“义”与“利”关系的认识上有重大突破。传统儒学，重义轻利，而薛季宣从务实角度出发，主张“义利之和”(《大学解》)。在他看来，“义”“利”之间并不存在不可调和的矛盾。这种思想，给传统义利观以有力冲击，也奠定了永嘉学派“事功之学”的基础。为后来叶适集大成，最终形成永嘉事功学派，作出了重要贡献。

薛季宣不仅自己重视经世之学，在对子孙的教育上也坚持这一理念。他不断教导子侄和学生多读一些关于国计民生的书籍，勿穷究于义理之中不能自拔。

薛季宣的从侄薛叔似（1141—1221）秉承了他的这一思想。薛叔似南宋乾道八年（1172）中进士，任明州鄞县主簿。敢于直谏，为民请命。淳熙十五年（1188），他因弹劾宰相王淮妨碍言路，无法举荐贤良，被罢黜。嘉泰四年（1204），他又奏请朝廷免除两浙身丁银，减少人民负担。这些举动深受薛季宣的熏染，无不体现出士大夫的高风亮节。薛叔似博学多才，对经世之学也有研究。黄宗羲在《宋元学案》中，夸奖其有家学

渊源，在“天文、地理、钟律、象数”等方面有良好造诣。

薛季宣的侄孙薛师石（1178—1228），也很有才华，诗风清新灵动，著有《瓜庐集》传世。他为了发扬叔祖薛季宣的学说，与其兄抚州知府薛师旦刊刻其《浪语集》行世。薛季宣之后，其家族子弟在文学、哲学上颇有造诣，成为永嘉一大诗书世家。

永嘉薛氏家族在政治上虽有一定成就，但对后世影响最大的还在于为“永嘉学派”的形成创造了条件。在家族传统中重视经世之学，主张“义利并举”，为解放思想创造了条件。而且，他们的这种重商文化，也融入到温州的文化基因当中，在商品经济时代，又焕发出新的活力。

智言慧思

惟知利者为义之和，而后可与共论生财之道。

——（南宋）薛季宣《大学解》

阅读链接：

王凤贤、丁国顺：《浙东学派研究》，浙江人民出版社，1993 年版。

吴光主编：《中国文化世家・吴越卷》，湖北教育出版社，2004 年版。

王宇：《永嘉学派与温州区域文化》，社会科学文献出版社，2007 年版。

忠孝传家：明姚江孙氏世家

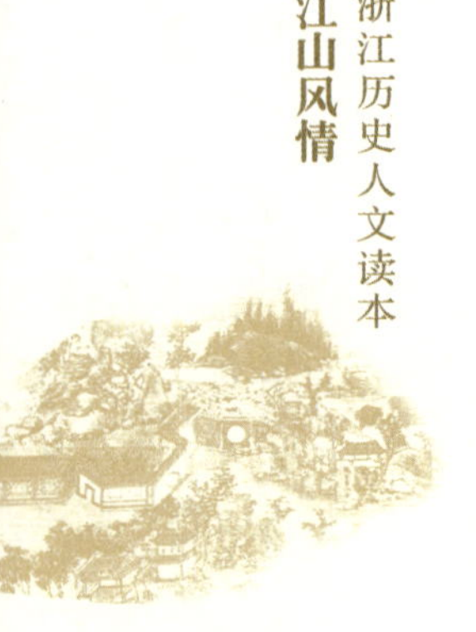

孙燧像

明代，姚江孙氏在乡里享有盛名。邵延采在《姚江孙氏世传》中称：“孙氏自燧及嘉绩六世，世以文章、忠孝嗣其家绪，蔑有废坠。海内高仰之，为当代宗臣。”从孙燧开始，孙氏以忠孝扬名于大江南北，崛起成为世家大族。其实，在此前孙氏家族就是书香门第。

据传，姚江孙氏是战国军事家孙武的后代。五代后唐时，孙岳由睦州举家迁居余姚，此后孙氏家族世居姚江烛湖之畔。到南宋时，已经成为姚江大族。当时孙介（1114—1188）、孙应时（1154—1206）父子以文章忠孝扬名于邑中。孙应时与朱熹交好，时常相互切磋学问，著有《烛湖集》传世，其学问被称为“烛湖学”。

孙氏家族在历史上声名鹊起始于明代忠臣孙燧。孙燧（1460—1519），字德成，号一川，他将生死置之度外，为了维护国家统一，识破宁王妄图谋反的诡计，最后以身殉国。

孙燧于弘治六年（1493）中进士，历仕刑部主事、福建按察使、河南右布政使。正德十年（1515），以右副都御使巡抚江西。时逢宁王朱宸濠意图谋乱，大臣多不愿去江西，孙燧明知有危险，却以国事为重，将妻儿遣送回老家，仅带两名书童前去。他上任之初，已经意识到，此行可能是不归之路。

他到达南昌时，整个南昌弥漫着宁王必将取得天子位的传言，江西大小官吏寻机投靠宁王，宁王的爪牙也十分嚣张，为谋反做着部署。面对如此严峻的局面，他表面上对宁王毕恭毕敬，不与其发生直接冲突，麻痹宁王的神经。暗地里一方面向朝廷报告江西的局势，要求朝廷派兵驻防；一方面在南昌周围修筑城池，做好武力平叛的准备，并借镇压周边盗贼的名义，将南昌城内的战略物资转移到周边。通过这样的部署，在武装上实际形成了对宁王的包围，这为以后朝廷的平叛打下了坚实基础。

尽管孙燧注意伪装，但他的举动还是被宁王探知了。为了警告他，相传宁王送去枣、梨、姜、芥四样东西，暗示他“早离疆界”。孙燧当然明白宁王的用意，但还是坚决地拒绝了宁王的礼物。宁王决定去除这颗眼中钉。正德十四年（1519），宁王正式反叛前，借生日之名邀集南昌大小官吏，当众宣布奉皇太后密旨，皇帝非朱家血脉，由宁王监国，起兵讨贼，要求南昌大小官吏支持。孙燧当即要求宁王拿出密旨，并指责宁王有违祖宗法制，是叛贼。宁王恼羞成怒，痛殴孙燧后，将其杀害，并将尸体悬挂在南昌惠民城门外，以警示不满的官吏。

宁王反叛后，在南昌城内大肆寻找兵器，但是什么都没有找到，出兵后每遇一城，都遭到激烈抵抗，孙燧历年来的准备功不可没。这也为朝廷平叛，争取了时间。35 天后，宁王的叛乱就在王阳明的镇压下失败了。

孙燧的气节感染了子孙，从孙燧父子开始，姚江孙氏忠孝之家的美名传播开来。孙燧之子孙堪（1482—1553）听闻父亲蒙难后，率两个弟弟孙墀（1489—1556）、孙升（1501—1560）挟刀赴南昌誓死报父仇。他们达到南昌时，宁王已经被王阳明逮捕，只能将父亲灵柩护送回乡。回乡后，按照礼制守墓3年。丧期满后，又以父亲死于非命，再服孝3年，被时人誉为“三孝子”。孙升因父亲死于宁王之手，从此以后不再书写“宁”字，不给人作寿文。王阳明后来在吊孙燧时说：“公为忠臣，公之令子为孝子。”（清姚之骃《元明事类钞》）

孙堪侍母也甚为孝顺，在北京任职时，将母亲迎至北京，亲自照顾。母亲90多岁亡故后，不辞万里，以72岁的高龄与二弟将母亲灵柩送回家乡，行至钱塘时，因旅途劳顿和过分悲伤而亡故。

在传统社会，提倡以孝治天下，能尽孝，方能尽忠。忠孝成为治国之道、传家之本。姚江孙氏，自孙燧父子以降，便一直以“忠孝之家”闻名于世，“忠孝”一直被孙氏家族奉为传家之宝。孙升十分注重家庭教育，经常教导诸子：“士立身务名节忠义，立朝务正直忠厚。毋忘先烈，毋坠家声，乃吾子也。”“养德、养身、养学，三者须日日体验，不可缺一。”（明孙兆熙等《孙氏世家》）在祖辈言传身教下，孙氏子弟多能恪守家训，入为孝子，出为忠臣，忠孝之门风世代相传。

孙燧的孙辈，恪守家训，都有一番作为，其中孙升第四子孙铤在政坛上享有美誉。孙铤（1525—1596），嘉靖三十五年（1556）进士，官至南京吏部尚书、兵部尚书，为官期间刚正不阿，其外甥因考绩不合格，被他罢黜。首辅王锡爵的亲友因不称职，也被他罢免。他与陆光祖、陈有年一道，被称为“浙江三贤太宰”，名震天下。

孙燧曾孙孙如游历仕神宗、光宗、熹宗三朝，对明王朝忠心耿耿。光宗泰昌元年（1620），时逢郑贵妃妄图将自己的儿子朱常洵扶上帝位，制造了堪称明宫奇案的“梃击”“红丸”“移宫”三案。当时恰逢孙如游以顾命之臣主持吏部，他不畏郑贵妃的淫威，伸张正义，郑贵妃的意图未能达成，维护了政局稳定。

至孙燧后六世，孙氏家族一直活跃于明中后期政坛。一门之中，有 11 人为进士，有 2 人入内阁，6 人被加官赐谥，堪称豪门。孙燧以个人之死，换来了家族的兴盛与荣誉。其子孙恪守“忠孝之家”的家风，造就了姚江孙氏世家几代的辉煌。

阅读链接：

李小红：《明代姚江孙氏世家》，《浙江方志》，2001 年第 1 期。

余姚市历史文化名城研究会编：《姚江名人》，浙江古籍出版社，2008 年版。

吴仁安：《明清江南著姓望族史》，上海人民出版社，2009 年版。

天下藏书此一家：明清鄞县范氏世家

范钦塑像

清乾隆三十七年（1772），是中国文化史上需要浓墨重彩大书特书的一年。这一年，乾隆皇帝决定成立四库全书馆，在全国各地搜访遗书，开始纂修《四库全书》，一场注定要彪炳史册的文化工程展开了。在这场浩大的文化工程中，浙江范氏家族及其藏书楼天一阁，成为世人尊崇的楷模。

在纂修《四库全书》过程中，范懋柱率范氏家族共进呈638种书籍，被《四库全书》收录96种，列入存目的有377种。为感谢范氏家族的贡献，乾隆皇帝特于1774年恩赏《古今图书集成》一部，以示嘉奖。《四库全书》修编成功以后，乾隆又下诏，命江南织造局查看天一阁的建筑式样与书柜款式，后来用来收藏《四库全书》的四库七阁，即仿天一阁藏书楼形制建成。因为皇家的推崇，天一阁的美名更是名扬四海。

范氏家族之所以能在此时受到万众瞩目，我们不得不感慨其先祖的远见卓识。范钦，明嘉靖十一年（1532）进士，酷爱

典籍，四处为官，每至一地，必花费重金广泛搜罗图书。1560 年，回乡归隐，决定修一座藏书楼，以便让他多年的心血有一个好归宿。为了防火，他受到《易经》“天一生水，地六成之”的启发，将用来藏书的东明草堂改名为天一阁，以期“以水制火”，保证藏书楼的安全。到范钦晚年，天一阁的藏书已达 7 万多册，雄视浙东。

藏书难，散书易。范钦晚年，一直困扰的问题是身后这些藏书怎么办。为了防止书籍被子孙散失，他坚守“书不可分”的理念，将家财分为 2 份，一份是万两白银，一份是所有藏书。结果，他的大儿子范大冲毅然放弃了万金家财，选择了天一阁藏书。

范大冲体悟父亲的良苦用心，为了更好地坚守这份祖业，在他逝世后，范氏家族确立了“代不分书，书不出阁”的传统。规定天一阁藏书归子孙共同所有，各方子孙集齐才能开锁，图书不能擅借外房和外姓，如有违反，必将受家法惩处。这种极为苛刻的藏书管理制度，竟然成为几百年来，范氏图书不被瓜分的保障。

苛刻的管理制度并没有切断天一阁与外界的文化联系。范钦的曾孙范光文，清

天一阁

阅读链接：

骆兆平：《天一阁丛谈》，中华书局，1993 年版。

余秋雨：《风雨天一阁》，见《文化苦旅》，东方出版社，2001 年版。

袁慧：《范钦评传》，宁波出版社，2003 年版。

顺治年间进士，曾任礼部主事，好文墨，为了丰富祖上的藏书，花重金购买阁中没有收藏的图书。而且，正是在他的支持下，天一阁迎来第一位外姓读者。清康熙十二年（1673），著名学者黄宗羲破例登阁，他品读完全部藏书后，将世上流通未广的编为书目，1679 年，又受范钦玄孙范廷辅的邀请，写下了流传广泛的《天一阁藏书记》。由此，更多士人的目光被其吸引，这座私人藏书楼便与许多大学者连结起来。范氏家族对学者是宽容和开放的，此后 200 年间，万斯同、徐乾学、全祖望、袁枚、钱大昕、阮元、冯登府、薛福成等人先后慕名前来翻阅图书。

终于，在范氏几代族人的呵护下，天一阁在 1772 年迎来了它辉煌的时刻。也正因如此，范氏家族也被冠以了“人间庋阁足千年，天下藏书此一家”的美誉。

然而，盛名之下，也潜伏着危机。天一阁奉上谕进献的珍本，大多被人鲸吞。进入近代，在历史巨变面前，范氏为了保护这些图书，不得不面对鸦片战争中英国殖民者的掠夺，太平天国时小偷的洗礼，同治二年（1863）大火的摧残，1914 年盗贼有组织有计划的窃取。祖先的遗训在这些劫难面前，已显得软弱无力。范氏藏书该走向何方？恐怕那时已无人能给出明确的答案。但是，范钦及其后人对文化的敬畏，对文化传承的呵护是值得我们尊敬和敬佩的，他们所呈现的人文光辉，必将照耀着后人前行。

反清勇士：明清余姚黄氏世家

黄宗羲像

提起余姚黄氏家族，大家自然联想名震浙江的黄宗羲（1610—1695）、黄宗炎（（1616—1686）、黄宗会（1618—1663）“浙东三黄”。其中，黄宗羲更是声名远播，是扬名海内外的一代大儒。然而，尤为鲜见的是这些出身世家名门的儒士，在明末清初的政权更迭中，却成为了抗清的勇士。

浙江余姚黄氏家族祖籍颍川（今河南禹县）。南宋初年，远祖为躲避战乱，南渡浙江，最初定居金华，后遇金兵南下，余姚黄氏始祖黄万河流落余姚通得乡竹桥村，从此定居下来。余姚黄氏最初虽为农耕之家，但素有出仕、习文者。到黄宗羲祖父黄曰中时，黄家已经成为当地小有名气的诗书之家。黄曰中以教书为业，尤其擅长《易》学，他的学生很多成了会稽的名士，其子黄尊素在他的培养下，成为晚明一代贤臣。

黄羲之的父亲黄尊素（1584—1626），是明末东林党著名人士，万历四十四年（1616）中进士，授宁国府（今安徽宣城）推官，步入仕途。当时的明王朝，政治日益腐败，政权把持在权奸和小人手中。到明熹宗天启年间，皇帝朱由校更是昏庸无能，宦官魏忠贤操纵朝政，打击异己，胡作非为。黄尊素为官清正廉洁，秉公执法，不惧权贵，遭到魏忠贤嫉恨。天启四年（1624），京城发生大地震，黄尊素借机向皇帝进言，指出时政的十条不足，揭露魏忠贤专权的行径。魏忠贤闻讯后大怒，最初准备当着朝臣廷杖黄尊素，以此来羞辱他，但经过东林党人的挽救，最终只停俸一年。此事发生后，魏忠贤欲除之而后快，黄尊素没有被吓倒，依然与权奸作斗争。次年，魏忠贤终于获得机会，他指使阉党工部主事曹钦程参劾黄尊素胡乱攻击忠臣，黄遭到罢官。魏忠贤依然不解恨，天启六年（1626），魏忠贤借口江浙谣传黄尊素等东林党人要对付他，下令捉拿黄尊素等 7 人到京。黄尊素闻变后，不想牵连众人，自动投狱。在狱中黄尊素被严刑逼供，遭受百般折磨，但依然坚贞不屈，在被处死前，还题有“钱塘有浪胥门目，惟取忠魂泣髑髅”（黄尊素《黄忠端公文集》）的诗句，自比伍子胥表达出一片忠心。

黄尊素为官 10 年，没有惊天动地的政绩，但在与权奸的斗争中所体现的清流气节、视死如归的精神，鼓舞和激励着他的子孙。黄尊素生前十分重视对儿子的教育。在安徽、北京任官期间，他是黄宗羲、黄宗炎、黄宗会三兄弟的启蒙老师，向他们传授经世致用之学。另外，黄尊素在与魏忠贤等人的斗争中，所表现出来的铮铮铁骨，本身就是很好的教科书，身教重于言教，这对黄宗羲三兄弟后来走向反清的道路有很大关系。

黄宗羲在父亲遇害时年仅 17 岁，全家顿陷困境，祖父年老，诸弟年幼，他承担起了家族责任。崇祯元年（1628），魏忠贤被铲除，父亲的名誉得到恢复。崇祯十七年（1644），李自成入京、崇祯吊死、清兵南下一系列历史大事，不仅改变了国家的命运，也改变了黄宗羲及其家族的命运。

黄宗羲闻变后，学习父亲忠君报国的理念，决定投笔从戎，

余姚龙虎草堂

跟随老师刘宗周去杭州，商讨组织义军事宜。1645 年，熊汝霖、孙嘉绩在余姚举起反清大旗，黄宗羲毫不犹豫，积极响应，决定变卖家产组织义军，弟弟宗炎、宗会十分赞同哥哥的决定，他们集合了家乡黄竹浦一带的青壮年农民，组成了一支 600 多人的义军，跟随熊汝霖、孙嘉绩反抗清军。他们期望能像南宋抗金名将韩世忠那样建功立业，将义军取名为“世忠营”。次年，鲁王任命黄宗羲为兵部主事。为了取得对清的更大战绩，1646 年，孙嘉绩将所属“火攻营”交给黄宗羲指挥，黄宗羲积极联络各方义军，驻军潭山，准备攻取海宁。不料钱塘江水猛降，清军乘夜策马过江突袭义军，义军大败，划江战役失败。黄宗羲不得不收拾残部退入四明山中。

黄宗羲之弟黄宗炎，在黄宗羲统兵西下时，在萧山龛山负责军队的后勤工作。划江战役失败后，黄宗炎同哥哥一道躲入四明山中，但反清志向依旧。他奔走于山寨之间，联合义军，加入冯京第的反清队伍。顺治七年（1650），冯京第军败，黄宗炎被俘，押解至宁波，在清军营帐内一位笔吏的设计下，幸运逃脱。

经过此番失败，黄宗羲、黄宗炎手中不再拥有军队，但反清报国的理念并没有打消。顺治八年（1651），黄宗羲得知清军将进攻舟山，他秘密派人前往，向鲁王报告清军的动态。顺治十年（1653），鲁王取消“监国”称号，浙东抗清斗争实际上基本平息，但黄宗炎仍不死心，他带着钱谦益的介绍信，到金华准备策反清军总兵，不幸再次被捕，但幸运的是又一次逃脱。

抗清失败后，黄宗羲、黄宗炎、黄宗会兄弟结束了动荡不安的“军旅”生涯，清朝取代明朝的客观现实已经无法改变，他们将自己的理想寄托于儒学，开始各自全新的生活，此后，世间也多了一位能体恤民间疾苦的儒学大师。

阅读链接：

王凤贤、丁国顺：《浙东学派研究》，浙江人民出版社，1993 年版。
吴光主编：《中国文化世家·吴越卷》，湖北教育出版社，2004 年版。
吴光编著：《黄宗羲与清代浙东学派》，中国人民大学出版社，2009 年版。

奸妄之臣与书香世家：清代平湖高氏家族

高士奇像

提到奸妄之臣，大家自然会联想到奸诈虚妄、贪污受贿、欺上瞒下、胡作非为的臣子。在清代，高士奇就是这样一个被人称为奸妄之臣的人物，但奇怪的是，这样的人琴棋书画样样精通，尤其擅长诗文与书法，深受康熙皇帝的喜爱，他的家族人才辈出，享有书香世家的美誉。为什么会出现看上去如此矛盾的现象呢？我们只能说，为官与为学、治家还是有区别的。

平湖高氏家族其先祖生活在中原，北宋“靖康之难”时，为逃避战乱，由开封南迁至浙江余姚匡堰镇高家村（今慈溪樟树镇高家村），此后高氏家族在浙江繁衍开来。

高士奇之前，高氏家族并没有什么显名。高士奇生于清顺治二年（1645），家庭较为贫寒，但他的父亲高古生注重对儿子的教育，以致高士奇幼年饱读诗书，琴棋书画样样精通。顺治十八年（1661）入籍钱塘（今杭州），补杭州府学生员。康熙三年（1664），随父亲游学京师，期望能找到平步青云的门径。不幸的是，父亲突然病故，他不得不在京城卖字为生。

有时候机遇就是这样毫无声息地送上门来。一次机缘巧合，他的人生轨迹发生了巨大变化。一说，清朝大学士明珠看到高士奇写得一手好字，推荐他入内廷侍奉；还有一说，康熙皇帝一次微服出巡，在关帝庙看见匾额上苍劲有力的“天子重英豪”

几个字，很是高兴，得知是庙门口卖字的高士奇所书，对他留下了特别的印象。不管是哪种原因，让高士奇与康熙皇帝相识，1671 年注定是高士奇人生中关键的一年。这一年，康熙亲试太学生，高士奇的才识获得康熙的欣赏，被点为头名，进入翰林院，从此高士奇的官宦生涯开始。

高士奇为官期间，与康熙关系密切。康熙十六年（1677），南书房设立，高士奇作为皇帝的侍从在南书房当职。南书房是一个很奇特的机构，表面上是用来给皇帝讲解经史典籍的，但实际上还是皇帝重要的政治参谋机构，能入南书房者，都是皇帝的亲信大臣。康熙二十八年（1689），高士奇随康熙帝南巡，高士奇的西溪山庄成为皇帝临时休息之所，康熙见山庄风景秀丽，诗性大发，题写了《题西溪山庄》一诗："花源路几重，柴桑皆沃土。烟翠竹窗幽，雪香梅岸古。"并手书"竹窗"匾额赠予高士奇，以示对高士奇的恩宠。作为一名汉族官僚，能够得到康熙的如此赏识，实属难得。

皇帝的荣宠，也导致了高士奇自我约束的放松。他日益贪腐的形象，受到当时官僚的抨击。也就是在康熙亲临他家的当年，左都御史郭琇弹劾他受贿被查实，不得不解职归里。

高士奇解职后，可能有愧于心，并没有返回钱塘，也没有回到余姚，而是选择落籍平湖，并在平湖创办学堂，讲解经史，传道授业。然而远在北京的康熙，一直惦记着南方的老朋友。康熙三十三年（1694），康熙大病初愈，不知怎么突然记起身处江湖、远隔万里的高士奇，他特赐长白山人参多斤，让高士

奇注意保养身体，并御制书扇一把，亲题诗文，表达对高士奇的想念之情。同年，高士奇又被召入京城，仍供职于南书房。直到康熙三十六年（1697），高士奇以母亲年老为由，告老还乡。回乡前，康熙在畅春园召见，赐以酒水。康熙对还乡的高士奇十分挂念，康熙四十一年（1702），康熙授高士奇礼部侍郎、二品官，但高士奇依然以母亲年老未赴任。康熙四十三年（1704），康熙南巡，高士奇前往淮安迎驾。纵观康熙一朝，没有一位汉族官僚能够享受到高士奇这样的荣恩。

然而，高士奇是怎样对待康熙的呢？可以肯定的是，高士奇绝对是一个贪官，只是贪多贪少的问题。高士奇作为一个文臣，俸禄十分有限，祖上也没有积累什么财富，但是他在杭州西溪所建的山庄能够接待康熙南巡，他在平湖的别墅规模庞大，依靠高士奇的个人俸禄绝对是办不到的。与此同时，高士奇酷爱书画收藏，并藏有诸多珍贵书画，这些东西从何而来？更可笑的是，康熙也喜爱收藏书画，但欣赏水平十分有限，高士奇常将真迹自己留存，而将临摹之作当做真迹献给康熙。如果康熙泉下有知，不知作何感想！

抛开高士奇为人和官德，他的才识还是有的，在书画、收藏鉴赏等方面，有一定成绩。他的书画收藏录《江村书画录》，讲解书画的真伪、精劣，显示出很强的绘画功底和鉴赏能力。同时他自己的人品不怎么样，但在培养后人上，十分强调敦厚，并创办江村草堂（高氏私塾）以培养高氏后人。他告诫后人，“祖宗法度不可废，德泽不可恃；法度废则变乱之事起，恃德泽则骄佚之心生”。此后他的子孙，“恪守祖训，安贫乐道，奉公守法，无一贪卑之徒，无一犯法之男”（金陵生《高士奇与高氏家族》）。

高士奇以后，高氏家族中虽然没有出现像他一样得到皇帝荣宠的官员，但在学术和书画方面涌现出不少人才，高氏家族也成为惠及乡梓的书香世家。

高士奇的儿子高舆于康熙三十九年（1700）中进士，得到康熙皇帝的喜爱。他擅长诗文，康熙皇帝特命他在家校刊《佩文斋咏物诗逊》和《渊鉴类函》，两书完成后，又奉旨编纂《骈字类编》。高舆居乡里期间，乐善好施，资助县里建立育婴堂，在乡里享有美名。高士奇的孙子高嵩、高衡、高岱都善诗文，有不少作品传世。

从高氏家族的兴旺发达来看，我们不能不说他的教育方式是成功的，但是与他自己的为人和人品对比来看，似乎落差太大，这只能说为官与为学、治家并不能等同。

阅读链接：

金陵生：《康熙帝诗文师高士奇》，《文学遗产》，2000 年第 4 期。

郭杰光：《高士奇与高氏家族》，《平湖文化报》，2005 年第 2 期。

《世家大族》课题组：《“金平湖”下的世家大族》，中国文史出版社，2008 年版。

文字狱的牺牲品：明清海宁查氏世家

海宁查氏在明清时期是当地大族，元顺帝至正十七年（1357），查瑜为躲避战乱，从安徽婺源沿新安江水路，一路迁徙来到浙江海宁，查氏家族从此在海宁生根发芽。海宁查氏从始祖查瑜开始，就注重以儒为业，诗礼传家，经过几代人的艰辛经营和不懈努力，到明清时期，查氏家族在科举、仕宦、文学及学术上享有盛名，并发展成为当地的文宦世家。

明清两代，查氏家族科甲鼎盛，人文荟萃。根据民国《海宁州志稿》的记载，明代查氏中进士者共 6 人，查氏家族中首位荣登科甲的是明孝宗弘治三年（1490）成为进士的查焕。受到文字狱牵连的查继佐也在明思宗崇祯六年（1633）中举人。到清代，尤其是雍正朝前，查氏家族的科举成就更为显赫，考中进士者达到 14 人，其中康熙一朝就有 10 人，而且其中 5 人供职于翰林院，当时人们称赞其家族“一门十进士，叔侄五翰林”。康熙帝甚为器重，先后题写“澹远堂”“敬业堂”“嘉瑞堂”三匾额赐给查氏，这足见查氏家族在康熙时代的辉煌。

在传统社会，科举与文学是不可分的。在明清科举制度下，文学成就既体现了家族文化的传承和能力，也反映了科考的实力。查氏家族在文化上的积累成就了家族的科举之名，同时也给家族带来两次无妄之灾。

查氏家族是典型的文学文化世族，他的子弟都精通文墨，在诗、文、书、画等领域皆有成就，受到士人的尊重。第一次被文字狱牵连的查继佐（1601—1676），

是明末清初的著名学者，他 20 岁就应聘为童子师，执教乡里。明清之际，他曾任兵部职方主事，参加抗清活动；明亡后，将精力寄托在修史当中，他花了 29 年时间，访问数千人，数易其稿，完成明史巨著《罪惟录》。庄廷鑨主持编修《明史辑略》时，还专程找他参阅书稿。顺治十八年（1661），归安知县吴之荣告发庄廷鑨编修的《明史辑略》奉明为正朔，用永历年号，对清王朝大不敬。清廷大怒，将所有撰稿者、作序者、校对者、抄写刻字者一律处死，购书者也被牵连。因《明史辑略》在编撰过程中参阅查继佐的著作，查氏被捕下狱。查氏因并非主犯，再加朝中大员吴六奇不忘幼年时受过查氏恩惠，在查氏蒙难后，竭力营救，最后得以释放，查氏家族成员也未受到牵连，此次危机平安化解。

总体来说，明代至清初，查氏家族的发展还是比较顺利的，没有出现大的波折。然而到雍正朝时，查嗣庭在出任江西乡试主考官时，所出考题激怒雍正，给家族带来了巨大灾难。

查嗣庭（1664—1727），字润木，号横浦，康熙四十五年（1706）中进士，得隆科多赏识，累官至内阁学士兼礼部侍郎。查嗣庭学问渊博，才识过人，在士人中有美名。雍正四年（1726），出为江西乡试主考官，负责选拔才俊。

相传，查嗣庭在出江西乡试试题时，以《诗经》中“维民所止”之句为命题，被人告发说题中的“维止”二字取自皇帝的年号“雍正”，有去首之意。雍正得知后大怒，认为查嗣庭有谋逆之心，其心可诛。于是当朝二品大员、大学士就被残暴的皇帝杀戮了。

康熙御笔澹远堂

这种说法颇具趣味性，而且广为流传，以致以讹传讹。仔细推敲，这无非是要显示雍正的昏庸与残暴，其实，即便是再专制的帝王，要除掉当朝的大员，好歹也要找个冠冕堂皇、合情合理、能封万人之口的理由。

事实是这样的：导火索同样是试题，但绝不是“维止”二字。江西乡试第一场《四书》首题“君子不以言举人，不以人废言”，雍正认为查嗣庭借此来抨击国家荐举人才的制度，暗示雍正独断专行，是个昏庸的帝王。最让雍正恼怒的是，查氏出的《易经》次题“正大而天地之情可见矣”，《诗经》四题“百室盈止，妇子宁止”。这些题目刺激了雍正的敏感神经，使他联想到“正大光明”匾额，想到民间对他取得帝位合法性的质疑。试题中的“止”也是不祥之语。然而，仅凭这些心中的臆断，依然无法让朝廷重臣伏法。

为了将查嗣庭案办成铁案，雍正决定派人搜查查嗣庭寓所寻找新的更直接的证据，果然在查嗣庭的日记中找到了雍正需要的内容，查嗣庭的日记有抨击康熙用人

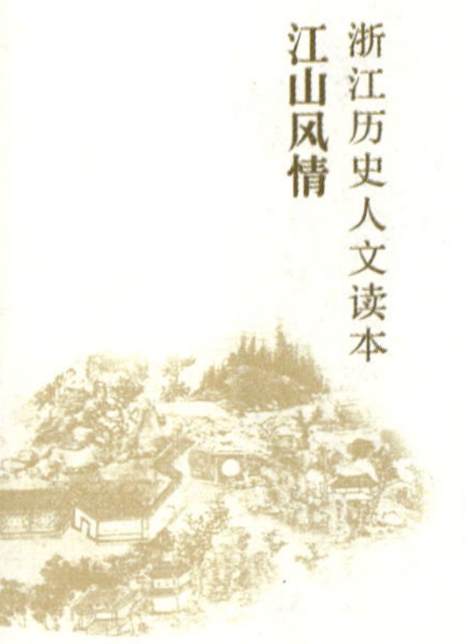

行政失策的地方，有由天气异状而讥刺时事的内容，雍正认定查嗣庭犯有大逆之罪。直到雍正五年（1727），查嗣庭病死狱中，才结案。查嗣庭案虽然也归入文字狱一类，但实际上是雍正为了削弱和打击隆科多的势力，借查嗣庭打击隆科多，除了试题惹恼雍正外，查嗣庭也是政治斗争的牺牲品。

查嗣庭案发生后，家产被抄，全家13口被杀害，而且株连广泛，查氏家族遭受沉重打击，族众或戮尸，或流放。此后，查氏族人的科举仕宦之路暂时中断。

在封建时代，科举与仕宦、文化三位一体，相辅相成，仕宦之路暂时中断后，也预示着查氏家族文化世家开始衰落。查嗣庭案后，尽管查氏家族文化氛围还算浓厚，科举和仕宦有一定成绩，但对比明中后期至清康熙朝而言，查氏家族社会地位已明显下降。

可以说，查嗣庭案不仅是查氏家族发展史上的悲剧，也是中华民族的文化悲剧。

阅读链接：

吴光主编：《中国文化世家·吴越卷》，湖北教育出版社，2004年版。

郭谦：《影响百年中国的文化世家》，海南出版社，2006年版。

张毓洲：《查嗣庭文字狱案与海宁查氏文学世家的衰微》，《西北师范大学学报》（社会科学版），2011年第2期。

与皇室扯不断、理还乱：清海宁陈氏世家

在民间，乾隆皇帝的身世是一个谜。有一种传说，他出生于海宁陈家。金庸先生在小说《书剑恩仇录》里将乾隆出自海宁陈家描绘成铁板钉钉的事实。

在金庸先生的小说里有下面这样一个故事。陈家洛与乾隆初见时，便觉得“越看容貌越熟，可是总想不起在哪里会过，刹那间心神恍惚，竟如做梦一般，只觉那人似是至亲至近之人，然又隔得极远极远”（金庸《书剑恩仇录》）。当两人携手下山，迎面碰到福康安（乾隆的私生子），又觉得“十分相似”。陈家洛返家后，发现厅堂里悬挂有乾隆所书“爱日堂”，而“爱日”出于扬雄的《法言》：“孝子爱日”。一个外人怎么能自称孝子呢？在母亲旧居“筠香馆”里，陈家洛发现乾隆御笔“春晖堂”的新匾，而“春晖”二字，出于孟郊的《游子吟》：“谁言寸草心，报得三春晖”。这应该是表达儿子对母亲想念之情才对。陈家洛去拜双亲坟墓，发现乾隆正在墓前跪拜啼哭，双双大惊，乾隆说道：“你见我深夜来此祭墓，一定奇怪。令尊生前于我有恩，我所以能登大宝，令尊之功最巨，乘着此番南巡，今夜特来拜谢。”（金庸《书剑恩仇录》）从金庸小说中看，乾隆不仅自认为陈家之子，而且陈家洛也意识到，乾隆与陈家非比寻常的关系。

其实，乾隆出自海宁陈家之说并非金庸先生所创。在《清朝野史大观》卷一《高宗之与海宁陈氏》有这样的记叙，雍正还是皇子时，与海宁的陈家交好。恰好同一天两家夫人，同时产子，雍正得了一个女孩子，陈家生了一个儿子，雍正为了在竞

争帝位的过程中获得先机，十分想要一个儿子。他假意说，很喜欢陈家的孩子，并命人将其抱来，过了很久才送还，然而，送去的儿子变成了女儿。陈家大为惊讶，但畏于权势，不敢声张，一直保守着这个秘密。野史把乾隆的身世之谜描写得惟妙惟肖，但实在经不起推敲。乾隆出生前，雍正早有子嗣，没必要多此一举。可民间向来喜欢窥探皇家隐私，而陈家后来大得荣宠，以致这种说法大为流传。民国时期，著名清史学家孟森先生还专门撰文《海宁陈家》为其正名。

海宁陈氏是明清以来江浙地区的名门望族，其家族历史长久，从政人数众多，号称世代簪缨、朱紫盈门。在科举制度最兴盛的明清两朝，获得举贡进士者有200多位，数字之大，堪称江浙之冠。其宗谱自述是因为家族祖坟“檀树坟”风水好，才人丁兴旺。陈氏宗谱记载：“始祖墓在城东道人塘坝桥西，名‘檀树坟’，天生檀树合抱故名。外太明谊公、始祖东园公、二世祖月轩公、三世祖乐耕公，及昆季南墅、西湾二公咸合葬也，树而不封。”（冯柳堂《乾隆与海宁陈阁老》）然而，民间却更愿意相信与皇家有特殊的关系。

在清代顺治朝，陈之遴（1605—1666），于顺治九年（1652）被授弘文院大学士，“入阁拜相”，成为陈氏第一个拜相者。在康熙、雍正、乾隆三朝，陈家更是被恩宠有加，有“一门三阁老，六部五尚书”之称。最早与皇家扯上特殊关系的是陈之闓（1620—1707）这一支，他是地方绅士，博学多才，康熙南巡时，他两次参与迎驾，并享受到了觐见康熙的殊荣。陈之闓之

子陈元龙（1654—1736），即传说中乾隆的父亲，是一位大名鼎鼎的相国，官拜文渊阁大学士，人称“陈阁老”。清康熙二十四年（1685），榜眼及第，授职翰林院编修，入值南书房。雍正七年（1729），官拜文渊阁大学士兼礼部尚书，达到仕途顶峰。雍正十一年（1733），以年老乞休，雍正加太子太傅衔，同意其致仕，并由其子陈邦直随父归里，侍养晚年。

陈元龙之后，海宁陈氏又出了一位相国。陈世倌（1680—1758），康熙四十二年（1703）癸未进士，历任顺天学政、山东巡抚、工部尚书，乾隆六年（1741）授文渊阁大学士，位极人臣。陈世倌深受乾隆帝的赞许和器重，在其年老要求致仕时，乾隆还对他说，身体无恙仍可以回北京，对其百般慰留。一门三宰相，可见海宁陈氏享受的荣恩。

安澜园

更为幸运的是，陈家还接待过皇帝。乾隆皇帝六次南巡时，多次到海宁，而且每次都住在陈氏的私园中，这一度成为乾隆是陈家儿子的重要证据。其真实原因是，古代钱塘江海潮灾难频发，百姓流离失所，乾隆借南巡之机，察看耗费朝廷巨资的钱塘江海塘工程。那么为什么总是住在陈家？其实，所住只是陈家的私园名叫“隅园”，而不是陈家家眷所住的私宅。如果真想念双亲，何不干脆住进父母生活过的地方？该宅院位于海宁县城的西北角，环境不错，安全也有保证，乾隆很喜欢其格局。至于将隅园改称为“安澜园”，并赐御书匾额，并没有其他特殊含义，这与乾隆到海宁视察有关，希望钱塘江能够“安澜”一些。

乾隆第六次南巡时，曾经下谕祭祠历代名臣，陈家的陈元龙、陈世倌叔侄均被列入，这也是人之常情，作为辅佐清王朝的重臣，当然有被祭祠之理，这只能说明海宁陈氏家族社会地位之崇高，在皇家心目中很重要。

海宁陈氏作为明清时期官宦世家，尤其是在清代顺治、康熙、雍正、乾隆四朝相继出现陈之遴、陈元龙、陈世倌三位大学士，实为罕见！至于所谓乾隆的身世之谜，只是趣谈罢了。

阅读链接：

孟森：《海宁陈家》，北京大学刊行，1948 年版。
冯柳堂：《乾隆与海宁陈阁老》，上海书店，1988 年版。
吴仁安：《明清江南著姓望族史》，上海人民出版社，2009 年版。

文史相沿：清会稽章氏世家

章学诚像

在古城绍兴城东，有一座历史悠久的村庄，在这里聚居着被称为道墟望族的章氏世家。在清代，会稽章氏走出了一个号称为“清代唯一史学大师”（梁启超《中国近三百年学术史》）的章学诚（1738—1801）。章氏家族能有这样的成就，与历代相传的耕读立业、礼义传家的家族传统密不可分。

会稽章氏世家历史悠久，原籍并非在浙江，但自从定居会稽后，耕读传家的传统就确立下来。会稽章氏始祖章仔钧五代时定居于福建浦城，章氏家族在当地逐渐繁衍和发展开来。北宋末年，章氏中的一分支为了避祸移居到浙江山阴。到了南宋光宗、宁宗年间，章颜武才最终定居于会稽的东乡（今上虞市道墟镇），这成为会稽章氏的创业之始。在耕读传家家族传统的影响下，章氏家族逐渐成为一方大族。

会稽章氏很早就以重文化、重礼教而闻名。章学诚的族祖章慎一，在元末“与朱元璋各起布衣，提剑三尺，同打天下”（绍兴县地方志编纂委员会编《绍兴县志》）。明朝定鼎后，章慎一不愿从政，归家农耕隐居。朱元璋 3 次招他出山辅政，乃至登门亲访，他都谦让不出。相传朱元璋南下亲访时，见章慎一家乡书声琅琅，村人重视礼教，便钦赐“有道之墟”，自此东乡更名为“道墟”。到清乾隆朝时，道墟章氏已有万余人，章氏族人从事各行各业，但耕读传家的传统一直没有抛弃。

阅读链接：

吴光主编：《中国文化世家·吴越卷》，湖北教育出版社，2004 年版。

鲍永军：《史学大师：章学诚传》，浙江人民出版社，2007 年版。

［美］倪德卫：《章学诚的生平及其思想》，江苏人民出版社，2007 年版。

到章学诚的祖父章如璋时，家里藏书很丰富。而章如璋本人，嗜书如命，酷爱史学，对历史很有研究，这对章学诚后来的求学之路有很大影响。章学诚的祖父早年在官府任掌管出纳文书的小吏，年老后归乡，闭门读书，谢绝会客，钟情于司马光的《资治通鉴》，将其熟读多遍。《资治通鉴》中的天人感应、国家兴亡、福祸报应深深地感染着章如璋。在他看来，天道主宰着人的命运，只有通过修养德行，才能祈福避祸。章如璋对史学的钟情直接影响了他的儿子章镳。

章镳年少时，父亲去世，家道中落，没有余钱购书，他常常向人借书阅读，而且边阅读边抄录，孜孜以求，累年不辍。到他晚年时，汇集的笔记，竟有百卷之多。在章镳所读书籍中，依旧以史学书籍为多。他偶然借到了北宋郑文宝所撰的《江表志》以及五代十国时期流传下来的数种杂史，决定抄录下来。在抄录的过程中，发现里面存在不少讹漏，便索性进行增补和删改，并在新本的书名旁题写“章氏别本”的书名。如此下功夫，可见他对历史的热爱和痴迷。同时，他摈弃了以往史学家不重视野史和小说等非官方史料的态度。他认为唐宋的野史、小说、传记均可弥补正史的不足，在这种史学观念的指导下，他修订了《五国故事》、马令的《南唐书》以及《北梦琐言》等多种史籍。父亲这种对史学的爱好，以及新的治史方法，后来被章学诚完全继承。

常人看来，年幼的章学诚一点都没有读书的天赋，但勤能补拙，成就了一代宗师。幼年的章学诚可称得上天资迟钝，领

会力差，记忆能力也不好，但特别勤奋，记不住的东西干脆多抄几遍。在他十五六岁时，对史学发生了兴趣。他在课余，私自删改编年体史书《左传》，父亲得知后，鼓励他按照纪传体的体例，重新编写这本著作。他结合《左传》《国语》等史籍，将《左传》改编成一部纪传体的《东周书》。经过 3 年时间，这部《东周书》初具规模，后被馆师发觉而被迫中断，未能正式成书，但小小年纪已经显示出异于常人的史学才华。在当时普遍重科举、讲求八股的社会风气面前，他的这种行为是典型的不务正业。

可能是章学诚在科举上，实在没有天赋，屡试不中，以致心灰意冷，最终决定在学术上走出一条自己的道路。

成就章学诚学术盛名的是《文史通义》与《校雠通义》两书。《文史通义》是一本关于史学理论的著作，在这本书中，他提出了“六经皆史”“做史贵知其意”等著名论断。他认为史学主要包括史事、史文、史义三个部分，而史义是灵魂，章学诚创立了新的史学理论体系。同时提出了编修方志的全套理论体系，创立了方志学。这些成就奠定了他在清代史学上乃至传统史学上的重要地位。《校雠通义》是一本目录学著作，是他在修方志过程中的心得，他明确提出目录的任务是“辨章学术、考镜源流”，这对日后目录学的发展以及方志修撰的实践有很强的指导意义。

嘉庆五年（1800），章学诚双眼失明，但依然不忘治学，仍然在修改他的学术专著《文史通义》与《校雠通义》。尽管他在生前相当不得志，甚至受人冷落，但他的史学才识还是被后人发现并重视，他的治史方法已经超越国界，影响日本等国史学界，堪称中国古代的一座史学高峰。

文名震江南：晚清民国德清俞氏世家

俞樾像

德清俞氏在近代是江南赫赫有名的一个文化世家，俞樾、俞陛云、俞平伯等人的学术成就，在中国文化史上熠熠生辉。然而就是这样的一个名震江南的文化世家，在俞樾（1821—1907）成名之前一直默默无闻。

德清俞氏家族世居浙江德清县城东门外的南埭圩（今城关乡金星村），从祖父俞廷镳起，开始从农耕之家转向书香之家。俞廷镳好学博识，获得乾隆恩赏的甲寅副榜，取得功名身份，但这种恩赏还不能称为科举正途。俞廷镳一直在家半耕半读，未能进入仕途。父亲俞鸿渐（1781—1846），嘉庆丙子科（1816）举人，官职卑微，无能力振家声，但素有才名，著有《印雪轩诗集》等传世。俞樾后来在追寻家族历史的时候，发现因家世贫寒，家族竟无家谱。但不管怎样，从俞樾的祖父开始，家族已经有一定的人文积淀，这为俞樾的成功做了良好的铺垫。

德清俞氏世家的崛起，关键人物无疑是俞樾。科举在封建

社会中具有非比寻常的文化意义，它代表着社会身份和地位，一个家族的崛起通常要在科举及仕途上有所作为。俞氏家族历来重视对子孙的教育。俞樾年幼时，俞樾的母亲亲自教授两个孩子四书，其父有感于家乡没有良师，举家迁往临平。俞樾10岁时，跟从戴贻仲先生，学习5年，打下良好的文学功底。俞鸿渐在外讲学时，把俞樾也带在身边，这种耳闻目染和有意的培养，让俞樾很快适应了科举考试。

道光三十年（1850），俞樾进京参加会试，高中复元，德清俞氏一下闻名于世。但是俞樾的仕途并不平坦，不久便解甲归田。俞樾先任翰林院编修，咸丰五年（1855）外放河南学政，但因遭到御史弹劾所出试题割裂，次年被革职回京，仕途到此终结。不知道这是俞樾的不幸，还是俞樾的幸运。官僚俞樾的结束，带来了一个名扬海内外的朴学大师的诞生。

从政的抱负无法实现，俞樾拼命著书、讲学，试图将平生所学展现出来。他为我们留下了五百余卷《春在堂全书》及《群经平议》《诸子平议》等学术著作，所涉范围经学为主，旁及诸子学、史学、训诂学，乃至戏曲、诗词、小说、书法等多方面，学识博大精深，这奠定了俞樾清末朴学大师的地位。俞樾的学识传到日本后，广受欢迎，尤其是他的经学，对“十三经”进行了全面的校勘、整理和诠释，是后人研究“十三经”不可逾越的成果。日本学者小柳司气太誉之为中国经学“殿后之巨镇”，新旧过度之“大步头”（清俞樾《春在堂诗编》）。而且直到今天，俞樾的学术成就在日本文学界，依然有广泛的影响力。

俞樾还是一个著名的教育家，先后在苏州紫阳书院、上海求志书院、上海诂经精舍、归安龙湖书院讲学，他桃李遍天下，徐琪、章太炎、吴昌硕、宋恕、汤寿潜都是其门生，培养了大批活跃于近现代的国学人才。章太炎师从他学习训诂音韵和经学后，又培养了一大批国学人才，如黄侃、刘文典、鲁迅、周作人、钱玄同等等。在民国时，就有一种说法，北大文科几乎是章氏弟子的天下。可见，俞樾在中国近

阅读链接：
俞润民、陈煦：《德清俞氏：俞樾、俞陛云、俞平伯》，中国人民大学出版社，1999 年版。
李风宇：《失落的荆棘冠——俞平伯家族文化史》，长江文艺出版社，2000 年版。
张欣：《花落春仍在——俞樾和他的弟子》，广东教育出版社，2006 年版。

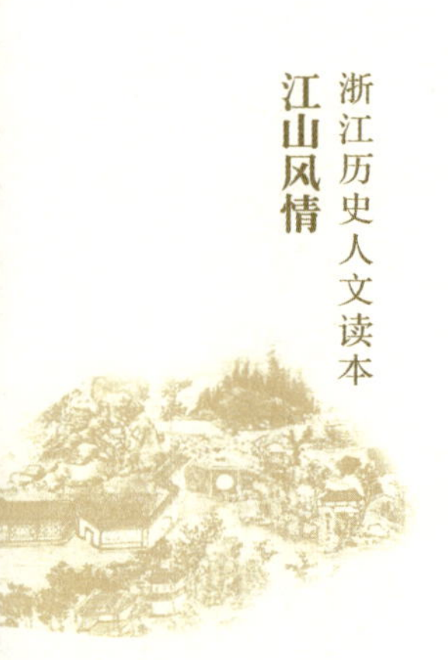

现代学术史上的地位。

当然，俞樾也重视对子孙的培养，在他之后德清俞氏出现了两位大家。俞樾的儿子因种种原因早亡，他将自己的希望全部寄托在孙子俞陛云(1868—1950)的身上。俞陛云自幼承家学，受祖父俞樾的亲自指导。俞樾为了培养孙子，专门为他编写了《曲园课孙草》一书，教导孙子走上科举之途。功夫不负有心人，光绪二十四年（1898）俞陛云以第三名探花及第，授编修。民国成立后，出任浙江省图书馆监督，后来被聘为清史馆协修，负责《清史稿》“兵志”和“列传”两个方面内容。受祖父俞樾的教导，他在文学、书法方面都有很高的成就，著有《诗境浅说》《诗境浅说续编》《唐五代两宋词选释》等书籍。这些书籍在当时流行于世。

俞陛云之子俞平伯（1900—1990），自幼熟读经书，传承家学，但没有囿于家学的桎梏，开始接受新事物，成为一个文化新人。五四运动时期，他成为一位精通于旧体词曲，但提倡新体诗的现代诗人，推动了近代文学的发展。他所著的《冬夜》《西还》两集，风靡白话诗坛。除了文学创作，俞平伯在学术上最为显赫的是红学。终其一生，不断进行《红楼梦》研究。其《红楼梦辨》一书是“新红学派”的代表之作，他抛弃了以往零零碎碎研究红学的方法，开创了系统研究《红楼梦》的先河，奠定了新红学的基础。俞平伯在现代文学史上的地位可见一斑。

德清俞氏家族，几代人淡泊名利、诗礼传家，成为近现代著名的文化世家。在文化传承上，不囿于传统家学，而是勇于创新，延续了文化世家的生命力。

科举兴族，诗书传家：晚清民国吴兴钱氏世家

中国有句古话叫“诗书传家”，这反映了中华文化传承的有趣现象。千百年来华夏大地上涌现出大批有良好传承的文化世家，然而，进入近代，西学、新学的兴起，在家族文化传承上出现了新的问题。虽然依旧是“诗文”传家，但“文”的具体内容大不相同。如果我们把吴兴钱氏家族中，钱振常（1825—1898）、钱恂（1853—1927）、钱玄同（1887—1939）、钱三强（1913—1992）放在一起比较，就会发现奇怪的现象。钱振常是一个接受传统儒家熏染、通过科举走上仕途的传统知识分子；而他的两个儿子，钱恂是一个接受西学的出色外交家，钱玄同则是坚决反对传统文化的新文化倡导者；钱玄同之子钱三强是核物理学家、“两弹一星”元勋，掌握现代先进的科学知识。祖孙三代时间跨度不长，但从所学学问来看，已经大相径庭，家族文化的传承出现了巨大的断裂和变异。

从吴兴钱氏家族的崛起来看，还是走了老路，通过科举兴族。在钱振伦（1816—1879）、振常兄弟之前，钱氏不但不是地方望族，甚至还可以称为贫寒之家。《钱氏家乘》中记载，乾隆年间，钱振伦、振常的祖父钱允凤因家境贫寒，不得不入赘湖州城南街的李氏，只有钱振伦这一支后恢复钱姓。钱振伦之前，全族没有族谱存世。按照湖州地方习俗，没有修立家谱的贫寒人家，往往将死者的名字、生卒年月写下来，放到寺庙中，也正因如此，等到钱恂编写《钱氏家乘》时，能从庙里找到家族成员的记录。

阅读链接：

郭谦：《影响百年中国的文化世家》，海南出版社，2006年版。

邱巍：《吴兴钱家：近代学术文化家族的断裂与传承》，浙江大学出版社，2009年版。

吴锐：《钱玄同评传》，百花洲文艺出版社，2010年版。

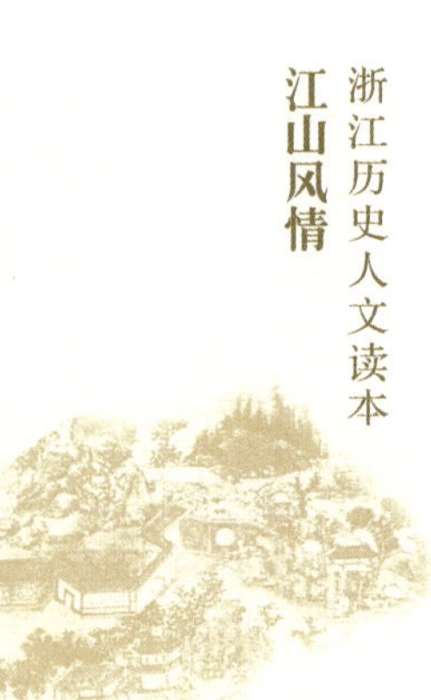

吴兴钱家的发展出现转折，始于钱振伦的中举。道光十八年（1838），年仅22岁的钱振伦，在会试中考中了进士，被钦点为翰林。同治六年（1867）钱振常乡试得中举人，同治十年（1871）中进士，同榜有瞿鸿禨、劳乃宣、张佩纶这些后来的政坛名人。钱振伦、钱振常兄弟的先后中举，把钱氏家族带入了一个全新的文化平台和社会关系网络中。由科举入仕途，并不能直接带来什么文化资源，但伴随人际网络的扩展，钱氏家族子弟的视野和学识得到扩大和提高，仕途中的社会资源也日趋丰富。

钱振伦与辅佐清王朝中兴的曾国藩是同年，都是道光十八年进士，又同是江阴季仙九门下，两人关系匪浅。钱振伦原配去世后，他娶了体仁阁大学士翁心存之女翁端恩，成为光绪朝维新名臣翁同龢的姐夫。翁端恩并非一般女性，她擅长诗词，是一代才女。钱振伦母亲去世后，致仕回到湖州，从此潜心学问，长期在扬州梅花书院、淮阴崇实书院任山长，传道授业。钱振伦是晚清著名的骈文家，诗学上有很高成就。这些政治资源和学术资源，为钱氏家族的迅速崛起提供了便利条件。

钱振常之子钱恂一生仕途的顶峰是以道员出身，二品大员的身份出使荷兰和意大利两国。钱恂能任此职，与他家族积累起来的人际网络有很大关系。钱恂中秀才后，乡试长期不中，只好跟随父亲钱振常游幕，其父辞官出任绍兴书院山长后，他开始了独立的游幕生活。钱恂仕途的起点是入幕晚清洋务重臣薛福成门下，并随同薛出使西欧各国，而薛福成的恩师李联绣正是钱振伦的妹夫。钱恂的才干后来得到张之洞（钱振常曾经是张之洞的幕僚）的欣赏，并成为张的入幕之宾，张之洞多次上书保举钱恂。在众多人士的关照下，钱恂的仕途达到顶峰。钱恂入仕后，主要从事的是外交活动。1905 年，为赴东西洋考察宪政大臣参赞官，1907 年出使荷兰，次年出使意大利，1909 年回国。他结合自己的外交经历著有《中外交涉类要表》《帕米尔图说》《中俄界约校注》等著作，这些资料成为考察我国边界变动情况的重要参考。

钱玄同在学识上与其父兄有显著的差异。在五四新文化运动中，钱玄同成为了激进主义的代表性符号。而早年的钱玄同依然熟读儒家经典，12 岁前，他在父亲和家塾老师的指导下，阅读《尔雅》《周易》《尚书》《礼记》“四书”《左传》等。正是这样有扎实儒学功底的人，提出了废汉字、反对骈文浮华文风的主张。而骈文正是钱氏家学中重要的内容，钱玄同几乎成为向传统作断裂式告别的代表人物。钱玄同之所以发出这样的声音，恐怕与五四时期中国面临的巨大民族危机有很大关系。

钱玄同的儿子钱三强，受家庭和社会的影响，从小就关心国事，立志长大以后报效祖国，但选择了一条与父辈截然不同的道路，长大后他选择了工业兴国的道路。1929 年考入北京大学理科预科，最后对物理学产生兴趣，成为新中国“两弹一星”的元勋，在中国科技史上留下了浓墨重彩的一笔。

钱氏家族是近代文化世家中，具有一定代表性的家族。在时代的激烈巨变中，传统的家学传承方式已经失去了活力和生命力，在知识、教育、文化等方面的断裂是这些文化世家的重要特征。西学、新学对传统的冲击并不是单个家族特有的现象，这仅仅是时代主题在家族发展中的投影。社会要发展，家族要进步，只有与时俱进，紧跟时代步伐，才能展现更大活力，钱氏家族后人的选择充分证明了这一点。

开近代风气之先：晚清民国瑞安孙氏世家

孙诒让像

瑞安孙氏世家世代书香，在温、处两府早有盛名。晚清从孙氏家族中走出的孙诒让（1848—1908），在学术上的成就，举世瞩目。章太炎曾经夸赞他为“三百年绝等双”（章太炎《章氏丛书·孙诒让传》），他享有这些称号毫不过分，作为清末著名朴学大师、甲骨文研究的开山鼻祖、中国近代新式教育和实业救国的先驱，确实是近三百年来，无人能及。郭沫若先生评价他是“启后承前一巨儒”（余振堂《瑞安历史人物传略》）。然而，一个传统经学世家走出的人物，怎么在这时候开始普及新式教育，甚至发展实业，并开风气之先呢？其实这也有一个逐步演变的过程。

瑞安孙氏家族素有书香门第之称。其祖籍福建长溪，五代时才迁居浙江瑞安盘谷村，世称盘谷孙氏。孙家祖上殷实，有耕读传家的传统，到孙诒让祖父持家时，家族不管在经济上还是在文化上，都有一定的积累。孙家二进十一间大房，在当地甚是气派。祖父孙希曾“家居好学，尤善书，手抄书辄数千纸，家中所藏书率多丹黄云”（孙延钊《孙衣言孙诒让父子年谱》），家中藏书丰富，同时将希望寄托在两个儿子孙衣言（1814—1894）、孙锵鸣（1817—1900）身上，重视对他们的培养。

孙诒让的父亲孙衣言清道光二十四年（1844）中举人，道光三十年（1850）中进士，官至太仆寺卿。孙衣言为官时，天下已不太平，英国人的炮火已经敲开了国门。咸丰八年（1858），他在任上书房师傅时，英法联军入侵天津，朝中是和是战犹豫不决，他两次进言，提出御兵的方法。外放任官后，他跟随洋务名臣沈葆桢一起从事洋务活动。孙衣言的从官经历，让他认识到在如此世事下，经世致用的重要性。在学术上，他对永嘉学派的观点极为推崇，尤其赞同永嘉学派的学以致用，反对空谈义理的主张。光绪五年（1879），告老还乡后，在家乡传道授业，宣扬永嘉之学。父亲从政务实的作风和踏实治学的态度，对孙诒让以后的学术、政治观点产生了重要影响。

孙诒让的叔父锵鸣，也是满腹诗书，颇有文名。进入仕途后，他像其兄长一样贯彻永嘉学派的事功之学。道光二十一年（1841）中进士，入翰林院，道光二十七年（1847）任会试同考官，在他任职期间，后来的不少洋务名臣出自他门下，如李鸿章、沈葆桢等人。退休后，在书院执教，先后主持苏州、南京、上海、瑞安等书院。在书院里，他以弘扬永嘉学派的义理为重任，提出妇女放足、开办女子学校的主张，号召向魏源、冯桂芬等改革家学习，来解决清王朝面临的问题。

如果说孙诒让的父辈们在开社会风气上主要是停留在口号和主张上的话，那么到孙诒让时，则是大规模的实践了。孙诒让自幼勤奋好学，深得父辈的真传。同时，日益紧迫的民族危机，让孙诒让意识到图变才有希望。

中法战争中国不败而败，中日甲午战争输给弹丸小国，两次战争的结果，深深地刺激了孙诒让。传统儒学应该往哪里去？光绪二十二年（1896），他在瑞安组织了兴儒会，倡导兴儒救国。在他看来，开办学堂，宣传儒学，开发民智，中国才有希望。

阅读链接：
孙延钊：《孙衣言孙诒让父子年谱》，上海社会科学院出版社，2003 年版。
吴光主编：《中国文化世家·吴越卷》，湖北教育出版社，2004 年版。
李海英：《朴学大师——孙诒让传》，浙江人民出版社，2007 年版。

他开始了在浙江创办新式学堂的历程。同年，他在瑞安发起创办了算学书院（后改称学计馆），教授数学、物理、化学等现代科学知识。次年又同友人创办瑞安方言馆，除讲授汉文外，还教授英文及外国史地等。他还参与创办温州蚕学馆，用之教授种桑养蚕的方法，并将法国、意大利、日本等国的蚕桑学知识引进过来，蚕学馆在当时是我国最早的职业学校。孙诒让创办的新式学堂，所教授的知识，早已经突破传统儒学经史子集的范畴，他从经世致用的角度出发，将现代科技引进过来。

孙诒让可能认为仅仅创办学堂还不够，他要将创办实业的理念用于实践。后来，又筹措在永嘉开矿，创办实业。光绪三十年（1904），聘请英国工程师专程来温州考察钨、锑、铁、铅的矿藏情况，后因为交通不便而中辍。为了改善温州交通状况，他引进新式轮船，创办轮船公司。为了开发渔业，光绪三十一年（1905），与南通张謇创办江浙渔业公司，采用新式渔轮，运用现代捕捞方法。孙诒让一系列的实践，带动了温州乃至浙江的实业发展，加快了地方近代化的进程。

作为一个饱读诗书的大儒，去办新式教育、办矿务、开公司，在晚清以前不仅闻所未闻，还要受到士大夫集团的攻击和鄙视。然而，瑞安孙氏家族，他们却做到了。传统的书香世家，一跃成为开社会风气的领头羊。究其缘由，这既是其经世致用家学的实践，也是其家族在时代变迁面前自觉的选择。孙氏家族的这个转变过程，实际上也反映了中国社会在近代的转变过程。

南浔四象：晚清民国南浔刘、张、庞、顾四家

南浔“四象”之首刘镛像

晚清以来的湖州南浔镇，是中国最重要的蚕丝产地，靠出产“辑里丝”闻名于世。明代时，湖州南浔镇出产的蚕丝因白、净、柔、韧等特点，被海内外客商青睐。近代以来，不少商人依靠丝织品贸易成为财力雄厚的巨贾，这群商人因此被冠以“南浔商帮”的美誉。在湖州，有一句俗语来形容这些商人，即“四象八牛七十二条金黄狗”。能称得上“象”的，其家产要在100万两白银以上，南浔刘家、张家、庞家、顾家四大家族，因资力雄厚，被冠以“四象”的称谓。

南浔刘家、张家、庞家、顾家四大家族的崛起，是以1840年鸦片战争后，中国被迫开放为契机的。鸦片战争中国战败，上海成为我国最早开放的口岸之一，这便利了“辑里丝”开拓广袤的海外市场。工业革命后，欧美各国的丝织业突飞猛进，生产效率大大提高，对生丝的需求量与日俱增。南浔商人看准了这一点，将大批辑里湖丝运往上海寻找外销渠道。南浔“四象”就是这种拥有敏锐商业嗅觉的商人。“四象”之首的刘家，其创业者刘镛（1826—1899），在19世纪40年代到上海发展时，了解了洋商商业活动的内幕和湖丝在国际市场的行情，马上将家乡收购的生丝运往上海销售，获利丰厚，奠定了刘家崛起的基础。

“四象”之一的张家，其创业者张颂贤（1817—1892），原来只是经营小酱盐店，自上海开埠后，发现湖丝外销旺盛，寻得了商机，拿出所有积蓄在南浔和上海设分社行号与洋商贸易，经销湖丝。由于经营有方，骤成巨富。

居“四象”第三的庞家，其创业者庞云镨（1833—1889），幼年追求功名，期望光耀家族，但到 15 岁时，家道中落，不得不辍学，最初在镇上裕昌丝行充当学徒，有一定资本后与镇上张家、蒋家合办丝行，由此发家。但庞云镨并不满足于此，他看到太平天国运动失败后大量资本从上海撤出出现的真空，独资在上海创办庞怡泰丝行，与外商直接打交道，并进入洋行担任丝通事，充当买办，不仅获得了商业信息，也使自己的丝行从中获利丰硕。

“四象”之一的顾家，其创业者顾福昌（1796—1868），在上海尚未开埠前，就在上海与外商联系，加上他精通外语，上海开埠后更是鱼儿得水，与外商往来频繁。他看准了南浔湖丝的市场前景，相继在南浔、上海两地分别开办了丰盛丝经行和寿泰丝栈，从事湖丝贸易。在南浔众商当中，顾氏是最早与外商联系、在湖丝对外贸易中获得高额利润的商人。

近代上海的开埠，是一个难得商业契机。浔商以商业敏锐性和大胆的魄力，捕捉到了这个机遇，让湖丝走向了世界舞台，南浔刘家、张家、庞家、顾家也因此崛起。

往往在繁荣的背后都潜伏着危机，湖丝贸易同样如此。湖丝的外销主动权一直掌握在外商手中，南浔商人没有定价权。

进入 20 世纪后，日本机器缫丝业兴起，其质量优良，给湖丝带来巨大压力，压缩了湖丝的利润空间。

清末曾经发生过这样的一件事情。1882 年，“红顶商人”胡雪岩企图在国际市场上炒作辑里湖丝，他耗资 2000 万两，高价收购当年的新丝，准备抬高价格，狠赚一笔。在这个过程中，南浔“四象”之一的庞云鏳也参与其中。没想到，外商联合拒购华丝，胡雪岩的企图没有达成，到第二年夏天，囤积的生丝开始变质，胡雪岩被迫亏价抛售，损失超过 1000 万两，以至胡雪岩最后破产。庞云鏳虽没有破产，但深刻领会到了洋商的厉害，心有余悸，至于临死前还告诫子孙不要再经营湖丝。

四大家族通过经营湖丝发家致富，但他们也意识到经营湖丝的风险，在取得一定积累后，他们的第二代开始投资于其他领域。刘镛之子刘锦藻（1862—1934）后来创办电灯公司、浙江铁路公司、浙江兴业银行，成为一代爱国商人。张家张颂贤之子张钧衡（1871—1927）继承家业后，业务大为拓宽，除了经营家族传统的盐务、酱园外，在金融业典当、钱庄、信托公司，以及码头和房地产等行业都有巨大产业，家族发展达到顶峰。庞云鏳之子庞元济（1864—1949）更是清末一个大实业家，创办了多个缫丝厂、纺纱厂、造纸厂。他与丁丙创办的缫丝厂是当时中国规模最大的机器缫丝厂之一。顾福昌有三子，都继承父业，其中老二顾寿臧在创办实业方面最为有名，除涉足缫丝厂外，他还创办过面粉厂、造纸厂等。在四个家族的第二代当中，他们已经完成了从商业资本到产业资本的转变。这些从事生丝贸易的商人，转变成为了近代的民族资本家。

中国近代社会风云变幻，这些商人在经营实业的过程中必然会受到政治因素的影响。清末社会鼎革中，庞家第二代庞青城为革命捐出大部分家产，上海光复过程中，庞家帮助支付了不少军费。张家第三代张静江不仅自己投身革命，捐资革命，还把其舅父庞青城推荐给孙中山。

在特殊的时代背景下，南浔“四象”把握住了时代脉搏，成就了一番事业。

阅读链接：

嵇发根、陆松平：《丝绸之府湖州与丝绸文化》，中国国际广播出版社，1994 年版。

陈永昊、陶水木：《近代中国最大的丝商群体》，浙江人民出版社，2001 年版。

董惠民、史玉华、李章程：《浙江丝绸名商巨子：南巡“四象”》，中国社会科学出版社，2008 年版。

一门三杰：清末民国绍兴周氏三兄弟

20 世纪中国文坛上，出现了不少文坛巨擘，然而能以一家兄弟同时闪耀其间且影响巨大的，唯有周氏三兄弟。兄长周树人，笔锋刚劲桀骜，以批判社会为己任，是笔杆子里的革命家；二弟周作人，虽然一生曲折复杂，在民族大义上有过附逆失节，但在文学上的成就不容忽视，是新文化运动的代表人之一、著名的散文家和翻译家；三弟周建人，毕生谨慎勤学，是著名的社会活动家、生物学家和妇女解放运动先驱。在那样一个非常特殊的历史时期，一个家族能同时出现三位新文化巨匠，可以说是前无古人。

浙江绍兴周氏家族是一个“诗礼传家”的书香门第和官宦世家，也是当地的

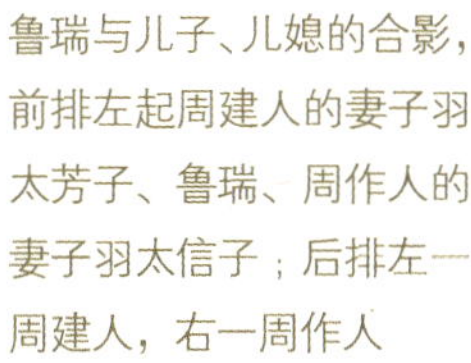

鲁瑞与儿子、儿媳的合影，前排左起周建人的妻子羽太芳子、鲁瑞、周作人的妻子羽太信子；后排左一周建人，右一周作人

名门望族。三兄弟的祖父周福清（1838—1904）出身翰林，做过江西金溪县知事，后来到北京担任内阁中书；父亲周伯宜（1861—1896）秀才出身，却因屡次乡试未中，一直闲居在家中。1893 年，周福清为其子周伯宜科考贿赂考官被揭发，周家变卖大量资产疏通，才免除周福清死刑，周伯宜被革去秀才。“科考贿赂案”成为周家的转折点，至此周家元气大伤，家道中落，1896 年抑郁累积的周伯宜因病去世，对周家又是一个雪上加霜的打击。家族的命运影响了三兄弟日后的成长。

周树人（1881—1936），字豫才，笔名鲁迅。幼年受到很好的国学教育，但家庭的变故也让周树人体会到了下层人民生活的艰辛。1898 年，17 岁的周树人离开家乡，进入金陵的新式学堂江南水师学堂就读，开始接触进化论等进步思想；1902 年，获得公派留日机会，在东京完成语言学习后进入仙台医学学校专门学医。这段游学经历让他意识到，国人心灵的麻木需要靠文学唤醒，于是做出了影响他一辈子的决定——弃医从文。周作人（1885—1967）幼年与兄长一起在三味书屋接受传统的国学教育，1901 年进入江南水师学堂，1906 年考取官费生赴日留学，后进入东京礼教大学修读希腊文。周建人（1888—1984），因两位兄长一直在外求学，不忍母亲孤苦一人在家，故在会稽县小学堂毕业后侍奉在母亲身旁并继续刻苦自学，钻研植物生物学知识。

日本的经历，深刻影响了周树人、周作人两兄弟。在东京，周树人就开始从事文学活动，周作人受到兄长影响也从工科改学西方古典文学，尝试翻译英国小说。兄弟二人筹办《新生》杂志，失败后又一起翻译西方国家作品。他们在思想上日益趋新，1911 年辛亥革命时期，周树人和周建人一起参加了革命活动。

五四新文化运动时期，鲁迅成为新文化的旗手和巨匠。他发表的白话小说《狂人日记》，奠定了他在文学史上标杆性的地位。之后鲁迅相继发表了《孔乙己》《药》《阿 Q 正传》等一系列生动夺目的小说，反映深刻的社会现实。如果说鲁迅的白话文小说是一颗砸向当时国人麻木心灵的巨石，那其所写的散文特别是散文诗《野草》《朝花夕拾》则表现出满腔的热情与真诚，表达出在黑暗重压下的新精神与新思想。在鲁迅所有的文学创作中，最能充分体现其创造精神的还应该首推他的杂文，他尖锐犀利的笔锋写出形式丰富多彩、手法不拘一格、内容独特创新的批判性文字，包括《坟》《热风》《华盖集》《南腔北调集》《且介亭杂文》等 15 部杂文集。鲁迅一生创作丰富，是一位用纸笔作战的革命斗士，毛泽东称其为“中国文学革命的主将”(《新民主主义论》)。

五四时期，周作人追随兄长鲁迅积极投入新文化运动，发表一系列推崇文学革命的文章，成为新文学运动理论建设的宝贵作品，为新文学运动作出了重要贡献。同时，他还从事散文、新诗创作，翻译外国文学作品。周作人的散文清隽平和，幽雅的风格展现出空灵的人生境界。虽然后来在政治上倒退附逆，一些作品中体现出消极避世的闲情逸致，使得后人对他的散文内涵评价褒贬不一，但总体来说，其创作的小品文在形式上艺术上的文学成就，是中国散文的一个高峰。

本来在文学上相互扶助、亲密无间的周树人和周作人两兄弟，却因 1923 年周作人向周树人发出的绝交信而决裂，背后的原因难以说清，除了周作人日籍妻子的挑拨怂恿，与兄弟二人的性格差异和处事风格难脱关系。从此，兄弟二人再无文学上的交集，可以说是一大憾事。

周建人1920年进入北京大学攻读哲学，次年由鲁迅推荐至上海商务印书馆担任编辑。他除了编写中小学自然教科书，还开始写作科普小品文，并成为一名著名的生物学家。除此之外，周建人还是一个社会问题专家，倡导妇女解放，侧重研究妇女问题背后相关的婚姻、家庭与社会的关联，是我国现代妇女解放运动的先驱。

周氏兄弟三人，虽然出生于封建家族，受教于传统道德，但是同时走上了一条追求新生活、新思想的变革之路，成为引领社会进步的文化先锋，对中国现代文化作出了无法比拟的巨大贡献。

智言慧思

横眉冷对千夫指，俯首甘为孺子牛。

——鲁迅《自嘲》

阅读链接：

吴光主编：《中国文化世家·吴越卷》，湖北教育出版社，2004年版。

郭谦：《走进世纪文化名门——闪耀百年中国的文化星座》，海南出版社，2006年版。

史玉娟编著：《文化家族书香世家的流金岁月与精神之族》，哈尔滨出版社，2009年版。

双松挺秀：民国富阳郁氏家族

近代中国饱受外国列强侵略，在激烈的社会动荡中，个人、家族的命运与时代的命运紧密联系。在此环境下，许多文人志士，用他们的笔尖谱写对现实的批判，抒发坚定的爱国情怀，不惜以牺牲自己为代价。民国富阳郁氏家族，走出的郁曼陀（1884—1939）和郁达夫（1896—1945）两兄弟，即是一例。如今富阳鹳山之上，依然耸立着纪念他们的“双烈亭”，亭上悬挂茅盾题写的“双松挺秀”匾额，与周围风景相映成趣。

郁家是书香门第，具有良好的家族门风。尽管到郁曼陀、郁达夫的父亲郁企曾（1861—1898）时，家道已中落，但依然重视对子弟的教育。郁企曾曾为私塾先生兼中医先生，后在富阳县衙门房当小职员，1898 年因生活重负积劳成疾过世。父亲过世后，家庭生计更加困难，母亲陆氏（1866—1938）终日劳累，靠摆摊和几亩薄田艰难维持生活，在如此贫困的环境下仍坚持送儿子上学，而且都要上高等学府。

郁曼陀聪明好学，16 岁参加杭州府、道试均名列榜首，22 岁考取浙江省首批官费生赴日留学，先赴早稻田大学师范科学习，后进入法政大学法科专修，获得法学学士学位。1910 年郁曼陀完成学业回国，在北京外交部工作，两年后考取法官，担任京师高等审判厅推事，兼司法储才馆及朝阳大学刑法教授。按照如此发展，郁曼陀不管在法学界还是司法界都会有一定的作为。然而，“九一八事变”后，郁曼陀的人生轨迹发生了巨大变化。他拒绝了日军任职命令，从沈阳潜回北京，1932 年

抵达上海，担任江苏省高等法院第二分院（设在上海租界内）刑庭庭长，同时兼任东吴大学、法政大学教授。从此开始利用法律武器，反对日本暴行，维护国家权益。在任职期间，郁曼陀利用租界法权，坚持司法尊严，维护民族利益，保护爱国人士不受日伪政府和汉奸特务的利诱恐吓，当田汉、阳翰笙、廖承志等主张抗日的爱国进步人士在英租界被捕后，他积极参与营救，设法使其获释。他的行为遭到了日本人的嫉恨，1939 年 11 月 23 日，惨遭埋伏在寓所附近的日伪特务暗杀。翌年，上海律师公会等团体在上海为他举行了隆重的追悼大会。

郁曼陀之弟郁达夫，虽然没有像其兄一样拿起法律的武器，但他用尖刻的笔调维护国家的主权。郁达夫 3 岁丧父，幸得寡母持家操劳，长兄负责教养。他自幼聪慧过人，诗文俱佳。6 岁进入私塾，开始接触古典文学作品，9 岁便能赋诗，11 岁进入春江书院（富阳县立高等小学堂），在这里接受了国文和英语、近代自然科学的学习，受到传统文化和西方文化的双重熏陶。早年，郁达夫思想就开始“左”倾，1912 年，因参加学潮被之江大学校方开除。1913 年在长兄郁曼陀的帮助下赴日本留学，考入东京第一高等学校预科班，正式获得官费留学生资格，并开始尝试创作小说，此后郁达夫同文学结下了不解之缘。

幼年在私塾的学习为郁达夫打下了坚实的国学基础，进入春江书院为其接受西方文化打开了一扇窗，而在日本的学习则为郁达夫接触中外哲学和文学名著敞开了大门。

郁达夫在日本读书时期，正值中国国内掀起五四新文化运

郁达夫故居

动，他深受新文化思潮的洗礼，加上在异乡求学饱受外国歧视和看轻，使得他内心不满黑暗现实、期盼祖国强盛的情感日益强烈，并通过文学创作表现出来。1921年10月，郁达夫发表了第一部短篇小说集《沉沦》，这是我国现代文学史上的第一部小说集，开创了现代抒情小说的先河。《沉沦》强烈表达了追求自由和个性解放、反对封建专制、渴望祖国富强的青年的心声，文中不少露骨的性描写，虽遭到封建卫道士和资产阶级文人政客的竭力攻击，但受到进步学者的肯定。

郁达夫追求进步思想得到了上海文学界左翼领袖的肯定。1928年在鲁迅的支持下加入太阳社，主编《大众文艺》，1930年加入中国左翼作家联盟，1932年发表了小说《迟桂花》，这是中国现代文学史上不可多得的具有浓郁抒情味的小说。

1938年抗日战争爆发后，郁达夫远赴新加坡主编《晨星》，在南洋积极投身到了抗日运动中。他担任新加坡华侨抗敌动员委员会、文化界抗日联合会等的重要职务，写了大量鼓舞人心、抨击时弊的政论短评和诗词。1942年日军进逼新加坡，郁达夫撤退至苏门答腊，在地下接济流亡海外的文化人，并从事反日宣传。不幸被汉

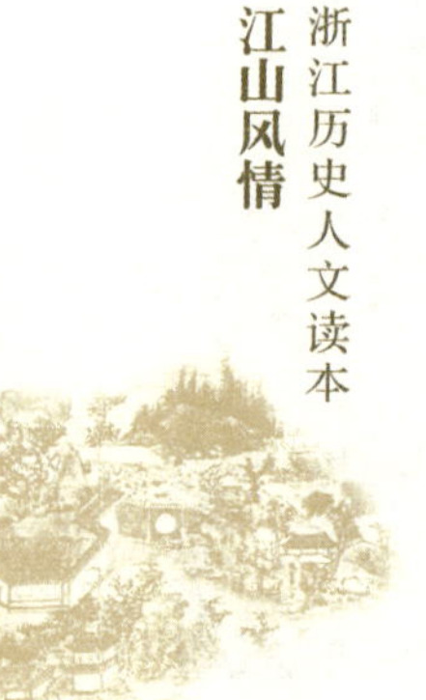

奸告密，1945 年在苏门答腊被日本宪兵杀害。新中国成立后，郁达夫被追认为烈士，1953 年，苏门答腊为他和一起遇害的反法西斯战士建了一座纪念碑，供人们悼念。

曲折而悲壮的人生道路，对郁达夫的思想性格和文学创作产生了重大影响，他的作品中传递出爱国的反帝反封建的和不满黑暗现实的积极内蕴，鼓舞人心。面对国难时，他用笔为武器，成就了一番事业。

天地有正气，正是郁曼陀郁达夫两位烈士的精神和事迹的写照。正如郭沫若题写的“难兄难弟同殉国，春兰秋菊见精神”一样，一直流传。郁氏两兄弟，不仅是郁氏家族的骄傲，也是中华民族的骄傲。

阅读链接：

郁达夫：《郁达夫全集》，花城出版社，1982 年版。

郭可慈、郭谦编著：《现代作家亲缘录》，德宏民族出版社，2004 年版。

吴光主编：《中国文化世家・吴越卷》，湖北教育出版社，2004 年版。

乡风美德

在浙江民间，
历来不缺美德故事，
忠孝、仁义、诚信的传统
已经融入
浙江人民的血脉，
也融入
中华民族的血脉。

引 言

浙江自古以来人文荟萃，深厚的文化底蕴和人文传统孕育了丰富多样的文化。浙江的传统节日、民间信仰和民间美德正是这种文化的载体和表现形式。

每个民族都有自己特有的文化符号，传统节庆正是这个文化符号的重要表征，而地域环境常常以自觉不自觉的方式影响传统节庆的具体表现形式。浙江自古就是鱼米之乡、丝绸之府，具有深厚的文化底蕴。除夕、春节、元宵、清明、端午、七夕、中秋、重阳这些传统节日自然也具有了浓厚的浙江特色。

民间信仰是地方社会共同体的信仰，地域性是民间信仰的重要特征。浙江的民间信仰多姿多彩，崇拜的神灵相当丰富。归纳而言，主要有对祖先的崇拜，和在地化、民间化的儒释道信仰，此外还有被神化的地方贤士、清官和自然现象，以及与浙江生产生活联系密切的蚕桑、水稻和茶等信仰文化。这些被创造的神灵，“佑护”自己年年丰收、趋吉避祸、平平安安。浙江幅员辽阔，各地自然地理环境和社会、经济状况并不相同，不同生产方式和民族习惯影响了他们对所崇奉的神灵的选择。如沿海地区妈祖的信仰比较繁盛，畲族有自己独特的民族信仰等等。这些民间信仰中所尊奉的神灵又对当地的生产、生活产生影响，深深地渗透到当地的社会经济、文化及日常生活等各个方面，使得不同区域的民间信仰、社会生活体现出多彩的风貌。

中国是一个具有悠久历史和灿烂文化的文明古国，在中华民族的发展长河中形成了包含仁义、忠孝、诚信等道德准则的传统美德。经过数千年的不断陶冶、实践和发展，这些传统美德已经融入中华民族的血脉，成为民族精神不可分割的一部分。在浙江民间，历来不缺少美德故事，古往今来涌现出许多具有爱国思想、高尚情操，展现传统美德的人物。传统社会里，乐善好施与孝行节义一直是统治者和知识分子阶层推崇的社会风尚。浙江出现了许多扶危济困的善会善堂，尤其在近代，这些善会善堂在维护社会秩序、倡导社会新风上发挥了巨大作用。在浙江大地上，中华民族的传统美德被浙江人不断发扬光大。

除夕：守望幸福

除夕是农历年中最后的一天，辞旧迎新是这一天的主旋律。在这一天里，家里被打扫得干干净净，以便扫除晦气，迎接新禧；人们穿新衣，贴春联，期望来年的好运；在外的游子即使离家再远也要赶回家吃个团圆饭，全家在一起熬夜守岁，迎接新一年的到来。这些内容基本上已经成为华人文化圈中共同的习俗。但因地域文化的差异，不同地区其民俗也不尽相同。在浙江民俗中，除夕展现出丰富多彩的地域文化。

苏轼的名句“儿童强不睡，相守夜欢哗”（《守岁》），描写了除夕这一天儿童欢欢喜喜热闹守岁的场景。直到今日，守岁依然是除夕活动当中的重要主题。然而，这个“守岁”到底守什么？在浙江丽水有着自己的解释。丽水民间有这样一个传说：相传古代有一个叫“祟”的妖怪，此妖奇形怪状，全身乌黑，但双手雪白，十分吓人。每到除夕夜，它就出来祸害人间，但它有个特点，专门祸害小孩，一旦小孩被它摸到，就会高烧不退，危及生命。为了小孩的健康和安全，除夕这一天，父母都会守着小孩，以防“祟”来作怪。“守岁”的传说各地有异，但丽水的传说却包涵着父母对孩子浓浓的爱。

在中国，传统节庆一定会和特殊的饮食习惯联系起来。除夕夜，大家都要吃年夜饭，在很多地方鱼这盘菜是不能动的，必须把它剩下来，这叫“年年有余（鱼）”。在浙江也有这样的习俗，但除此之外，在嘉善农村，年夜饭要吃塌棵菜，这不仅是因为“塌棵”与“脱苦”谐音，暗示了苦尽甘来，还与一个美好的传说有关。民间传说，有一家父女，乐善好施，但因接济了贫苦人家，以致囊中羞涩，无钱过年，只好吃塌棵菜，老天爷因为他们的善举而感动，就送给父女俩一船金银，从此吃塌棵菜的习俗就流传开来。在东阳，则有“切年糖”辞旧岁的习俗。民谚道:“切年糖，担年糖，娘想囡来囡想娘。切好年糖好过年，家家户户寿福长。”（浙江省民间文艺家协会选编《浙江民俗大观》）其实，除夕吃什么，怎么吃，都只是一种形式，更为重要的是蕴含其中的文化实质——对幸福生活的向往和追求。正是这种文化实质，才赋予了除夕节庆经久不衰的文化价值和生命力。

除夕作为中国人最重要的节庆之一，必然会与特定的仪式和活动联系起来。一般而言，除夕到了祭祀祖先是必不可少的，浙江也不会例外。鲁迅的《祝福》一文使得绍兴除夕“祝福”在全国闻名遐迩。他在文中有这样的描述：“这是鲁镇年终的大典，致敬尽礼，迎接福神，拜求来年一年中的好运气的。杀鸡，宰鹅，买猪肉……煮熟之后，横七竖八的插些筷子在这类东西上，可就称为‘福礼’了。五更天陈列起来，并且点上香烛，恭请福神们来享用，拜的却只限于男人，拜完自然仍然是放爆竹。年年如此，家家如此。”在鲁迅的笔下，“祝福”并不仅仅是一场仪式，他将此与封建主义的政权、族权、神权和夫权联系起来。

然而，“祝福”的文化内涵仅仅只有这些吗？我们可以从祝福供奉的神像中看出另外的端倪。在祝福时，家家户户都会供“祝福菩萨”“大菩萨”。在神像上要么印着“黄山西南”，要么印着“南朝圣宗”。这两种不同的画像代表着不同的传说。相传，金兵南下时，绍兴两兄弟为了保护家园，佯装为金兵带路，趁夜黑，将金兵

阅读链接：

阮庆祥、桂全：《绍兴的祝福》，见浙江省民间文艺家协会选编《浙江民俗大观》，当代中国出版社，1998 年版。

唐宗龙：《丽水的守岁》，见浙江省民间文艺家协会选编《浙江民俗大观》，当代中国出版社，1998 年版。

徐冰若、阮庆祥、杨乃浚：《绍兴民俗文化》，中华书局，2004 年版。

清　姚文瀚
《岁朝欢庆图》

引到海边滩涂，以筋疲力尽为由，劝金兵就地休息。到午夜，海潮突袭，金兵被巨浪吞没，两兄弟为了救家乡父老，也不幸牺牲了。后人为了纪念他们，以他们的牺牲地点为名，将他俩尊为“黄山西南”。“南朝圣宗”则是为了纪念抗清的“福王”以及杨继盛、左光斗、史可法等。可以说，绍兴的“祝福”除了祭拜先祖外，还包涵着爱国主义的元素。

在浙江，除夕时的活动还有很多，武义在除夕夜有“点火射”的习俗，这主要是为了燎火辟灾，消除疾病，迎接新春。在畲族当中，还有“焐年猪”的习惯，讨一个来年兴旺吉祥的彩头。其实，不管节庆活动如何多样，但对幸福生活的追求却是永恒不变的。

春节：祈盼新禧

春节，原名为元旦，即农历年的第一天（农历正月初一）。它是中华民族传统节庆中最受重视、最隆重的佳节。春节到来之际，全国上下都弥漫着喜庆、祥和的气氛，祭祀先祖、迎新纳福、祈求丰年成为节日期间活动的主题。浙江各地的风俗与全国一样，新春佳节也特别喜庆、欢乐、祥和，与之相关的节庆活动也丰富多彩，然而在这些活动中，很多蕴含着浙江风味。

春节中有“开门爆竹”的传统，为迎接新一年的到来，新年第一天家家户户做的第一件事就是燃放爆竹，我们常说的“爆竹一声除旧岁，桃符万户换新春”，正是这种习俗的写照。春节放鞭炮的习俗由来已久，但何时开始已经不可考。传说，春节放鞭炮是为驱逐“年”这种怪兽，有驱灾辟邪的意味。在浙江，春节时有“开门炮”的说法，尤其是在农村，春节的第一声炮响，除了贺岁驱邪之外，也预示“爆发”、兴隆。在绍兴，“放开门爆仗”，寓意“早升早发”。

放完开门炮，紧接着的是祭祀祖先。在浙江，祭祀祖先是必不可少的，但祭祀的形式各有特色。在宁波，主要是设香烛、陈果饵。在宁海，设有净茶、新饭、五色果等。在丽水，由家中老者焚香烛，在先祖牌前拜祭。在台州，各家插烛焚香，用茶果祭拜。在绍兴，家家户户需要用三茶六酒、枝圆桃枣（荔枝、桂圆、胡桃、黑枣）焚香接神，祭祀先祖。形式尽管多样，但对先祖的缅怀是一致的。

正月初一清早，在浙江有“行香”的习惯。天还未亮，便已经沐浴更衣，赶到寺院前等开殿门，争头香。有人为了抢到头香，甚至彻夜不眠，表示虔诚。在杭州，灵隐寺抢头香甚是有名，不少信众到此抢头香祈福。此外，春节期间亲戚、朋友、邻里间需要相互走动，互致问候，谓之贺岁，或拜年，这与其他地方基本一样。

在饮食方面，作为新年第一餐，正月初一的早餐，十分重视讨彩头，很有浙江特色。在杭州早餐主要是甜食，有糖莲子、糖年糕或甜汤团，寓意是“一年甜到底”。在宁波、绍兴，早餐多吃汤圆或汤元，寓意“团团圆圆”和“恭贺元日”。镇海等地，主要喝红枣汤或桂圆汤，寓意红红火火，富贵团圆。余姚等地也是吃年糕的习惯，寓意年年高。在金华，则主要吃面，而且面条越长越好，主要是讨个“长寿”的彩头。温岭、三门等地吃发糕，寓意发财、高升。天台人则吃“五味粥”，主要是用红枣、红薯、芋头、红豆、豆腐和米一起熬成粥，叫做“祈五福”，主要是讨吉利，盼长寿。初一的中餐，一般不吃米饭，多吃一些米糕、面点和汤肴，寓意为一年顺顺利利，无口舌之灾。其实，不管吃什么，都是为了新一年的生活越来越好。

除此之外，畲族的“摇毛竹”风俗是一项地方性很强的民俗活动。畲族依山而居，竹子与畲族人的生产生活有很密切的联系。“摇毛竹”的风俗就是畲族民众在漫长生产实践中形成的。有这样一个美好的传说，相传“毛竹娘有两个孩子，大孩叫春笋，小孩叫冬笋，春笋勤快，冬笋贪玩。一天，毛竹娘被山角精踢伤，行动不便，只好整天站立，生活全赖春笋照料。贪玩的冬笋不听妈妈的警告，一次又一次险遭山角精所害。后来，毛竹娘母

子俩同心协力，终于把作恶多端的山角精埋入深泥中，让它化作竹角马鞭，这精怪就不能再出来害人了。因为在斗山角精时，是春笋用力摇动竹娘的直立身子，飞出许多竹叶，片片竹叶飞舞，打瞎了山角精的眼睛，才制胜了这个精怪”（浙江省民间文艺家协会选编《浙江民俗大观》)。畲民因此认为竹娘能驱妖降吉，“摇毛竹”期盼孩子健康成长的风俗便流传下来。

作为中华民族最重要的节日之一，春节及其固有的民俗已经成为整个中华民族的共同文化基因，但同时我们应该注意到受区域文化的影响，其表现形式是丰富多彩的，浙江丰富而多样的春节民俗便是生动的例子。

明　钱贡《岁寒图》

阅读链接：

童涉：《丽水人过年》，见浙江省民间文艺家协会选编《浙江民俗大观》，当代中国出版社，1998年版。

唐宗龙：《大年初一摇毛竹》，见浙江省民间文艺家协会选编《浙江民俗大观》，当代中国出版社，1998年版。

叶大兵编：《浙江民俗》，甘肃人民出版社，2003年版。

元宵节：团聚在灯彩中

元宵节（农历正月十五），又称上元节、灯节、元夜等，是春节过后又一个汉族的重要传统节日。元宵节恰逢一年中第一个月圆之夜，是一元复始、大地回春的美好夜晚。作为庆贺新春的延续，元宵节成为中国人全民狂欢的节日，吃元宵、赏花灯、猜灯谜、舞龙、舞狮子成为节日中的重要民俗。元宵节历史悠久，关于元宵节的习俗在全国各地也不尽相同，浙江的元宵节很有地方味道。

浙江的元宵节历史悠久，杭州临安作为南宋的都城，在统治者与民同乐基调的影响下，元宵节的节庆活动十分丰富、热闹。每当农历正月十五之夜，全城有盛大的灯展、猜谜活动，游人如织，热闹非凡。在此后的几百年间，元宵节日益与浙江地方文化结合，表现出许多独特之处。

舞龙是元宵节娱乐的主要活动之一，浙江有丰富的舞龙活动，极具地方特色的是温州的板凳龙。据说此项活动由汉代的“舞龙求雨”的宗教活动演变而来。相传，在很久以前，温州地区遇上大旱，在百姓的祈求下，东海的一条水龙布施云雨，拯救了黎民，但水龙也因此得罪玉帝，被严惩，玉帝将其处死，

并剁成数段抛下人间。温州地区的民众为了感谢水龙的救命之恩，将其身体放在板凳上，拼凑起来，每到正月农闲的时候，就举行舞“板凳龙”的活动，以感谢水龙的恩德。后来，温州舞“板凳龙”的习俗与元宵节的娱乐活动慢慢融合，现今已经成为独特的民俗。

元宵节中的饮食，在浙江也很有特色。元宵节，顾名思义有吃元宵的习俗。但在浙江，绝大多数地方并不是吃元宵，而是汤圆，表示团团圆圆之意。在杭州，正月十二家家户户将糯米粉搓成小团，煮熟后供奉祖先，名为“上灯圆儿”，十五日则以糯米粉搓成大团，包以胡桃、花生、芝麻、枣子、豆沙等做的馅，名曰“灯圆”。宁波汤圆甚为有名，以糯米粉为皮，猪油、白糖、黑芝麻粉为馅，汤圆皮薄而滑，馅甘味美，广受欢迎。此外在金华，有吃馒头、麦饼的习惯，寓子孙发达，家庭大团圆之意。东阳则吃杨梅团子。平阳山区更为特殊，在元宵节有“吃毛芋”的饮食习俗，当地的俗谚云：“年年吃芋，年年有余。”“芋”与“余”谐音，人们以此来

明代绘画中的元宵灯会

图个吉利。在泰顺，有吃“百家宴”的习俗。吃什么虽有千差万别，但图个吉利却是相同的。

元宵节在浙江还有更特殊的地方。说到正月十五闹元宵，估计很少有人提出异议，但在浙江台州，这里的元宵节并不在正月十五，而是在正月十四。追究其来历，有多种说法。一说，元朝末年台州农民起义领袖方国珍，为反对蒙元暴政，潜逃入海，在松门一带聚集水师千余艘，多次打败前来追剿的元军和乡勇，在元宵节来临的时候，为了防止元军偷袭，将节日提前了一天。一说，方国珍极为孝顺，他的母亲周氏是一个虔诚的佛教徒，每逢农历初一、十五，都要吃斋念佛。方国珍建立地方政权后，为了博取母亲欢心，将上元节的庆祝活动提前到正月十四日，以便他的母亲能与万民同乐，这个习俗于是年复一年，相沿至今。一说，民族英雄戚继光在台州抗倭，为了迷惑倭寇，故意放出假消息说，为了保护元宵节庆祝活动的安全，全体官兵提前一天自由观灯。此消息被倭寇得知后，于正月十四日偷袭戚家军，戚继光诱敌深入，一举歼灭入城敌人。此后老百姓为纪念这个特殊的日子，便将错就错把元宵节改在正月十四夜。哪种说法为对，已不重要，每到正月十四日，台州的元宵节就达到了高潮，各种花灯充斥街道，热闹非凡。

时至今日，就浙江省而言，元宵习俗保存良好的是海宁硖石。海宁硖石的元宵节一共要持续6天。农历正月十三为上灯，十五达到高潮，十八为落灯，这个过程统称为“灯节”。在整个活动中迎灯、赛灯、灯谜等民俗活动异常丰富，更难得的是在上千年的传承中，这些活动又与本地区的传统信仰和生产生活相结合，体现出浓郁的地方风味。正因如此，海宁硖石的元宵灯会被确定为浙江省元宵节保护示范标志地，并作为浙江省首批“国家级传统节日保护示范基地”。

元宵节在浙江呈现出异彩纷呈的局面，从一个侧面说明传统节庆与地方民俗结合才能具有历久弥新的生命力。

阅读链接：

杨乃浚：《绍兴闹元宵》，见浙江省民间文艺家协会选编《浙江民俗大观》，当代中国出版社，1998年版。

曹志天：《台州正月十四闹元宵》，见浙江省民间文艺家协会选编《浙江民俗大观》，当代中国出版社，1998年版。

叶大兵编：《浙江民俗》，甘肃人民出版社，2003年版。

清明节：慎终追远

清明，是我国二十四节气之一，一般在公历4月4日或5日，正是大地回春、阳光明媚、草长莺飞的时节。《岁时百问》说："万物生长此时，皆清洁而明净，故谓之清明。"这恰是清明节时令的真实写照。按照传统习俗，清明节是最重要的祭祀节日之一，是祭祖和扫墓的日子，也是出门踏青的时节。南宋诗人吴惟信在《苏堤清明即事》中就有这样的描述："梨花风起正清明，游子寻春半出城。日暮笙歌收拾去，万株杨柳属流莺。"他的诗句生动地描写了清明时节西湖游人如织、流连忘返的景象。

直到现在，扫墓、踏青依旧是清明节的主题。在浙江，清明时节为祖先扫墓成为最重要的事情。在杭州流行做"清明果"，用它上坟祭祖、馈送亲友，剩下的自己食用。在绍兴，上坟要有"上坟鹅"，绍兴话里"鹅"与"我"谐音，表示"我"来祭奠列祖列宗；另外上供还要用芽豆，寓意为有想头，有希望。湖州的清明更为隆重，有"五日寒食共清明"的说法，祭祀内容繁多，主要分为祠祭、墓祭和家祭三种。丽水的扫墓一般在清明节的前三天或后四天，俗称"前三后四"。扫墓时备有必

要的祭品，如香烛、茶、饭等，用以向祖先祈求平安。浙江各地祭奠祖先的方式虽有差异，但缅怀先祖的情感是共通的。

其实，在祭奠祖先中，缙云的轩辕氏祭典尤为特别。相传黄帝轩辕氏在仙都鼎湖峰驭龙升天，西汉以来缙云就有祭祀轩辕氏的活动。东晋时，缙云山建起了“缙云堂”，唐天宝年间，唐玄宗敕改“缙云堂”为“黄帝祠宇”，民间的祭祀活动逐渐得到官方的认可，此后缙云成为南方祭祀轩辕黄帝的唯一场所。清明节这一天，是缙云祭拜黄帝的重要日子。祭祀礼仪庄严而肃穆，设击鼓、撞钟、恭读祭文、献三牲五谷、献黄酒鲜花、献祭乐祭舞等内容。祭典期间还有丰富有趣的民间表演活动，如竹马、旱船、秧歌、腰鼓等表演。近年来，祭典规模逐步扩大，吸引了大量海内外华人参加。缙云的轩辕氏祭典体现了对华夏始祖的崇拜。

宋代绘画中的清明春游图景

阅读链接：

湖风：《湖州人过清明节》，见浙江省民间文艺家协会选编《浙江民俗大观》，当代中国出版社，1998年版。

刘映月、袁克露：《清明大似年》，见浙江省民间文艺家协会选编《浙江民俗大观》，当代中国出版社，1998年版。

叶大兵编：《浙江民俗》，甘肃人民出版社，2003年版。

浙江自古蚕桑业、丝织业发达，清明节与蚕桑文化结合，使得浙江的清明节具有浓厚的地域色彩。清明节的蚕花庙会体现出浓郁的“祈蚕嬉春”的吴越文化特征。每年清明杭嘉湖各地盛行“轧蚕花”庙会，新中国成立后，这个习俗一度被中断，近些年再度兴起。蚕花庙会从每年清明节(俗称“头清明”)开始，至清明第三天（俗称“三清明”）结束。其中头清明相当热闹，百姓纷纷涌上集镇背着蚕种包，头插蚕花，到蚕神庙祭拜蚕花娘娘，祈祷蚕花丰收。清明节“轧蚕花”是传统蚕桑生产地杭嘉湖地区十分重要的民俗，它与人们的日常生产生活紧密相连。

除了庙会，浙江桐乡河山镇还有“清明大似年”的说法。这一天全家人在一起吃团圆饭，饭桌有几个传统菜：炒螺蛳、糯米嵌藕、发芽豆、马兰头等。这几样菜都跟养蚕有关。据说把吃剩的螺蛳壳往屋里抛，发出的“嚓啦啦、嚓啦啦”声音能把老鼠吓跑；毛毛虫会钻进螺蛳壳里做巢，不再出来骚扰蚕宝宝。吃藕主要是祝愿蚕宝宝吐的丝能像藕丝一样又长又好。吃发芽豆，主要是讨个彩头，蚕花长得好，能发家致富。湖州人过清明也有吃螺蛳的习俗，但他们要把螺蛳壳撒上瓦，据说螺蛳在瓦上滚动发出声音，能把老鼠吓跑，它就不会再出来祸害蚕宝宝了。

清明节时的民俗在浙江所体现出的丰富内容，正是地域文化与传统节日良性互动、融合的结果。

端午节：民俗与科学

说起端午节，大家自然联想起划龙舟、吃粽子，纪念满怀对楚国热爱而投江的屈原。如今，屈原已经成为一个文化符号，超越地域和时空，深埋在我们整个民族的共同记忆中。正因如此，端午节成为具有普世性的文化、具体的民俗文化内涵、特定时节特定主体的节日。

然而，在特定历史自然环境熏染下的浙江，农历五月初五的端午节被赋予了更多的文化内涵。在浙江，端午节（又被称为端阳节）到来时，龙舟比赛热闹非凡，飘香的粽子诱人食欲。划龙舟、吃粽子显然已成为端午节的重要文化符号。

但有意思的是，如果对浙人说起划龙舟、吃粽子是为了纪念屈原，估计有不少人不会从心里认同。在杭州蒋村、五常、和睦一带，龙舟竞技十分流行，但他们的端午节划龙舟却是与“魏徵斩龙”的传说联系在一起。在绍兴，你会听到更为感人的故事，东汉年间孝女曹娥，因父亲溺于江中，数日不见尸体，于是在五月五日投江而死，因此当地人每年五月五日用划龙舟来纪念她。还有一说，江浙一带的端午龙舟是为了纪念伍子胥投钱塘江。可能是因为端午节的起源众说纷纭，引起人们的困扰，因此在半个世纪前，闻一多先生专门撰写了一篇《端午考》，来解答人们的疑惑，他说：“端午节本是吴越民族举行图腾祭祀的节日，而赛龙舟则是祭仪中半宗教、半娱乐性节目。”不管采信哪一种，都与纪念屈原一点不沾边。吃粽子也是如此，在杭嘉湖地区，粽子是老百姓喜欢的节令食品，但吃粽子并不一定要等到端

阅读链接：

顾希佳：《传统节日里的地方传统：以杭州端午节为例》，《文化艺术研究》，2009 年第 2 期。

浙江民俗学会编：《浙江风俗简志》，浙江人民出版社，1986 年版。

浙江省民间文艺家协会选编：《浙江民俗大观》，当代中国出版社，1998 年版。

午，临近年关家家户户都包粽子，清明时节邻里间相互馈送粽子，端午节用五彩线包粽子以辟邪。虽然经过千百年的文化传承和积淀，划龙舟、吃粽子与纪念屈原成为中华民族的共同记忆，但地方文化中蕴含的传统在现在依然具有生命力。

端午节除了划龙舟、吃粽子，“驱邪逐疫”也是一项重要内容。古人把农历五月称为“毒月”，把端阳称为“毒日”。在浙江民间有这样的歌谣：“端月端时天中节，诸虫百毒尽消灭。”这一天家家户户在门口悬挂一把菖蒲、艾叶，用来“压邪避毒”，同时饮雄黄酒，或将雄黄一块，裹以丝绵，投入井中，用来祛毒、杀菌。在绍兴，更为具体，这一天家门口要插“五端”，即菖蒲、艾叶、石榴花、蒜头、龙船花；要吃“五黄”，即黄鱼、黄瓜、黄鳝、咸鸭蛋、雄黄酒；要驱“五毒”，即蛇、蝎、蜈蚣、壁虎、蜘蛛。浙江其他各地，都有类似的做法，以驱毒避邪，期望一年的健康。

浙地的这种民俗，与地方气候有很大关系。农历五月，春夏之交，浙地正处于梅雨期前后，阴雨绵绵，百物容易发霉，瘟疫易于流行，在科技并不发达的古代，人们就利用各种仪式去辟邪、祈求平安。在江南水乡处处可见的菖蒲、艾叶都有宣气逐痰、解毒、杀虫的功效。可见，端午节中经过漫长历史积淀下来的民俗是有一定的科学依据的。

在浙江，提起端午还蕴含着一种特殊的人文情怀，或者也可以说是一种对美好爱情的向往。许仙、白娘子、法海的故事在浙江耳熟能详。传说，端午节时，许仙听从法海的蛊惑，逼

端午节闹龙舟

迫白娘子喝下雄黄酒，白娘子显出原形，吓死许仙，最后上演了一出白娘子大闹地府的戏剧。这个故事不知道感动了多少痴男善女。

可以说，浙江的端午节在它的演变发展过程中，早已同丰富灿烂的吴越文化结合起来。过端午不仅是纪念屈原，它还蕴含着浙人对先贤的尊敬和对美好生活的向往。

智言慧思

粽包分两髻，艾束著危冠。旧俗方储药，羸躯亦点丹。

——（南宋）陆游《重午》

七夕节：中国情人节？

农历七月初七，又称七夕节、乞巧节、女儿节，它是我国最具浪漫色彩的传统节日。传说这一天是牛郎织女鹊桥相会的日子，在葡萄架下、南瓜棚下能偷听到牛郎织女的悄悄情话；同时也是女孩子“乞巧”的节日，女孩们在这一天摆上瓜果，比赛穿针引线，祈求织女赐予巧技。

在浙江，七夕节的风俗异常丰富，不同地方表现出来的内容并不完全相同，但讴歌牛郎织女坚贞不屈的爱情以及“乞巧”是其必然主题。在杭州、宁波一带，七夕时，家家户户用面粉制作“巧果”，女孩子聚在一起比赛绣花、穿针，比谁做得好，谁做得快，谁做得巧。在绍兴，少女们躲在密密的南瓜棚下听牛郎织女的悄悄话，希望自己也能得到像牛郎织女一样坚贞不渝的爱情。金华一带则流行杀公鸡的习俗，据说只要公鸡不报晓，牛郎、织女就不分离，人们以这种方式来表达对牛郎织女的同情。这些民俗无不反映了浙江儿女乞求心灵手巧、崇尚勤劳的美德，以及对忠贞爱情婚姻的追求。

七夕节的民俗虽多，但最能反映浙江特色和浓厚地方文化的还属萧山坎山镇的“祭星乞巧”和武义的七夕“接仙女”活动。

坎山镇的“祭星乞巧”历史悠久，南宋《嘉泰会稽志》就有关于“乞巧”的详细记载：“七夕立长竿于中庭，上设莲花，谓之巧竿。以酒果饼饵祭牛女，盖乞巧也。”这种风俗代代相传，经久不衰，而且不断丰富和发展，并与坎山的区域文化相联系。在坎山，七夕节不仅是牛郎织女团圆的日子，也是乞求织女显灵、赋予巧技的节日，即“祭星乞巧”节。这天晚上，少女们在庭院中摆上八仙桌，上面摆放着莲藕、柿子、石榴、菱角，以及一碗明净的清水，同时竖一根挂着花边的巧杆，向天上的牛郎织女敬酒，祝愿他们能天长地久，自己能够像织女一样心灵手巧，找到心中的“牛郎”。它作为群众自发的一种民俗活动，在坎山流传并辐射到浙东南一带的广大地区。

坎山的“祭星乞巧”之所以广泛流传，并具有很强的生命力，主要是因为它具有独特的社会基础和文化内涵。坎山是萧山花边的发祥地，繁盛时期曾有2万挑花女工，挑花工作成为很多家庭的重要经济来源。因此具有一双灵巧的手，为家庭带来更多的收入，成为当地女子的强烈诉求，“祭星乞巧”成为她们实现这个美好愿

五代绘画中的唐宫乞巧图景

望的重要依托。而且“祭星乞巧”还与当地的民间信仰结合在一起。每年的七月初六夜晚，坎山一带的妇女会不约而同地到地藏寺祈祷，进行大型的“祭星乞巧”活动，乞求她们的女儿长大成人后，得到织女帮助，变得像织女一样心灵手巧、心地善良，并能找到美满的婚姻。由于坎山的“祭星乞巧”具有独特的民俗内涵，2008 年，坎山成为浙江省首批民族传统节日“七夕节”保护示范基地之一，2009 年，坎山七夕“祭星乞巧”又被列为浙江省非物质文化遗产项目。

同坎山镇的“祭星乞巧”民俗一样，武义七夕“接仙女”的民俗不仅历史悠久，而且同样具有特别的地方文化风格。武义七夕“接仙女”的民俗早在南宋时期就已经很流行了，流传至今，它依旧比较完整地保留了祭牵牛、织女星的古老文化传统。这一天，武义民间流行女性月下乞巧、赛女红、指甲涂指甲花、用树汁洗头、换牛绳等民俗，其中“接仙女”最为独特，它具有一整套的仪式规范。通过祭拜、架鹊桥、唱民谣、诵佛经，迎接七仙女下凡和欢送仙女返回仙界。这些活动具有浓郁的地方文化特点，融合了儒家孝的伦理道德的内容，深受群众的欢迎和喜爱。正因如此，2008 年，武义成为浙江省首批民族传统节日“七夕节”保护示范基地之一，2009 年，七夕“接仙女”的民俗也被列为浙江省非物质文化遗产项目。

尽管“七夕节”具有这样浓厚的文化气息和内涵，但是不可否认，近年来“七夕节”大有成为西方情人节翻版之势，有人直言“七夕节”是“中国的情人节”。在“过洋节”的时尚冲击下，现在的“七夕节”很难找到中国传统文化的影子，除了七夕牛郎织女鹊桥相会的常识以外，其他文化内涵日益被冲淡，“七夕节”变为商家所中意的鲜花节、巧克力节。实际上，以拜月、乞巧为主题的“七夕节”包含着丰富的中国传统文化内涵，是中国传统婚姻道德的体现，是男女追求爱情自由与和谐家庭的真实写照。我们对这些极具传统文化内涵的民俗的保护，还任重而道远。

阅读链接：

莫高：《杭州人七夕乞巧》，见浙江省民间文艺家协会《浙江民俗大观》选编，当代中国出版社，1998 年版。

王荣兴：《宁波的乞巧节》，见浙江省民间文艺家协会《浙江民俗大观》选编，当代中国出版社，1998 年版。

孙明明：《坎山“祭星乞巧”的历史渊源与民俗传统》，见中共杭州市萧山区委党史研究室、杭州市萧山区人民政府地方志办公室《萧山记忆》（第二辑），浙江人民出版社，2009 年版。

中秋：天心月圆

农历八月十五中秋节，因月亮圆满、明亮，俗称“团圆节”，它与春节、清明节、端午节并称为中国汉族的四大传统节日。中秋节因沿袭着古代秋祀祭月的传统，又与民间祈求团圆的信仰相关联，并因嫦娥奔月的神话蒙上一层诗意色彩，最终成为了一个以团圆为主题，并围绕祭月、拜月、赏月展开的传统节日。

佳节到来之际，全家老小围坐在一起吃月饼、赏明月成为中秋节应有之义。自古以来，民间就十分重视这个佳节。南宋时期，杭州的中秋明月之夜已经是非凡的热闹。南宋吴自牧的《梦粱录》描绘了一幅全民同乐的场景，中秋节到来之际，“王孙公子，富家巨室，莫不登楼，临轩玩月，酌酒高歌”；中小商户“登小小月台，安排家宴，团圆子女，以酬佳节”；市井平民“解衣市酒，勉强迎欢，不肯虚度”。赏月、团圆的风俗流传至今。

中秋节日益与浙江地方文化结合，表现出许多独特之处，并形成了强烈的地方特色。在杭州，“游湖赏月”成为中秋节重要的民俗。“赏月”与有着深厚历史积淀和丰富文化内涵的西湖

相结合，使“中秋赏月”活动更具文化气息和生命力。西湖十景中的“平湖秋月”“三潭印月”“月岩望月”都与月亮有关，每到中秋月圆之时，游人如织，“游湖”“赏月”相得益彰。杭州西湖一带的中秋节风俗，因群众参与广泛、节日内涵丰富，被广大市民称道，也吸引了不少中外游客。

衢州开化县苏庄镇中秋舞草龙同样极具特色。元宵节舞龙极为流传，而中秋舞龙相当少见。苏庄的这一特色鲜明、群众广泛参与的传统习俗十分令人瞩目。相传，元末的一个中秋节，朱元璋正率部在苏庄镇毛坦坞口村休整时，当地百姓为他敬献了宝马，表演了舞龙，朱元璋认为这是做天子的预兆。在他登基后，御敕毛坦坞口村为“富楼村”，并赐联“百世安居金溪富楼胜地，千年远脉越国传裔名家”。苏庄镇的中秋舞草龙也正因如此，被一代代传承下来。现如今，中秋节到来之际，村民们用粗草绳扎成一条长长的草龙摆放在祠堂里，在草绳上插满密密麻麻的香枝，以草绳为骨、香枝为肉的草龙就算完工了。夜幕降临后，村民打着火把，聚集在祠堂，

清 陈铨《观月图》

族长命令一下，全村人蜂拥而上，点燃草龙上的香火，青年男女高举香火草龙，伴随锣鼓声开始挥舞。草龙穿梭在村庄小道上，后面跟着全村老幼，热闹非凡，十分壮观。一年一度的中秋舞草龙是全村的大事，它寄托着村民对丰收的喜悦和对美好生活的向往。

人们惯常认为中秋节应该在农历八月十五，但宁波一带很长时间以来一直是八月十六过中秋节。宁波老话“天下中秋皆十五，唯独宁波在十六”，听起来颇为自豪。民谣也唱道：“八月十六中秋天，月饼馅子裹得甜；新米松糕红印戳，四亲八眷都送遍。”（贺挺主编《浙江省民间文学集成·宁波市歌谣谚语卷》）至于为什么是八月十六过中秋，传说相当多。主要有下面几种：相传，南宋右丞相、明州人史浩侍母孝顺，每年农历八月十五都要赶回宁波，与家人团聚，与民同乐。但有一年的中秋节前夕，回家途中马失前蹄，只好夜宿绍兴，八月十六才赶到家。明州的百姓，一直到史浩赶回，才开始共庆中秋佳节。还有一种说法，与史浩的儿子史弥远罢职返乡有关。相传，史弥远在朝廷做宰相时，很受人民爱戴，因得罪奸佞，罢职返乡，回乡途中因事耽搁，十六才赶到家，以致全家老少苦候一宿。史弥远马上向老母赔罪，史母宽厚地决定十五的中秋十六过。因此，十六过中秋的习俗慢慢兴起。此外，也有说为了纪念元末四明光复、梁山伯殉情、戚继光抗倭等等。其实不管是哪一种，宁波十六过中秋的习俗，蕴含着中国传统的忠孝礼义文化等元素，这极大地增添了宁波人过中秋的文化底蕴。

当然，浙江其他地方过中秋也有自己的特色，如在温州家家户户要摆设微缩文昌帝君殿。绍兴人中秋节祭月除月饼之外，还要准备一个长南瓜，以求多子多福。在丽水，祭月时除摆上月饼外，还有佛手、香橙等祭品，以寄托来年的希望。尽管过中秋的形式多种多样，但人们美好的愿景是共通的。

阅读链接：

姜彬：《甲戌中秋观舞草龙》，见上海民间文艺家协会、上海民俗学会编《中国民间文化》，学林出版社，1995年版。

莫高：《杭州的中秋节》，见浙江省民间文艺家协会选编《浙江民俗大观》，当代中国出版社，1998年版。

黄涛：《中秋节》，中国社会出版社，2006年版。

重阳节：久久敬老

农历九月初九为传统的重阳节，又称“老人节”。它与中国传统文化中的阴阳观有很大关系。在《易经》中，把“六”定为阴数，把“九”定为阳数，九月九日，日月并阳，两九相重，故而叫重阳，也叫重九。同时，九月初九的“九九”与“久久”谐音，有长长久久之意，重阳节与祭祖和敬老也联系起来。

在漫长的历史演进中，重阳节经历了一个传续的演化过程，由于不同时期、不同地域的风土人情千差万别，以致今日重阳节成为传统节日中，民俗活动相对比较杂糅的一个节日。传统的重阳节主要包含登高、赏菊、插茱萸、饮菊花酒、吃重阳糕等民俗。在浙江，重阳节与地域文化相结合，几经演进，佩戴茱萸以祈求消灾避祸的习俗已不常见，主要是登高、吃重阳糕，和具有独特地域文化的其他民俗。

重阳登高，历代延续，至今仍盛。每年农历九月九日，百姓都会成群结队地去爬山登高，当然现在大多数人进行这些活动与所谓的登高避灾已经完全不相干，仅作为一种体育锻炼和生活情趣的体验了。在杭州，每逢重阳节，老人小孩成群结队登高，城隍山、葛岭、初阳台、北高峰，都能看到熙熙攘攘的人群。

其实，九月秋高气爽之际，适合郊游，而登高远眺，对身心健康十分有利。另外，登高含有“高升”之意，“高”又有“高寿”的含义，寓意长寿，因此在重阳节这一天，很多老人出门登高，意图吉利。

吃重阳糕的风俗至今也很流行。杭州有“重阳吃块饼，过冬不怕冷；重阳吃块糕，过冬也不焦”（罗昌智《浙江文化教程》）的说法。重阳节吃重阳糕，是浙江人过重阳节必不可少的内容。重阳糕的制作方法很特别，以栗粉和糯米为原料，拌以蜂蜜，然后蒸熟。重阳糕的起源和寓意，有多种说法，其中最为流行的观点是，“糕”与“高”谐音，以“吃糕”代替“登高”，寓意步步高升。

如果说登高、吃重阳糕的文化内涵与其他地方无异的话，那么桐乡濮院重阳节吃“增智饭”习俗就与众不同了。这一天家家户户用赤豆、糯米煮一大锅糯米饭，除祭祀用之外，亲友邻里间相互馈送，据说吃了这种饭可以趋吉避凶，增长才干，因此又被人们称为“增智饭”。“增智饭”之所以在桐乡濮院如此流行，据说与一个美好的传说有关。相传古时有位名叫巧哥的织工来到濮院，看到濮院的丝织业发达，让他萌生了在此干番事业的愿望。因此决定研发一种新的丝绸品种，为了达到这个目的，他夜以继日地在织布机上试验，连续三天三夜不下织布机，饿了就吃用糯米、

明　沈周《盆菊幽赏图》

赤豆煮的饭充饥，渴了就喝一口凉水。功夫不负有心人，终于在重阳节那天织出了新绸。老百姓在佩服巧哥能织出如此漂亮新绸的同时，认为这主要是得益于他吃了赤豆糯米饭的缘故。于是，吃赤豆糯米饭能增长才干的说法在老百姓中传开了，九月重阳节吃“增智饭”的风俗也慢慢形成。传说美妙，其实质却相当朴实。宋元时期濮院的丝织业已经很发达，但传统的绸机笨拙，操作费力，织司在工作时需要耗费大量体力，非身强力壮的青年难以胜任，每到重阳时节，又是织司异常繁忙的日子，体力消耗更大。而赤豆糯米饭营养价值高，又是本地特产，适合织工食用。现如今，时过境迁，人们无需再用赤豆糯米饭来填饱肚子，但重阳节吃“增智饭”的习俗却流传下来。

如果“增智饭”只是停留在吃上，那么永康重阳节的方岩庙会和平湖市鱼圻塘重阳节迎大蜡烛习俗则在文化信仰上赋予了重阳节更多的内容。方岩庙会主要纪念北宋时的兵部侍郎胡则，在重阳节期间，有许多丰富的民俗活动，如“打罗汉”就是其中之一。如今的“打罗汉”可谓是精彩纷呈，主要表演形式有打罗汉、十八蝴蝶、十八狐狸等等。平湖市鱼圻塘重阳节迎大蜡烛习俗是为了纪念南宋高宗初年的刘锜。当年，刘锜以江东路副总管兼宿卫亲军领兵驻守在鱼圻塘，驻守期间平定强盗，保护往来客商，使老百姓安居乐业。为了感谢他，当地百姓给他建祠，每到重阳节和春节都会带上大蜡烛祭奠刘锜，这一传统一直延续至今。如今永康重阳节的方岩庙会和平湖市迎大蜡烛，都已被列为浙江省民族传统节日保护基地。

当然，重阳节的民俗活动虽多，但敬老始终是重阳节重要内容。1989 年开始，我国将重阳节定为“老人节”。

重阳节作为一个传统节日，被人们赋予了深厚的精神寄托，如寻求长寿、辟除灾邪等等，反映了祈求国泰民安、长寿吉祥的民族文化心理。重阳节在浙江虽然被赋予了更多的内容，但核心并没有逃离上述内容，这些丰富多彩的民俗活动依然是这些美好情感的寄托。

阅读链接：

张松林：《九月九吃增智饭》，浙江省民间文艺家协会选编《浙江民俗大观》，当代中国出版社，1998 年版。

叶大兵编：《浙江民俗》，甘肃人民出版社，2003 年版。

丁波编著：《重阳节》，中国青年出版社，2007 年版。

永久的忆念：缙云轩辕黄帝祭祀

黄帝作为华夏民族的始祖，自古以来备受尊崇。华夏族往往自称为炎黄子孙，时至今日，黄帝依然是维系海内外华人的重要精神纽带。民间关于黄帝的传说，不可胜数。在浙江，流传的关于黄帝的传说，以缙云仙都鼎湖峰黄帝炼丹飞天最为神奇。自古以来，缙云的百姓，为了纪念华夏族的始祖都有祭祀黄帝的传统。缙云仙都与陕西黄帝陵，形成了我国一南一北两个著名的轩辕黄帝的祭祀中心，于是有了“北陵南祠”的说法。

缙云仙都祭祀轩辕黄帝历史悠久。相传祭祀黄帝的传统可追溯到西汉，北宋《太平御览》就提到西汉时期的“缙云封禅”，此时的天子封禅是在仙都苍龙峡口的鼎湖峰脚下祭拜黄帝。东晋成帝时，专门修建了祭拜黄帝的场所“缙云堂”。唐代天宝年间，唐玄宗李隆基改缙云山为仙都，将“缙云堂”扩建为“黄帝祠宇”，供江南官员百姓祭祀黄帝。此次奉旨改建相当隆重，当时著名小篆书法家、缙云县令李阳冰篆写匾额，大书法家颜真卿题记。此后，祭祀黄帝的活动日益兴盛。宋代天子亦十分重视黄帝祭祀，天禧四年（1020），宋真宗派员到仙都祭黄帝时还投放了信物“金龙玉简”，成为美谈。宋英宗治平二年（1065）

下诏，将“黄帝祠宇”改名为“玉虚宫”。南宋景定二年（1261），修复已经残破的“玉虚宫”。南宋度宗咸淳三年（1267），缙云人、两浙转运使潜说友兴资扩建“玉虚宫”，民众闻讯后纷纷响应。经过此次扩建，缙云仙都祭祀轩辕黄帝的殿、堂、祠、宫、轩、廊、亭、门达到99处，占地30多亩，民祭活动达到顶峰。遗憾的是，到了明代，朝廷对民间信仰控制日益严格，缙云仙都祭祀轩辕黄帝的活动日益衰落，“玉虚宫”渐渐毁弃。到清初，“玉虚宫”彻底毁于战火，仙都仅存孤亭一座。

轩辕氏祭典

尽管官方对缙云仙都祭祀轩辕黄帝的活动逐渐漠视，但民间的祭祀活动却未停息。缙云地方民间祭拜轩辕氏的习俗代代相传，每年清明节都有村民自发地祭祀。虽然“玉虚宫”仅存遗址，村民却集中在宗祠或院落中祭拜轩辕氏，大多与祭拜自己的祖宗一起进行，先拜轩辕氏，然后再祭拜列祖列宗。此外，也有以村庄为单位，村民自发组成祭祀队伍，自带祭祀用具，到鼎湖峰脚下的“玉虚宫”遗址前进行祭拜；或到城隍庙“黄帝祠宇”的碑前祭拜。“文化大革命”期间，民间祭祀活动被迫中断，20世纪70年代末，民间祭祀逐步复苏，规模日趋扩大。民间祭祀活动的复兴，反映了人民群众对华夏始祖的崇敬之情，体现出强烈的民族认同感和民族自豪感。

1998年，缙云县人民政府顺应人民群众的要求，重修“黄帝祠宇”，恢复了几千年的黄帝祭典传统。今天的“仙都轩辕氏祭典”分为重阳公祭和清明民祭两部分，

阅读链接：

毛子荣主编：《轩辕黄帝与缙云仙都》，浙江人民出版社，2001 年版。

吕驾宇编著：《缙云黄帝祠》，西泠印社出版社，2006 年版。

《浙江缙云清明节调查报告》，见陈华文主编《非物质文化遗产研究集刊》（第 1 辑），学苑出版社，2008 年版。

其中公祭由政府主办，民祭则由民众自发组织实施。主祭祀场地在“黄帝祠宇”，分场地散落在全县大部分村庄的各家各户。整个祭祀活动传统与现代相结合，主要分为击鼓撞钟、敬上高香、敬献花篮、主祭就位、敬献供品、敬献美酒、恭读祭文、行鞠躬礼、乐舞告祭等部分，仪式庄重而肃穆，充分反映了华夏儿女对始祖的缅怀之情。

近年来，“仙都轩辕氏祭典”活动影响日益广泛，它已经跳出缙云，辐射海内外，每到时节，永康、磐安、丽水等邻近县市的许多群众自发前来，许多港澳台同胞、海外华人听闻缙云举办祭祀活动，也前来参加祭奠。这充分说明仙都缙云祭祀黄帝的活动为进一步弘扬黄帝文化，增强中华民族的凝聚力、亲和力和感召力发挥了积极作用。

正是基于此，2007 年，“轩辕氏祭典”被浙江省人民政府列入第二批浙江省非物质文化遗产名录。2008 年，浙江省文化厅公布了缙云县（仙都轩辕氏祭典）为首批浙江省民族传统节日保护基地之一。2011 年 5 月，缙云轩辕黄帝祭典被国务院列入第三批国家级非物质文化遗产名录。我们有理由相信，轩辕黄帝祭奠活动在政府和社会各界的支持和关注下，定会发挥更大的社会文化功效，为维系民族感情，增强文化认同发挥更为积极的作用。

治水英雄感天地：绍兴祭禹

大禹是华夏族的先祖，也是我国古代伟大的治水英雄，三过家门而不入的精神一直激励着中华后人。相传大禹死后安葬于浙江绍兴南面的会稽山上。为了纪念这位伟人，后人便在会稽山上筑陵修庙，以供祭祀。千百年来，祭祀大禹的活动从未间断，尤其是历代帝王为笼络人心，巩固江山社稷，更是十分重视祭祀大禹的活动。

史料记载，在古代祭禹都是官方活动。官方祭禹大致有以下几种形式：皇帝亲祭、皇帝遣使代为祭祀、每年春秋例祭和地方官府举行祭祀等。随着时代的变迁，在历代政府的支持下，规模逐渐扩大，规格渐渐提高。传说大禹逝世后，祭祀活动就出现了。每逢岁时春秋，禹的儿子启都会派使臣到会稽山禹陵祭祀他的父亲。即使是推翻夏王朝的商代，也有隆重的祭禹仪式。但是开帝王祭禹之先河的还是秦始皇。秦始皇三十七年（前210），秦始皇千里迢迢，亲赴会稽祭禹，会稽大禹陵名声大振。西汉建立后，祀禹制度得到完善，朝廷出资翻修场所。宋代，祭祀大禹被正式列为国家常典。发展到明代，祀禹制度更加完备，祭禹大典更为隆重，凡遇皇帝登基等国家社稷大事，必遣使向大禹陵告祭。明代17朝，有11位皇帝登基时遣官祭禹。作为少数民族建立的清朝，祭禹的次数更多，共达30多次，康熙、乾隆先后亲临会稽禹陵祭禹。清光绪三年（1877）和二十六年（1900），相继大修禹庙，可见清朝对大禹的尊崇。

民国时期，时局不稳，由中央政府主导的祭禹不再，但地方政府依然不忘祭禹。

大禹治水浮雕

这时的祭禹，已经不再是为了巩固江山社稷，笼络民心，而是为了缅怀华夏民族的这位伟大的先祖。1930年，浙江省省长张载阳将祀禹提到议事日程，社会各界名流广泛响应，发起成立“尊禹学会”，倡导大禹精神。在这样的背景下，禹庙、禹祠得到大修。1935年，浙江省政府主席黄绍竑主持了民国时期规模最大的一次大禹公祭活动。1936年，绍兴县政府决定每年9月19日为绍兴各界祭禹之日，并得到省政府的批准。同时民间团体祭祀大禹的活动也开始涌现。1947年，为了纪念四千多年前华夏民族杰出的工程师大禹，中国工程师学会决定以大禹诞辰日农历六月六日为中国工程师节，并于当年在大禹陵举行祭祀活动。

中华人民共和国成立后，为了缅怀这位先祖，政府多次对大禹陵庙进行修葺，大禹陵也先后被列为县、省级文物保护单位。“文化大革命”期间，虽遭到破坏，但在当地群众的保护下，免于灭顶之灾。十一届三中全会后，禹陵得到恢复重建。顺应人民群众的要求，1995 年浙江省在禹庙举行中华人民共和国成立之后的首次大型祭禹活动，此次公祭延续了几千年来祭禹的传统，反映了炎黄子孙缅怀先祖之情。参加此次公祭的各界群众代表共 1000 余人，台、港、澳同胞及海外华侨、华人也前来参加公祭。同年，江泽民亲临大禹陵，还亲笔题写了“大禹陵”三字。

1995 年的公祭，为弘扬大禹精神开了一个好头。1996 年 4 月，绍兴市举行了祭禹活动，这次的参与者主要是港台及绍兴广大民众。2000 年 4 月，绍兴市人民政府再次举行公祭大禹陵活动。2001 年 4 月，姒、夏、禹三姓后裔联合举行了民间祭祀大禹陵活动。2007 年，文化部首次批准祭禹典礼由文化部和浙江省政府共同主办，具体由绍兴市政府承办，公祭大禹正式升格为国家级祭典。

作为华夏民族的先祖，大禹早已成为一个精神符号和文化符号，他在提升民族凝聚力、增强民族自豪感方面发挥着无法替代的作用。大禹忧国忧民、公而忘私、勇于奉献、科学求实的精神激励着一代代中华儿女。今天我们公祭大禹，缅怀先祖，就是为了发扬大禹精神，激励我们为中华民族的伟大复兴而奋斗。

阅读链接：

陈瑞苗、周幼涛主编：《大禹研究》，浙江人民出版社，1995 年版。

沈才土主编：《公祭大禹陵》，浙江人民出版社，1996 年版。

吴军、罗海笛编著：《绍兴大禹祭典》，浙江摄影出版社，2009 年版。

追忆至圣先师：衢州祭孔

在中国历史上很难找出像孔子一样备受历代统治者尊崇的人物，孔子被后世统治者不断追谥，从公到王，以致西夏仁宗尊孔子为“文宣帝”，这一封号达到了历朝历代的最高级别。不可否认，孔子在开创儒学、推行私学、整理传统文化上做出了卓越贡献，他是中国传统文化的集大成者，孔子及其思想在中华民族文化、民族传统、民族心理上打上了深刻的烙印。在历代统治者的推波助澜下，孔子不断被神化，其家族备受福荫。统治者为了凸显自己对儒家思想的信仰，对孔子后人及其家族给予了不断褒奖，其中孔氏家庙祭孔成为重要的象征。

在世界上，孔庙、文庙繁多，但真正能称上孔氏家庙的只有两处，一是孔子故里山东曲阜，二是浙江的衢州。

山东曲阜孔庙祭孔大家耳熟能详。早在孔子去世后的第二年，鲁哀公就下令在曲阜孔子旧宅立庙“藏孔子衣冠琴车书”，祭祀孔子，由此开创了祭孔的先河。当时，祭孔活动比较简单，规模也不大，到汉高祖刘邦时，祭奠才成为隆重的“国之大典”。到宋代，祭孔活动已经十分隆盛，宋太祖赵匡胤曾经亲赴孔庙祭孔，宋徽宗赵佶用“王者之制”祭孔，并将孔庙正殿更名为“大

孔氏南宗家庙

成殿”。此后凡有孔庙的地方，必有“大成殿”。然而，孔子家庙的命运也无法逃脱历史的厄运，南宋时，孔子家庙一分为二。

衢州孔庙祭孔的传统，颇有掌故。北宋末年，金人南下，靖康二年（1127），金人俘虏徽、钦二帝，北宋覆灭，曲阜孔氏为了躲避战乱，在孔子四十八代嫡长孙、衍圣公孔端友的率领下南渡，这使得孔子家庙一分为二。南宋绍兴六年（1136），宋金对峙局面稳定后，宋高宗决定将孔子家庙设于衢州，并赐予良田，供族人祭祀、生活之用。至此，“孔氏南宗”出现，衢州成为孔氏大宗的第二故乡，因此也称为“东南阙里”。

南宋时期，衢州孔氏家庙祭孔十分隆重。孔子家庙作为孔氏正宗的存在象征，成为统治者的精神寄托。宝祐三年（1255），宋理宗因北伐无望，在衢州知府孙子秀的奏请下，大规模鼎建孔氏家庙。在南宋朝廷的支持下，南孔依然承袭着“衍圣公”的封号，每年的祭孔活动依然保留着往日的辉煌。但是，元朝统一中国后，元世祖为了统一孔子世家，命令江南的“衍圣公”孔洙归曲阜袭封。然而孔洙以衢州有家庙、五代先祖的陵墓和年迈的老母为由，请求继续在衢州奉祀孔子，并将自己的爵位让与在曲阜的族弟孔治。至此，衢州孔氏正宗的地位被废除，政治经济地位一落千丈，此后孔庙的祭祀也只由族长祭祀，规模与影响大不如前。直到明正德元年（1506），孔氏南宗嫡长孙重新获袭封五经博士，南宗的地位才有明显提高，南宗祭祀孔子再次有了官方地位。民国后，五经博士的封号被废除，改为奉祀官，由奉祀官主祭，1948年8月27日，由衢州绥靖公署主任汤恩伯主持的祭孔大典暨教师节纪念大会成为民国时期最后一次祭孔仪式。

历史更迭，时代变换，衢州祭孔的内容和形式都发生了改变。从最初的反映统治者对儒家思想的推崇，再到后来被赋予尊师重道的内涵，这充分说明祭祀礼俗必须适应新的时代要求，它不仅要“通于古”，更“适于时”。

2004年9月28日，是孔子诞辰2555周年纪念日。这一天，衢州市举行了新中国成立以来的首次祭孔大典。南孔祭典自2004年恢复以来，渐渐摸索出“一年一小祭、两年一中祭、五年一大祭”的方针，内容和形式也更加健康和崭新。衢州祭孔虽然主题是“祭孔”，但更重要的是普及和弘扬优秀的儒家思想文化活动，与祭孔同时举行的还有中学生《论语》辩论赛、文艺晚会和儒学国际论坛。衢州祭孔，每两年举行一次学祭，每三年举行一次社会各界公祭。公祭抛弃了传统繁琐的仪式。而“学祭”，是衢州的特色，孔氏南宗重教重学，这是它的历史渊源。“学祭”时在祭品中增加文房四宝，参祭主体是青年教师和学生，通过祭孔为这些刚刚走上教师岗位的年轻人感悟教师职业的神圣，让学生体悟到教师的辛勤和努力学习的重要性。衢州祭孔在实践中开创的这种文化祭祀新理念，得到了各界的高度认可，收到了良好的社会效益。正因如此，2011 年 5 月，以“当代人祭孔”和“百姓祭孔”为主题的衢州南孔祭典，被正式列入第三批国家级非物质文化遗产名录。

衢州孔氏南宗的祭孔活动，不因袭传统的祭祀形式，毫不犹豫地剔除了强加在孔子身上的“神位”。这种崭新的祭祀方式必将赋予衢州南宗祭孔新的生命力，并为促进社会和谐发展发挥积极作用。

阅读链接：

衢州市政协文史资料委员会编：《南孔研究》，中国戏剧出版社，2001 年版。

徐建平、章浙中：《南孔文化》，浙江大学出版社，2004 年版。

王霄冰：《南宗祭孔》，浙江人民出版社，2008 年版。

鹫岭天香云外飘：灵隐寺“烧头香”

除夕夜“点岁香”“烧头香”是杭州很流行的民俗。人们认为香烧得越早，就表示自己对神佛越虔诚，从而得到的保佑和福气越多。因此，每到年关，老百姓都争先恐后涌到寺庙里去烧头香，许下来年的愿望，祈求得到菩萨的保佑，以达成心愿。在杭州众多的寺庙中，灵隐寺尤其得到人们的钟爱。

灵隐寺如此有“灵”，与它久远的历史和文化积淀有关。坐落于西湖边的灵隐寺，是杭州最古老的寺院，它修建于东晋咸和元年（326），距今已有1600多年的历史。当时印度僧人慧理云游到杭州，被这里的奇山秀水所吸引，认为此处“仙灵所隐”，决定在此开坛布道，将寺院取名为“灵隐”。灵隐寺建成后，很快成为江南地区的著名佛教名刹。五代时吴越国王钱俶笃信佛教，花费巨资广建道场，僧侣达到3000多人，寺院香火极盛。到清代，灵隐寺尤受帝王的关注，康熙皇帝第二次南巡驾临杭州时，驻跸灵隐寺，受寺院秀丽风光的感染，留下了“云林禅寺”的墨宝。乾隆皇帝像他的祖父一样，多次光临灵隐。灵隐寺与皇家的这种联系，使它在老百姓心中更增添了一种神秘和向往。

唐宋以来，杭州一带的老百姓就有到灵隐寺烧头香的传统。善男信女在大年三十夜里便赶到西湖边上的灵隐寺去“宿山守岁”，等子时一过，就到寺里烧上新年里的第一炷香，久而久之，形成“烧头香”风俗。每到三十、初一，灵隐道上车水马龙，人来人往，上香的队伍异常壮观。

近代以来，灵隐寺历尽沧桑，寺院被毁，更谈不上信众上香了。太平天国军队两次进攻杭州，灵隐寺毁废殆尽；北阀战争时期，吴佩孚所辖第31团团长徐图进，为了窃取千年古珍佛宝，不惜放火烧毁灵隐寺；抗日战争时期，灵隐寺收容难民，但不幸失火，客堂、伽蓝殿、梵香阁被焚。至新中国成立前夕，灵隐寺已经是破败不堪。

新中国成立后，在党和政府的关照下，灵隐寺得到修复，宗教活动得以开展。“文化大革命”爆发后，杭州部分红卫兵造反派，将灵隐寺作为“破四旧”的目标，企图冲击寺庙，摧毁佛像，但在周恩来的保护下，寺院得以保全。

改革开放以后，人民生活日益富足，到灵隐寺烧头香再度成为浙江人新年时的重要活动。许多人希望能在新年的第一天到灵隐去烧个头香，许个愿。家里有老人的，希望老人健康长寿；家里有病人的，去祈求菩萨保佑身体早日康复；参加工作的，烧把头香，祈求工作顺利，步步高升；新婚的年轻夫妇，到灵隐寺去给观音菩萨下个跪，请菩萨送个小宝宝;经商的人，去烧烧香，祈求来年商运亨通，财源广进。如今的除夕和大年初一，到杭州灵隐寺烧头香的人越来越多，很多非杭州本地人开车或在周边订上宾馆，一定要赶在初一烧上头香。为了避免人流量过多影响到寺庙和信众的安全，相关部门不得不采取定量或限量发售门票的办法，控制去灵隐寺烧香的人群。据报道，2012年灵隐寺除夕夜门票相当热门，管理部门不得不采取“有限制开放，门票定量、编号发售”的方式，200元一张，共6000张门票，两个半小时就销售一空。零点钟声敲响时，烧香的人流达到高潮，大雄宝殿外香烟缭绕，人

阅读链接：

莫高：《杭州灵隐“烧头香”》，见浙江省民间文艺家协会选编《浙江民俗大观》，当代中国出版社，1998年版。

冷晓：《灵隐寺》，杭州出版社，2004年版。

闫静静：《灵隐寺》，吉林文史出版社，2010年版。

明　孙枝《灵隐寺》

山人海，水泄不通，可以说，灵隐寺的香火，更胜往昔。

现如今，赶往灵隐寺烧头香的人潮，一年比一年旺，但是值得注意的是，这些香客中其实只有少数人是虔诚的佛教徒，大多数人只是新年才去寺庙里烧个香，图个吉利。灵隐寺“烧头香”早已经成为一种民俗，成为春节活动的一部分。

海天佛国：普陀山观音信仰

浙江普陀山素有“海天佛国”“南海圣境”之称，它与山西五台山、四川峨眉山、安徽九华山并称为“中国佛教四大名山”，是著名的观音道场。在中国人心目中，观世音是一位具有无量的智慧和神通，大慈大悲、救苦救难、普度众生的菩萨。普陀山是如何与观音结缘的呢?

观音圣地真正与普陀山结缘，要追溯到唐代。相传，唐大中元年（847），有位名叫登山燃指的梵僧，在普陀山亲见观音显身，观音还送给他一块宝石。唐咸通四年（863），日本僧人慧锷归国途中，在莲花洋遭遇风浪被阻，只好在潮音洞下面停船上岸，将从山西五台山迎奉的观音像，供奉在住民家中，这民宅被后人称作“不肯去观音院”，慧锷登山留置“不肯去观音”的故事成为美谈，普陀山从此成为观音的道场。

但是，观音圣地的地位还需皇权来确认。为了巩固封建政权，历代统治者对宗教信仰总会加以利用的。唐代以来，普陀山香火日益鼎盛，不少帝王及官员朝山进香，或赐金修建观音寺院。自宋代以降，这样的举动未曾断过。宋太祖乾德五年（967），赵匡胤遣内侍王贵上普陀山进香，并钦赐锦幡，这是帝王遣使朝山之始。北宋元丰三年（1080），神宗皇帝赐额“宝陀观音寺”，“南海宝陀山观音道场”的地位正式确立。此后，普陀观音道场的殊荣不断。明代末年，普陀山“祠宇殿堂，僧房静室，日则满山棋布，夜则燃火星罗，总计二百有奇”（王享彦《普陀洛迦山志》），号称

阅读链接：

张坚：《普陀山史话》，甘肃民族出版社，2000年版。

陈泰佐编著：《普陀山观音文化》，民族出版社，2002年版。

金庭竹：《舟山群岛海岛民俗》，杭州出版社，2009年版。

“海天佛国”。康熙二十八年（1689）春，康熙南巡，赐金普陀山千两，命修大圆通殿。雍正九年（1731），更是赐金七万两，大规模修建观音殿宇。帝王的重视使得普陀山观音道场日益壮大，观音信仰远播海外。

观音信仰能顺利进入普陀山并深得人心，与舟山独特的自然条件、生产方式和民间信仰有关。舟山四面环海，渔业是舟山的主要产业，海上作业充满了难以预测的危险，在舟山曾经流传着这样的民谣：“三寸板里是娘房，三寸板外见阎王”，“前有强盗，后有风暴。开船出洋，命靠天保”（苏勇军编著《浙东海洋文化研究》）。因此，渔民迫切需要一个神灵来保佑他们，大悲心肠、救苦救难、普度众生的观世音便很自然地引起了广大渔民的共鸣。渔民们在生产生活中，将一切苦乐祸福都寄托于观世音，加上海岛上自然条件的神奇，人们附会出许多观音显灵的故事，更让普陀山成为了一座佛国仙山。

在舟山，人们对观音的信仰十分虔诚。不仅出门远航，希望观世音保佑不要遇到风暴，能够取得渔业生产丰收，而且家里有人生病，想生小孩，都希望得到观音的垂顾。观音信仰逐渐深入人心，“家家阿弥陀，户户观世音”的说法并不过分。人们对观音的要求也是越来越多。如今上普陀山礼拜观音、许愿还愿的善男信女络绎不绝，求国泰民安、求风调雨顺、求长生不老、求多子多福、求升官发财，无所不有，观音的信仰日加泛化。观音信仰已表现出显著的在地化和民间化的特征，成为民间信仰的一部分。

还有一点需要指出的是，普陀山观音信仰远远超出了舟山地域，它对亚洲国家的辐射十分强烈。有学者称，观音信仰是“半个亚洲的信仰”，这个观点十分恰当。在历史上，舟山是对外航路上的中转站。自古以来，“三韩、日本、扶桑、阿黎、占城、渤海，数百国雄商巨舶，由此取道放洋”，远航多了，需要得到观音的护佑；然而奇怪的是，“凡遇风波寇盗，望山归命，即得消散”（盛熙明《补陀洛迦山传》）。因此，普陀山的观音信仰伴随着海外贸易的发展，逐步传到了海外。曾经有过这样的一个记载，北宋元丰二年（1079），高丽国王病重，向宋朝乞药，回国途中经过普陀时，遇到风浪不得前行，望山礼拜后，拨云见日。到宣和五年（1123），高丽国使臣朝贡回国前特地上山祭拜观音表示感谢。现今，每年都有大批海外信徒，尤其是亚洲信徒不远万里来普陀山礼拜观音，普陀山已经成为一座不折不扣的国际性朝拜观音的圣地。

普陀观音像

千百年来，普陀山观音信仰已渗透到社会各阶层，影响广泛，波及海外。作为一种信仰，它在某些方面正契合了当前人们的种种精神需求，从而抚慰人们的心灵。从某种意义上说，正是这种观音信仰释放了人们心灵上的压抑，给了人们希望与憧憬。毫无疑问，我们对这种宝贵精神遗产应该采取批判继承的态度，要凸显其人性关怀的一面。

独特的海洋信俗：妈祖信仰

妈祖又称天妃、天后、天上圣母、娘妈，妈祖信仰是我国东南沿海一带重要的民间信仰。它是人民群众在开发海洋过程中所创造的文化瑰宝，影响所及，妈祖成为“海神”“护航女神”，被渔民代代尊崇。具有独特海洋文化属性的妈祖信仰，于 2009 年 9 月，被联合国教科文组织列为非物质文化遗产，这是我国第一个被列入联合国“非遗”项目的信俗类文化遗产。

妈祖信仰最初产生于福建，它以“漕船”为传播载体，以漕运的海路为主线，一路北上，向周边扩散。在浙江、江苏、山东直至天津，都能找到信奉妈祖的信众，可以说东部沿海形成了一个广大的妈祖信仰圈。浙江沿海地区妈祖信仰，最早出现在南宋。南宋时，宋高宗赵构建都临安，福建和两广漕粮北上，必须开辟海路通道。《小洋乡志》载：“宋高宗南渡，建都临安。北方受异族统治，巨商大贾纷纷南来。时江、浙、闽、粤海运频繁，大商船贾从南北上。因闽、粤船户信奉天后，船船有神龛供奉。受其影响，妈祖信仰从南宋始，遍及江浙海运商贾，一时名播海外。”妈祖信仰在这样的背景下，在浙江沿海扩散传播开来。

曾经作为庆安会馆的宁波甬东天后宫

浙江的妈祖信仰可以说是一个舶来品，与福建有着很深的渊源。考察浙江妈祖庙的历史，不难发现，浙江不少天后宫，要么在“闽商公所”，要么在“福建会馆”。最初修建天后宫的人中，多是福建商人或客居浙江的福建人。毫无疑问，是福建人将妈祖信仰带入了浙江。但是，妈祖信仰怎么能在浙江沿海扎下根来呢？

其中一个重要的因素，在于浙江与妈祖信仰的产生地福建同处我国东南沿海，有着相似的自然地理环境和相近的社会经济、人文环境。浙江与福建相邻，渔民、海运商团往来频繁，伴随商贸的发展以及福建向浙江移民的推进，妈祖信仰开始在浙江尤其是浙东沿海地区传播开来。自然与文化的共通，使浙江沿海一带很快接受了妈祖信仰。

除了上述原因之外，还有一个因素，妈祖信仰的盛行与历代帝王的极力推崇有密切关系。北宋徽宗宣和五年（1123），因感谢妈祖显灵搭救出使高丽的使臣，赐“顺济”庙号，开帝王赐封妈祖之先河。南宋绍兴二十六年（1156），为表彰妈祖显灵缓解旱灾，宋高宗诏封妈祖为“崇福夫人”。此后，妈祖被陆续加封为“显惠妃”“天妃”。明朝，郑和下西洋，宣称多获妈祖庇护，明成祖下诏加封妈祖为“护国庇民灵应弘仁普济天妃”。到清朝康熙年间，妈祖获得了最高的尊崇。康熙二十二年（1683），康熙帝因攻克澎湖诏封妈祖为“仁慈天后”。从康熙五十九年（1720）起，妈祖被列入清朝国家祀典，与孔子、关羽一同享祭。从1156年起至清朝，历代皇帝先后36次册封妈祖，其封号累至64字，国家的推崇使得民间对妈祖的信仰愈加坚定，妈祖在沿海居民心目中的地位愈加崇高。

目前，浙江妈祖庙主要保存在舟山、宁波、台州、绍兴一带。其中保存较好的以舟山群岛为最多，在嵊泗列岛几乎岛岛皆有天后宫。浙江境内最出名的妈祖庙还数位于宁波市内的甬东天后宫，它于清咸丰三年（1853）由宁波跑北洋的船商出资修建，天后宫占地面积5000平方米，是我国八大天后宫之一。

今天，妈祖信仰在浙江沿海渔民中依然十分流行。渔民出海前，需要在妈祖娘娘庙举行“开洋节”祭祀妈祖，要先上香参拜海神并供祭酒菜，船老大向妈祖参拜许愿，祈求这次出海平安、丰收。渔民回来后，要在妈祖娘娘庙举行“谢洋节”感谢妈祖的保佑，使他们获得丰收，平安归来。开洋、谢洋作为渔民的一种特有民俗，在浙江沿海一带十分流行。

此外，渔民们为了感谢妈祖的保佑，在妈祖元宵节、妈祖诞辰、妈祖忌日等都要举行盛大的祭祀活动。每年农历正月二十九晚是妈祖元宵节，节日期间要举行“敬灯”和“送灯”活动，人们把灯放入水中，任其顺水漂远。在妈祖诞辰农历三月二十三，浙江沿海地区民众要分别举行妈祖寿典；在妈祖忌日九月初九，还要举行妈祖出巡等活动，每到妈祖出巡，盛况空前。

浙江独特的海洋经济与海洋文化，滋养了妈祖文化。妈祖信仰作为精神民俗的一种，体现着深刻的海洋文化本质，它调节着人们的心灵，指导着人们的行为。在现代社会中，它依旧有存在的必要和合理性。对我们而言，它与现代社会相协调、相适应的方面，应该加以利用和引导，而一些曲解妈祖信俗文化、庸俗化妈祖信仰的封建糟粕应该坚决剔除。

阅读链接：
李露露：《妈祖信仰》，学苑出版社，1994 年版。
罗伟国：《话说天后》，上海书店出版社，2000 年版。
徐晓望：《妈祖信仰史研究》，海风出版社，2007 年版。

德行传世照后人：胡公信仰

胡公信仰是流传在以浙江方岩为中心活动区域的浙江民间一个重要的地方神信仰，属于典型的民间神灵崇拜。

“胡公大帝”这个偶像与其他神灵不太一样，他是由真实的历史人物衍化出来的，在历史上我们可以找到他的原型。“胡公大帝”的原型即北宋的胡则（963—1039），婺州永康人，北宋端拱二年（989）中进士，在太宗、仁宗、真宗三朝为官，最后以兵部侍郎致仕。他交友广泛，与北宋名臣范仲淹私交甚好，胡则辞世后，范仲淹为其写下《兵部侍郎致仕胡公墓志铭》，高度赞扬了胡则的仁德。然而，就是这样一个人物，在正史上却没有留下什么光辉的记载，《宋史》中直斥“则无廉名”。如此一个人物，怎么能得到浙江老百姓的膜拜呢？历史就是如此的复杂。如果说正史是对胡则一辈子的概括或带有某种政治倾向的话，那么，浙江人民对他的怀念则是出于对其仁德的感激。老百姓的思维没有那么复杂，就是如此简单，你对我好，我就感激你。

相传胡则为官时，因江浙大旱，饿殍遍野，为减轻老百姓负担，曾经直谏奏免衢婺二州（范围大致相当于今天的金华、

衢州)的丁身钱(即向成年男子征收的一种赋税)。减免丁身钱虽然不多,但影响巨大,涉及面广。善良的老百姓感激胡公对浙江的“德政”,在其逝世后,他的家乡人在方岩山上建胡公庙,专门祭拜他。此后,胡公作为一个神慢慢被大家所接受。

胡公之所以能成为一个神,作为一种信仰被老百姓接受,除了根源在于他对浙江的“德政”外,还与他的出身和历代封建帝王的推崇有关。胡则是浙江永康人,又出身寒门,年轻时还种过田,学过手艺,是依靠自己的奋斗才出人头地。胡则的出身很容易引起浙江老百姓的共鸣。老百姓越推崇,封建政府也愈加关注。在胡则逝世后的 80 多年间,宋王朝根本就没有给其特别的礼遇,直到北宋末年方腊在睦州青溪(今淳安县)境内的起义被镇压后,地方官奏报是因为胡公显灵,才引起宋徽宗的关注,当时他追封胡则为“佑顺侯”,此后,胡公身上的荣宠不断。宋理宗淳祐年间又被封为公,至此“胡公”的称号民间开始广泛流传,并形成了长盛不衰的信仰形式。

胡公作为造福浙江的“清官”,一直受到当地人的崇敬。与胡公信仰相结合,当地民间千百年来已形成了以祭奠胡公为核心的一整套文化活动,其中以方岩胡公庙会最具特色。

随着胡公的逐步神化,民间对他的奉祀也不仅仅局限于胡公庙,祭拜活动的规模和范围日益扩大,内容和形式更加多样。方岩胡公庙会是永康一带最为盛大的庙会。庙会时间长,从农历八月初持续到九月重阳,历时一个多月,每年的农历八月十三,活动最为丰富,相传这一天是胡公的生日。胡公信仰文化圈覆盖大半个浙江,每到庙会时间,有上百万群众参与。在庙会中,“迎案”活动是核心,即一队队人簇拥着一尊由人背着的胡公神像,按照固定的线路巡游,接受信众的祭拜。如今的方岩庙会,还增加了武术、民间杂耍等文艺活动,吸引的游客也超出了浙江,跨越了中国。

如今的胡公庙会如火如荼，而人们祭拜或者纪念胡公是出于一种什么目的呢？现代学者曹聚仁是浙江浦江人，他在《万里行记》中有一段详细的回忆：“依我们乡间的习俗，每人到了十岁、二十岁、三十岁……总而言之，到了十的整数那年，都得上方岩拜胡公的。为什么要拜胡公？他们也说不出来，只是一生的大事，非如此不可。”可以说，在不少老百姓心目中，祭拜胡公成为了一种无意识的举动，大家这么做，我也这么做，否则我不成了异类了？胡公信仰文化内涵的流逝，实在可惜。

毛泽东对胡则的评价可以给我们启发。1959 年 8 月，毛泽东在视察浙江金华时，曾对当时的永康县委书记讲过这样一段话：“你们那里不是有块方岩山吗？方岩山上有个胡公大帝，香火长盛不衰，最是出名了！其实胡公大帝不是佛，也不是神，而是人。他是北宋时期的一个清官，他为人民办了很多好事，人民纪念他罢了。为官一任，造福一方嘛，很重要啊！”（胡国钧、应宝容《方岩胡则事迹》）其实，纪念、崇拜胡公的最原始动机和出发点，就是“他为人民办了很多好事”，我们今天纪念胡公，同样不能脱离这个主题。

阅读链接：

陆克昌：《浙中之神——关于永康方岩胡公的生平与传说》，《杭州师范学院学报》，1984 年第 4 期。

胡国钧、应宝容等：《方岩胡则事迹》，浙江人民出版社，1984 年版。

胡国钧：《胡公大帝信仰与方岩庙会——浙江省永康县方岩胡公庙会调查》，《中国民间文化》（4），学林出版社，1991 年版。

钱塘潮水越千年：海宁祭潮

海宁潮又称钱江潮，素有“八月十八潮，壮观天下无”（苏轼《催试官考较戏作》）的美誉，钱江潮以其磅礴的气势和壮观的景象闻名于世，被誉为“天下奇观”。江潮虽很壮观，但破坏力也大，自古以来，海宁潮让人感叹大自然神奇杰作的同时，也给人民带来了深重的灾难。

据《海宁灾异志》记载：从三国吴至新中国成立初，灾难性的潮患就多达 173 次，千百年来因为钱塘江江道的摇摆，江水时常冲决或漫过堤岸。宋代海宁女诗人朱淑真曾写过一首描写潮患的诗：“飓风拔木浪如山，振荡乾坤顷刻间。临海人家千万户，漂流不见一人还。”清代海宁著名诗人查慎行也写道：“门前成巨浸，屋里纳奔湍。亭户千家哭，沙田比岁荒。”由于海宁涌潮一方面具有极强的观赏性，另一方面又具有极大的破坏力，远古时期，人们很难理解这种自然现象。尽管公元前 1 世纪，东汉的王充在《论衡》一书中有解释，他说：“涛之起也，随月盛衰，大小满损不齐同。”也就是说，潮的兴起，是因为月亮的作用。然而，并不是所有人都能够理解他的解释，反而把希望寄托在超自然力上。因此沿江人们祭祀潮水、祈保平安的风俗开始出现了。

海宁祭潮之举，早已有之。但出现于何时，已不可详考。从历代祭祀的潮神为伍子胥、文种来看，最早可能与伍子胥有关。相传，春秋时期，吴越两国争霸，吴国大夫伍子胥屡次劝谏吴王要警惕越王勾践，吴王不听，伍子胥反而受奸臣诬陷，被吴王夫差赐“属镂”剑自杀。伍子胥临死前，要其门客将其眼睛“悬于东门，以观越兵来伐吴”。吴王听了大怒，将其尸体投入钱塘江中，此日正是八月十八。据说，每年这一天，伍子胥驾素车白马随潮而来，成了潮神。人们为了纪念他，将这一天定为潮神生日。伍子胥死后九年，越国大臣文种功成身不退，被越王勾践赐了同一把“属镂”剑逼死。后人为了怀念他们，把他们当做潮神一起供奉。据说，海宁潮来时，前面滚滚波涛是潮神伍子胥，后面推波助澜是潮神文种。当然，这些传说不必详究，但其中体现出人们对海宁潮的畏惧，希望通过祈祷潮神确保平安的心理是明晰的。

祭潮有一个从民到官的过程。最早的祭祀是沿江民众出于对自然的崇拜自发的祭拜活动，其内容不外乎焚香祷祝之类，后来内容慢慢丰富，逐渐包括弄潮示勇、祭神求安等活动。到了南宋时，朝廷又借此契机作演练水师之举，祭潮遂成官民共庆之典，这个时候的活动中心在南宋都城临安。农历八月十八这一天，杭城内外热闹非凡，沿江一带人山人海，朝廷在江潮未来之时，操练水军，钱塘潮来后，京兆郡守按照惯例将准备好的祭祀之物抛入江中，开始祭拜潮神。这种祭潮风俗一直沿袭到元、明、清各代。

进入清代，海宁祭潮发展到了高峰。清雍正九年（1731）在盐官建成海神庙后，官方的潮神祭祀发展起来。根据记载，每年农历八月十八日，由海防道率所属，穿着朝服在海神庙祭拜，同日例行祭潮。潮来之时，整肃衣冠，鞠躬展拜；潮过后，将祭品投入江中，仪式蔚为壮观。乾隆南巡时，还特意至海宁“谒海神”。封建帝王的重视，使得海宁祭潮被赋予了强烈的政治意义。这种祭潮仪式，已经成为皇家重视民生的象征。民国时期，援清例，同样由地方官出面祭拜。

现如今，祭祀潮神已经摆脱了强加在身上的政治涵义，它只是海宁人民的传统民俗活动，展现的是钱塘江边的独特潮文化，体现的是沿江人民不畏艰辛、奋发自强的精神风貌，寄托了人民群众对幸福家园、美好生活的向往。从1994年起，海宁都会举办“中国国际钱江观潮节”，每年观潮节吸引了不少海内外游客，观潮期间人山人海。自2004年起，“海宁祭潮”得到恢复，这个活动已成为海宁观潮节的重头戏。目前“海宁祭潮”已被列为浙江省非物质文化遗产。

智言慧思

八月十八潮，壮观天下无。
鲲鹏水击三千里，组练长驱十万夫。
——（北宋）苏轼《催试官考较戏作》

阅读链接：

《海宁潮传说》，浙江文艺出版社，1983年版。

中国人民政治协商会议浙江省海宁市委员会文史资料委员会编：《海宁潮文化》，1995年版。

海宁市对外文化交流协会、海宁市文学艺术界联合会编：《潮声乡韵》，上海辞书出版社，2002年版。

山歌对唱敬花娘：畲族插花娘信仰

畲族历史悠久，相传这个民族来源于汉晋时代的“武陵蛮”，盘瓠是其始祖。早在隋唐之际，畲族先民已在闽、粤、赣三省交界地区定居。因统治者残酷的军事镇压和经济剥削，畲族不断迁徙。浙江景宁畲族就是唐永泰二年（766），从福建迁居而来。

浙江境内的畲族历史悠久，在漫长的历史长河中发展了民族文化，形成了有着鲜明特色和区域特色的民族信仰。在浙江畲族信仰中，对插花娘的信仰是很有地方特色的。

在浙江松阳、丽水、云和、青田等地的畲民中流传着这样一个传说：松阳县靖居乡茅弄村有个名叫蓝春花的少女，长得特别美，歌声也特别动人，而且最爱在头上插鲜花，附近的老百姓都称其为“插花姑娘”。不幸的是“插花姑娘”被一汉族财主看中，财主起了非分之心，逼其为妾，万般无奈之下，“插花姑娘”被迫同意。成婚当日，“插花姑娘”在松阳与丽水交界的横岚山跳崖自尽，以死抗婚。“插花姑娘”死后，畲族乡亲悲恸万分，同时也被她的壮烈举动感动，纷纷采来鲜花覆盖在她的遗体上。人们为了纪念这位不畏强暴、不慕虚荣的美丽女孩，在她跳崖的地方修建了插花殿，以四时山花供奉她。从此，插花娘成为一位畲族的地方神祇。

如今，在浙江丽水横岚山里，建造有“插花娘殿”，殿中供奉着穿戴畲族头饰的插花娘像，在畲乡的其他地方也有形式不一的“插花娘庙”，有的地方，仅用几块石头叠成塔状，在石缝中插上山花，算是插花娘。每逢年节畲民都会相约去祭拜插花娘。在祭拜的过程中，习惯性地在香炉中插上鲜花，唱上几首山歌，以表示对插花娘的敬仰，祈求她赐予福气。

插花娘在畲族中，是美丽与智慧的化身。畲民家里碰到疾病、婚姻问题，都可以到“插花娘庙”里去“问花”，巫师以唱民歌的方式与“插花娘”对话，这是畲民族特有的问卦形式。在“问花”前，有一个隆重的仪式，巫师都要焚香祷告，祈求插花娘附体，然后先唱起“白马三郎来引路，哪路来啊哪路路回”，表示插花娘已经下凡，最后再唱到所求事项。与此同时，求神者要不断地同巫师对歌，才能从巫师口中得到所要答案。这种富有浓厚音乐气息的问卦方式，恐怕是畲族中特有的求神方式。

同时，求插花娘也不一定要到庙里去。畲民在家里摆上香案，放上祭品，就可以“祭花”了。只不过，这个祭祀插花娘的仪式要在深夜进行，而且要持续一晚，直至第二天鸡鸣；在祭拜过程中，不许有任何非畲族人士旁观，也不许讲畲语外的语言；祭拜的形式还是以对歌的形式展开，一名男歌手（神童）代表插花娘，另一位代表祭主与插花娘对唱畲歌。整个过程，人们对插花娘虔诚至极。

插花娘作为畲族中被神化的人物，是浙江丽水等地畲民普遍崇拜的女神，在这个女神身上，我们可以找到很强的民族印记。

首先，从插花娘的传说中，我们可以看到对女性的赞美和歌颂，赞扬了女性在社会生活中的作用，这符合畲族的民族文化传统。在汉民族中，女性常作为男性的附庸，处于从属地位，而在畲族中，还保留着强烈的“女性崇拜”。畲族的创世神话《男造天，女造地》中说道："天是男人造的，男人懒，做一气，歇一气，结果把天造小了。地是女人造的，女人勤，没停没歇地掘呀掘，男人大喊：'地造大了。'女人赶紧抓了几把，想把地缩小。这一抓，有的地方凸了起来，变成山，有的地方凹下去，变成湖海，五个指头抓出了条条江河。"这个传说就通过贬低男性来赞美女性，以此体现女性的社会主导作用。民间对插花娘的崇拜，再次凸现了崇尚女性的这个主题。其次，在祭祀插花娘的过程中，贯穿着山歌，这与畲族的音乐天赋有关。畲族是一个能歌善舞的民族，在畲族的生产生活中，处处有歌声，畲族村民也人人都会唱歌，个个是好手，对起歌来，不在话下。第三，浙江畲族多居住在山区，畲族人历来爱山花，把美丽的山花送给最尊敬的人是很自然的事情。

插花娘信仰虽然仅仅是畲族的民族信仰，但它对坚贞品质的歌颂也是我们中华民族宝贵的精神财富。

阅读链接：

施联朱、雷文先主编：《畲族历史与文化》，中央民族学院出版社，1995年版。

吕立汉主编：《畲族文化研究论丛》，中央民族大学出版社，2007年版。

邱国珍：《浙江畲族史》，杭州出版社，2010年版。

蚕民的供奉与期盼：蚕神马头娘信仰

在中国几千年的蚕桑史中，嫘祖是一个重要人物。相传，黄帝的正妃嫘祖，发现了养蚕缫丝的方法，奠定了中华蚕桑文明的基础。后人为了感谢嫘祖的丰功伟绩，将其奉为“先蚕”圣母加以祭祀。浙江的蚕桑养殖和种植地区都能找到奉祀嫘祖的蚕神庙。然而，在浙江民间，除了祭祀蚕神嫘祖，还有自己特有的蚕神。

在蚕乡的风俗中，对蚕神的崇拜是一项重要的活动。除祭祀嫘祖外，各地祭拜蚕神马头娘最为流行。在浙江蚕神马头娘，又被称为蚕姑、蚕花娘娘、蚕花娘子、马鸣（或作“明”）王、马鸣王菩萨等。马头娘信仰的流行，与浙江民间广泛流传的一个民间故事有关。相传古时候有位姑娘的父亲被歹徒掠走，其母在家中发誓：谁能找回丈夫，就将女儿嫁给他。几天后，家中白马将其父载回，但其母不再提起往日的誓言，白马十分伤心，成天在家中嘶鸣。其父得知实情后，杀了白马，剥了马皮，并晾晒在院子里。一天，马皮突然飞起，卷走了姑娘，不知所踪。数日后，姑娘和马皮都化成了马首人身蚕，人们将发现他们的树林称为桑（谐音“丧”），将蚕称为“马头娘”。于是各地纷纷盖起蚕神庙，行祈祷蚕桑之事。

在浙江蚕桑地区，普遍供奉的蚕神马头娘，其形态是一位骑着或是牵着白马的年轻姑娘，手捧一盘蚕茧，头戴马头，身披马皮。在一些地区专门建有蚕神庙、蚕王殿，在没有专门祭祀场所的地方，在佛寺的偏殿或所供养的菩萨旁，也常塑个蚕神像，以便祭拜；在一些蚕农家里，也有专门嵌砌的神龛供奉“蚕神纸马”。在民间，

阅读链接：

汪维玲：《杭嘉湖蚕民的蚕神信仰与养蚕禁忌》，见上海民间文艺家协会、上海民俗学会编《中国民间文化》（第 16 集），学林出版社，1994 年版。

陶雪迎：《蚕神信仰中的马头娘信仰》，见陶立璠主编《亚细亚民俗研究》（第 3 辑），学苑出版社，2002 年版。

张爱萍：《湖州地区民间蚕神故事及蚕神信仰》，《温州师范学院学报》，2005 年第 3 期。

古代蚕民对蚕姑的信仰

蚕神马头娘的信仰，有广泛的市场。

人们祭拜蚕神马头娘主要是为了求得蚕茧的大丰收。因此，对马头娘的祭拜贯穿于整个养蚕的过程中。

在浙江，多数蚕农以农历腊月十二为蚕花生日，即蚕花娘娘马头娘的生日（也有一些地方例外，海宁等地以农历正月初九为“蚕日”），蚕农在这一天要举行盛大的祭祀活动，以祈求赐予蚕花旺年。旧时，蚕农们用红、青、白三色米粉做成象形的茧圆、茧篮圆、元宝圆等，用于祭拜蚕花娘娘。旧时人们之所以以腊月十二为蚕花生日，主要是多于腊月中腌蚕种，从这一天开始，新一轮的养蚕即将开始。

农历正月初二，家家户户还要“接蚕花”，这一天也是蚕乡“接灶”的日子。蚕民用红、黄、绿三色的彩纸做成小花，串成花丛，中间再粘上一只纸元宝，称为“蚕花”。正月初二一到，便将“蚕花”和灶神像一起请进家门，供奉在灶头上的神龛中。直到“送灶”的日子，再将“蚕花”和灶神像一并送出焚烧。

清明时，蚕乡还有“轧蚕花”活动。清明节的到来，预示着每年蚕事生产将正式开始。为了让蚕花有个好收成，清明节时都要对蚕神马头娘进行祭拜，并开展“轧蚕花”的活动。浙江湖州含山的清明“轧蚕花”活动，有很强的代表性和典型性。蚕民把含山当做“蚕花圣地”，这一天，蚕姑们首先到山顶蚕神庙进香，争购彩纸蚕花，并戴在头上，希望蚕花轧得好。

端午节到来时，蚕农还要谢蚕神。经过蚕月的繁忙劳作，端午时终于迎来了蚕茧丰收，为了感谢“蚕花娘娘”的帮助，就该“谢蚕花”了，即谢蚕神。这一天，对蚕神的祭祀相当隆重。蚕农们要准备猪头、肋条肉之类的来款待“蚕花娘娘”，祭拜过后，全家要吃“蚕花饭”，其气氛堪比大过年。在水乡，“谢蚕花”时，还有划龙船的活动。养蚕时，桑叶常常要在外地收购，再由船只运回，举行划船比赛既有庆祝节日之意，也有训练划船技术之用。蚕姑们则以“豁蚕花水”的方式来庆贺丰收，她们相互之间泼洒“蚕花水”，表达丰收的喜悦和对蚕神的感谢。

马头娘为蚕神的民间崇拜，与嫘祖为蚕神的国家崇拜有很大的差异。从商周经秦汉到明清，祭嫘祖蚕神均被列入国家祀典。然而在浙江民间，对马头娘这个民间女子却情有独钟。这种差异是正常的，这既是地域文化在蚕神信仰中的反映，也是因为马头娘来自民间，能够得到底层老百姓的认同。

丰收的守护神：稻花仙姑

我国有悠久的农耕文明史，也孕育了丰富的农耕文化。在科学技术落后的年代，农作物的丰收纯靠天气条件，寻求超自然力的护佑成为远古人们的精神寄托。在中华文明中，有很多与农耕有关的神祇。相传，神农氏是原始农业的开创者，他教会了人们开垦土地、播种五谷；后稷是著名的“农师”，被奉为谷神，他教会人们稼穑。这些神祇一直备受人们崇拜。然而，在浙江，除了有上述信仰外，还有富有地域色彩的地方神信仰。

浙江是我国著名的水稻产地，素有“江浙熟，天下足”的说法，浙江一直是我国的大粮仓，在漫长的历史长河中，形成了有特色的水稻文化，如“稻花仙姑”信仰。人们对稻花的重视，正如民间所说的：种田秧为先，稻花说丰收。

在宁波等水稻产区，信奉“稻花仙姑”，举行稻花祭，相当流行。人们认为，水稻抽穗、扬花、形成谷粒的过程，由“稻花仙姑”掌控。为了能够让庄稼获得大丰收，必须祭祀“稻花仙姑”，否则来年的丰收定成问题。

祭祀“稻花仙姑”一般有 3 到 5 次，分别在抽穗、扬花、谷粒形成时，可以说是伴随着水稻成长的主要时期。祭祀的日

子，一般选在所谓的吉日，如农历初二、十六等日子。如果选择了凶日，则会殃及水稻成长。民间认为如果初五祭祀“稻花仙姑”，水稻会枯死；十四祭祀，祭祀者会生病；二十三祭祀，水稻的谷粒不会饱满。

在一般的村落，都建有青秧庙，庙里供奉的一个重要神祇就是“稻花仙姑”，其形象是头插稻花、手捧稻穗的犹如怀孕的妇女。与她一起供奉的还有秧姑，其形象是手捧水稻秧苗，挽着双髻的青年女子。两人携手相伴，宛如姑嫂。有青秧庙的，祭祀“稻花仙姑”一般在庙殿中进行，如果因财力限制没有修建青秧庙的，则把祭祀活动搬到了田间地头。总之，不管什么情况，在秧苗成长期间，祭祀“稻花仙姑”是必不可少的。

祭祀“稻花仙姑”时，有一定的仪式，一般要准备香烛、黄裱纸和祭品。祭品的内容有一定的讲究，据老人们回忆，一般头祭“多用素食，二祭以瓜果糕点为主，三祭时谷粒已经形成，祭品多用鱼肉蛋，以示谷粒如蛋样饱满，有余之意”（应长裕、应敏《奉化的稻花祭》）。祭者在叩拜时，要轻念祭文：“稻花仙姑好风流，头戴玉凤绿作裙；感谢日夜雨露恩，青青玉体育黄金。黄金黄，做嫁妆；黄金黄，送田郎。黄金黄澄澄，珍珠白米养儿孙……”（应长裕、应敏《奉化的稻花祭》）

在浙江有些地区，虽没有“稻花仙姑”一说，但祭祀稻神是普遍存在的，这也许是水稻产区对于水稻崇拜的自然表现。在丽水有稻花女的传说，人们认为她掌管着天下五谷的丰收，每当稻谷丰收时，村民都要演戏来感谢稻花女。在杭州近郊，农民在插秧、收割稻谷时都要用酒饭、香烛等在田头祭祀稻神，以示尊重和感谢。不管祭祀的对象是谁，人们寻求水稻丰收的心情是一样的。

还有一点让人很奇怪，“稻花仙姑”还不断地被神化，其功能超越了保佑丰收，被赋予了治病救人，甚至美容的功能。浙江的宁波、绍兴等地，七夕或八月中秋有采糯稻花的医疗习俗。人们采糯稻花前，焚香祷告颇为隆重，先请织女向“稻花仙姑”

说情，求赐仙药，然后去田头向“稻花仙姑”乞药治病。在乞药时还要祈祷一番：“稻花仙，稻花仙，天地灵气育花仙。花仙花细细，黄金裹玉体。我求花仙治黄牙，黄牙黄黑黑，难见公婆与郎君。恳求花仙赐灵药，将我黄牙变白玉。”（姜彬主编《稻作文化与江南民俗》）可见，在水稻产区，“稻花仙姑”也是人们日常生活中一个重要的神祇。

现在科技已经相当发达，人们也不再迷信“稻花仙姑”能够保佑稻谷丰收，曾经流行的“稻花仙姑”祭祀已成为一种风俗、文化，成为人们的一种记忆。

阅读链接：

姜彬主编：《稻作文化与江南民俗》，上海文艺出版社，1996 年版。

应长裕、应敏：《奉化的稻花祭》，浙江省民间文艺家协会选编《浙江民俗大观》，当代中国出版社，1998 年版。

叶大兵主编：《浙江民俗》，甘肃人民出版社，2002 年版。

茶神陆羽与浙江：茶神崇拜

陆羽像

中国民间各行各业，历来都有崇拜行业神的习俗。清代学者纪昀在《阅微草堂笔记》中感慨道："百工技艺，各祀其祖，三百六十行，无祖不定。"在茶叶的生产、贩售领域自然免不了俗，也有自己特有的行业神。像很多行业一样，茶神不止一位，但被人们广泛接受的是茶神陆羽。

陆羽成为茶神，已有很久历史。他生活于唐朝中叶，约公元 733 年至 804 年间，在世期间因茶术卓绝，被人们广为称颂。在他逝世后不久，便因为在茶道上崇高的地位被茶商奉为行业神。在唐代，民间卖茶者就将陆羽的陶制塑像放在茶灶之间，如果生意兴旺，就用茶水供奉；如遇生意萧条，则用煮沸的茶水烫烫，期望陆羽保佑他们财源广进。在浙江，陆羽的画像往往被供奉于产茶的作坊、存放茶叶的茶库、贩售茶叶的茶店以及休闲的茶馆，直至近代，这种现象依然常见。作为经营者而言，他们供奉茶神，最直接的目的是希望自己的茶叶香醇味美，能够卖个好价钱。但作为一个广为流传的民俗，它却蕴含着深厚的文化根源。

浙江是我国著名的茶叶产地，自古以来名茶迭出，现今大家熟知的龙井茶、鸠坑毛峰、九曲红梅等都是闻名于世的好茶。浙江正是因为拥有这样良好的产茶环境，为陆羽日后在茶文化上的成就奠定了基础。同时，浙江的茶叶也因陆羽而名满天下。

陆羽在浙江积累了丰富的茶叶知识和产茶技能。陆羽与浙江结缘，还要追溯到唐玄宗天宝年间的安史之乱。唐天宝十四年（755），陆羽为躲避战乱，渡江南下，大约在至德二年（757）后，与妙喜寺主持皎然结识，并在盛产名茶的湖州苕溪正式隐居下来。湖州顾渚山本来就是著名的茶叶产地，每到茶季，他就前往附近的深山中探访春茶，并虚心向茶农请教茶叶知识，在这个过程中，陆羽积累了大量的茶叶知识和技能，并为他日后撰写《茶经》提供了丰富的素材。

陆羽能有这样的成就，还与一个浙江人有关。湖州人皎然（720—804），俗姓谢，是唐代著名的诗僧、茶僧，在茶学方面有深厚造诣。陆羽到达湖州后，与皎然结识，两人一见如故，成为生死之交。在两人相处的40多年里，在皎然的指导、帮助下，陆羽的茶学知识得到飞速提高。陆羽《茶经》中有关茶叶栽培、管理、采摘、煎制等茶事，正是在皎然的指点下完成的。在唐代，饮茶十分流行，一些寺院设有专门的“茶堂”，供僧侣们潜心礼佛以及招待施主之用，受其影响，茶与佛、茶与禅开始结下不解之缘。陆羽在皎然的影响下将茶艺与禅机相结合，把饮茶提高到美学、文化的高度，形成了有丰富文化内涵的茶道。

陆羽之所以能够被人们称为茶神，最关键的是他为我们揭示出了茶道，而最能反映陆羽茶道思想的《茶经》，不仅是在浙江完稿的，也是在浙江散布流传开来的。公元760年，陆羽正式隐居于苕溪之滨，开始了他闭门著书的隐士生活。历经5年，人类文明史上第一部茶学专著《茶经》初稿终于完成。《茶经》

元 赵原《陆羽烹茶图》

不仅对茶叶科学知识和实践经验进行总结，还将儒、释、道三教思想及中国古典美学理念融入茶事，创历史之先。湖州僧俗各界听闻《茶经》成书后，纷纷传抄，广为流传，陆羽个人声望也日渐显赫。

陆羽的声誉也成就了长兴顾渚山的茶叶。皎然为住持的妙喜寺在长兴顾渚山设有茶园，陆羽常利用这个茶园了解茶树生长习性及相关茶事活动，因此对顾渚的茶叶有很深了解。在陆羽的推荐下，顾渚山紫笋茶被列为贡茶。后来，陆羽在评价浙西贡茶时，将湖州顾渚山中的茶叶列为上，因其品定，紫笋茶身价百倍，成了珍品。

陆羽晚年依然念念不忘浙江，为了品泉问茶，他先后到过绍兴、余杭等地，后来重新返回湖州。贞元二十年（804），陆羽走完了他光耀的人生，归葬于湖州郊外的杼山。

阅读链接：

梅莉：《茶圣陆羽》，湖北人民出版社，1998 年版。

郭孟良：《中国茶史》，山西古籍出版社，2003 年版。

余悦编著：《事茶淳俗》，上海人民出版社，2008 年版。

曹娥：投江孝行感天地

孝女曹娥的故事对很多浙江人来讲，是耳熟能详的。在上虞至今还保存着曹娥庙和曹娥碑。在浙江境内还有曹娥村、小曹娥镇和曹娥江。是什么原因,让老百姓以不同形式纪念她呢?这与曹娥投江的感人故事有莫大关系。

曹娥是东汉时期浙江上虞人，曹娥的父亲曹盱是一位巫师，能“抚节按歌，婆娑乐神”，经常要划船到江中做一些唱歌迎神的工作。曹盱四十多岁才有了曹娥，夫妻俩视若掌上明珠。小曹娥长得漂亮，而且聪明能干，心地善良，小小年纪就知道孝敬父母，体贴老人。

汉安二年（143）的端午节，按照当地的习俗，要祭祀潮神伍子胥。这天，曹盱驾着一艘小船，沿着舜江逆流而上去迎接潮神，但是当天的风浪太大，曹盱的船被风浪打翻，他也落入江中，在和风浪做了殊死斗争后没能上岸，岸上的人在大风浪面前也无能为力，最终曹盱溺死在江中。当时年仅 14 岁的曹娥听到这个噩耗后，痛哭流涕，跑到江边呼唤父亲。但是一天、两天、三天过去了，曹娥的眼泪都哭干了，父亲的尸体还是没有找到，可怜的曹娥仍旧呆呆地看着江面，期望能找到父

上虞曹娥庙

亲。乡亲们都很同情曹娥，劝她回去休息，但是被她坚决拒绝了，她发誓，不找到父亲，绝不放弃。

就这样苦苦寻找了 17 天，曹娥还是没有能够找到父亲。于是，她想到一个办法，对着江面大声喊道："父亲，如果您在天有灵，就显一次灵，让衣服在您所在的位置沉下去吧！"说着，就把自己的衣服扔进了江里。这时奇迹出现了，只见衣服在江里漂浮了一会儿后，在江里打了个转，就沉了下去。曹娥见状，马上奋不顾身地跳进了衣服沉下去的地方。

5 天后，江面变得很平静，人们远远看见江面上漂浮着两具尸体，仔细一看，正是曹娥和她的父亲。人们都说是曹娥的孝行感动了天，所以老天爷显灵，将他们父女的尸体送出水面。

曹娥的孝心感动了天，更感动了四周的乡亲。上虞县令度尚得知了曹娥的孝行，亲自到江边察看现场，下令好生安葬曹娥父女，又在曹娥跳水寻父的江边建了庙，为曹娥塑像立碑，尊她为“孝女娘娘”，还把渔村叫做曹娥村，把这条江改名曹娥江。每逢曹娥投江这一日，曹娥庙都要举行盛大的庙会，从农历五月十五开始到五月二十二日结束，为期7天，各省各府都有来拜曹娥孝女娘娘的，许多人题词送匾赞扬曹娥的孝行。

关于曹娥庙，还有一个奇特的现象，曹娥庙正殿中央矗立着四根红木大柱，取硬币往柱身上贴，有的硬币会被吸住，历久不掉，有的则用尽全力也贴不住。所以，民间传说，币被吸住的人是孝子或是孝女，下次可不用来庙祭拜曹娥；币没有被吸住的人不孝顺，必须经常来曹娥庙以添孝心。当然，这些只是人们附会的趣谈罢了。

曹娥跳江寻父的故事正符合历代王朝所宣扬的孝道，她受到了历代文人的追捧和封建王朝的重视。东汉的文学家蔡邕、东晋的“书圣”王羲之、唐代的“诗仙”李白、明代书画家徐文长都曾到过曹娥墓并留下著名的诗篇，赞美她的孝举。根据史料记载，自宋代以来，历代帝王对曹娥都大事褒扬。宋元祐八年（1093），宋哲宗下令建曹娥正殿。大观四年（1110），宋廷敕封曹娥为灵孝夫人，后又加封昭顺。淳祐六年（1246），宋廷再次敕封曹娥为纯懿夫人，又敕封其父为和应侯，其母为庆善夫人。明洪武八年（1375），朱元璋命人赴庙祭奠，诚意伯刘伯温亲撰祭文。清嘉庆十三年（1808），清廷敕封曹娥为福应夫人。同治五年（1866）又加封其为灵感夫人，钦赐“福被曹江”的匾额。封建王朝的这种尊崇，使得曹娥投江的孝举得到广泛传播，直到民国年间，国民党多有军政要人题赠楹联匾额，其中蒋介石题匾“人伦之光”现悬于正殿。

曹娥江虽然水急潮猛，江水奔腾咆哮，但一到曹娥庙前，立即变得无声无息，仿佛愧对孝女，悄悄遁去，过了曹娥庙门口，才敢再发出响声，令人叹为奇迹。直到现在，依然如此。曹娥跳江的故事能流传至今，除了封建王朝的尊崇外，其核心还在于她身上所体现的孝道。正是因为这种“孝”，才让曹娥穿越时空，得到老百姓的认同。今天我们怀念曹娥，并不是要让大家学习曹娥投江的举动，而是要体会和感悟她所展现的人伦之光。

阅读链接：

任苗根编撰：《曹娥庙》，西泠印社出版社，2001 年版。

马志坚主编：《人伦之光江南第一庙·曹娥庙》，浙江人民美术出版社，2009 年版。

应忠良：《孝行天下》，西泠印社出版社，2010 年版。

骆宾王：讨武一檄传千古

一首《咏鹅》文风清新，生动活泼，一篇《讨武曌檄》气势磅礴，流传千古。无论小诗还是大作，都尽显骆宾王这位“初唐四杰”之一的风流才气与忠孝节义。

骆宾王像

骆宾王（约627—约684），字观光，婺州义乌人（今义乌）。义乌骆氏早在东汉末年就已经是名门望族。在三国时期，骆俊、骆统、骆秀一门祖孙三人都成为名重一时的文臣武将和言行高雅的名士。此后，骆家繁衍不绝，代有才人，但到了骆宾王这一代时，家族的声望与势力早已大不如前。然而，家道中落并没有改变骆氏一族诗书传家、清节自守的家风。骆宾王正是出生在这样的书香世家。

骆宾王的父亲骆履元曾在博昌（今山东博兴县）任县令。骆履元学识渊博，洁身自好，恪守儒家礼仪且家教甚严。在父辈的言传身教之下，骆宾王从小就显示出过人的才情。他七岁咏鹅的故事虽史无明载，但这首诗清丽脱俗，脍炙人口，广为流传，成为少年早慧的象征，骆宾王也因此有了“江南神童”的美誉。

在骆宾王10岁左右时，其父骆履元北上山东任职，骆宾王也随父来到齐鲁大地。齐鲁地区为孔孟之乡，儒学氛围浓厚，加之本人聪颖好学，骆宾王很快就由“江南神童”变成了“齐鲁才子”，未到弱冠之年便已享誉齐鲁大地。

但是好景不长，正当骆宾王学业蒸蒸日上、准备施展鸿鹄之志的时候，父亲却突然病死任上，整个家庭陷入困境。骆宾王决定赴京赶考，以期金榜题名，重振骆氏一族。遗憾的是，骆宾王的科考之路并不顺畅，虽然骆宾王具有真才实学，但无世荫可袭，又缺政治靠山，再加上性格耿直，不愿攀附权贵，最后竟落得个名落孙山。

到了二十六七岁的时候，骆宾王才在长安谋得了官职。走上仕途的骆宾王不改本色，为人刚正不阿，崇节义、轻权诈，常因此得罪权贵，很快便罢官离职。不久，经友人举荐，骆宾王来到道王李元庆府上作幕僚。李元庆颇为赏识骆宾王的才学，本有意提拔重用，但骆宾王性格耿介，不愿按照李元庆的要求“自叙其能”，放弃了平步青云的机会。

唐乾封二年（667），知天命之年的骆宾王再度进京赴考。这一次，他成功中第，授九品官“奉礼郎”，但这显然与骆宾王的理想抱负相去甚远。唐咸亨元年（670），西北边疆战火突起，骆宾王弃笔从戎，希望在边荒大漠建功立业。遗憾的是，数年艰苦的军旅生涯也并没有给骆宾王的仕途带来太大的帮助，上元元年（674），骆宾王奉诏回京，论功行赏之际，全无战功可叙，仅授武功县主簿，后调任明堂县主簿，不久，又经人举荐，擢升为侍御史，这是骆宾王一生最高的官阶。作为督察百官的御史，骆宾王尽忠职守，但他的清直自守、嫉恶如仇却使他被许多贪官视为眼中钉，上任不到半年，骆宾王便被诬陷下狱。永隆元年（680）唐高宗册立皇太子，大赦天下，骆宾王因此而侥幸出狱。

出狱后的骆宾王心灰意冷，对政治几乎绝望。但令人意想不到的是，此时的骆

阅读链接：

杨柳、骆祥发：《骆宾王评传》，北京出版社，1987 年版。

吴光主编：《中国文化世家·吴越卷》，湖北教育出版社，2004 年版。

义乌丛书编纂委员会编：《骆宾王全传》，上海人民出版社，2011 年版。

宾王又卷入了一场政治大风暴中，被推到了历史舞台的前沿。随着武则天的执政，李唐王室和关陇集团备受打击，徐敬业以匡扶唐室为名，在扬州起兵讨武。骆宾王素来对武氏严刑峻法、屠戮重臣有所不满，再加上多年来的怀才不遇，苦闷至极，便毅然加入起兵勤王的行列。在徐敬业军中，骆宾王写就了《讨武曌檄》，成为流传千古的文学名篇。据传，武则天在看了《讨武曌檄》后，惊叹不已，深为骆宾王的文采所折服。她说："宰相之过也！有如此才，而使之沦落不偶。"（北宋司马光《资治通鉴》）武则天认为，如此有才华的人却没有为朝廷所用，是宰相的过错。

但是，勤王的军事行动仅仅持续了 3 个月就在武则天的强力镇压下画上了句号。兵败后，骆宾王也销声匿迹了。关于骆宾王的下落，有被杀、自尽与逃亡三种说法。或许我们应该相信，经此大变后的骆宾王从此隐遁于世，彻底离开污浊的政坛，回到他所钟情的文学世界里，吟诗作文，纵情山水。

骆宾王的一生颇具悲剧色彩，少年成名，文坛巨匠，在官场上却屡屡失意。而他仕途上的坎坷却是与他恪守节义、清节自守的家风分不开的。因为不媚权贵，所以他科举落第，屡失升迁良机；因为刚正不阿，所以他屡遭诬陷，罢官下狱；因为忠君爱国，所以他起兵勤王，却落得个隐姓埋名，归隐山林。或许正是义乌骆氏这种崇尚节义的家风传承，才使得大唐少了一个刻意钻营的庸吏，多了一个恣意挥毫的诗人。

萧王庙：仁爱为民奉千年

在剡江上游有一个很出名的古镇，这个镇除了有号称“剡东第一名祠”的萧王庙外，还有一个让人感兴趣的名字——萧王庙镇（如今已改称萧王庙街道）。在我国行政区划中，以庙名为乡镇名称的并不多见，宁波萧王庙古镇可算一个特例。为什么在宁波能出现以庙为名的古镇呢？这与仁爱为民的清官萧世显有很大关系。

萧世显（？—1022），字道夫，江苏沛县人，北宋高官，传说是西汉名相萧何的后裔。萧世显与浙江结缘是在北宋真宗天禧二年（1018），他奉命任奉化县令，在他主政期间，清正廉洁，一心为民，得到老百姓的广泛赞誉。天禧五年（1021），奉化大旱，萧世显亲赴灾区巡视灾情，当巡视到长寿乡时，发现此处可以筑堤拦水

宁波萧王庙镇西端界岭上的萧王庙

阅读链接：

蔡康主编：《宁波掌故》，宁波出版社，2004 年版。

汪志铭主编：《甬上风物》，宁波出版社，2009 年版。

周千军：《四明城镇》(上)，宁波出版社，2009 年版。

抗旱后，他身先士卒，率领当地老百姓，开凿五里长渠，引剡江之水灌溉干旱的农田，农田喜获丰收。没想到，翌年又发生大旱，且蝗虫成灾，真是祸不单行。他不忘百姓疾苦，一方面发动百姓设法取水抗旱，另一方面深入田间，教民捕捉蝗虫。在捕蝗的日子里，他想出了用细网罩捕蝗的新办法，效果显著。不幸的是，在他指导百姓抵抗蝗灾的时候，日夜操劳，积劳成疾，一天行至长寿、禽孝两乡界地泉口时，忽感头晕目眩，突发中风，不幸暴卒。

萧世显虽然主政奉化的时间并不长，但在短暂的 4 年中，他勤政廉洁、仁爱百姓，深得民望。逝世后，他获得了来自官方和民间的巨大荣耀。地方百姓不忘其德，于宋仁宗庆历二年（1042），集资在他去世的地方，为他建庙塑像，建立祠堂，以供世代拜祀。

封建帝王为了树立道德楷模，对萧世显不断加封，到了南宋理宗淳祐十二年（1252），他被封为灵应侯，理宗皇帝钦赐庙额“灵应”，庙名遂改为“灵应庙”。元惠宗至正二十一年（1361），奉化知州李枢奏请朝廷加封这位仁爱为民的地方官，惠宗于是追封他为“绥宁王”，此后，庙名也改为“萧王庙”。

千百年来，萧王庙香火繁盛，虽然庙宇屡次遭到毁坏，但屡毁屡建，而且规模不断扩大。明代永乐、弘治年间二次重修，正德六年（1511）被毁，次年迅速重修，建成后，由时任刑部主事孙胜撰文立碑以记萧王的功德。如今现存的萧王庙殿宇主体建筑是清代的，只有正殿前檐 4 根石质云纹龙柱是明代物品。

庙门前左右墙上，书“龙”“虎”大字各一，相传是清代奉化书法家毛玉佩手书。新中国成立后，一度破损严重，1986 年，国家拨款重修，翌年对外开放，供群众参观。

除了给他修建庙宇，地方百姓还通过各种形式纪念他，以感谢他的恩德。每年的农历正月十三到十八日，萧王庙的村民都要举行萧王庙庙会，这是专为纪念萧公设立的庙会。这个庙会已经持续千年，由萧王庙附近的几个村子轮流承办。一到举行庙会的日子，村里的男女老少全体出动，跟随抬着全猪、全羊、果品等祭品的献祭队伍，浩浩荡荡地前往萧王庙。抵达萧王庙后，摆上贡品，开始祭拜，仪式庄严肃穆。参拜仪式结束后，开始游行，随后有丰富的文娱活动。每年入伏的前一天，萧王庙的村民还要举行稻花会来纪念他。这一天，百姓抬着萧公的金身像，沿着传说中萧公生前巡视过的路线巡游，并用祭拜过的圣水泼洒路过的稻田和房屋，据说这样萧公可以保佑稻田丰收和百姓健康。新中国成立后，这些活动一度停止，但近些年来，剔除其中的迷信成分后，庙会又得到恢复。

千百年来，地方百姓通过各种形式纪念千余年前一位死于任上的官员，实属难得。其实，在淳朴的老百姓心中，你甘愿为民仆，仁爱百姓，那么我就尊敬你、供奉你、祭拜你，甚至于把你尊崇为地方神。这种现象在中国的传统民间信仰、民间文化中，相当普遍。虽然，有人会觉得这些老百姓太愚昧，其实，透过这种呼唤清官、尊重纪念清官的现象，我们可以发现其中蕴含的是最为朴实的感恩举动，是对美好生活的向往。萧世显是一个在正史中很难找到丰功伟绩的普通历史人物，只因主政奉化 4 年间爱护百姓，为地方百姓做了实事，做了好事，就得到了千年的荣耀，可见老百姓是最懂得感恩的。

浦江郑氏：一门尚义，九世同居

在儒家思想里，家族里的同居共食是被广为提倡的美德，即便如此，“一门尚义，九世同居”、同居共食三百多年的家族在中国历史上却异常罕见。在浙江浦江就有这样一个被称为“江南第一家”的郑义门。是什么力量支撑着这个家族，三百多年的时间里保存着世代同居、共财、聚食的传统呢？

提到郑义门的同居之风，不得不提郑义门的创始人、南宋时的郑绮。郑绮布衣终生，一生未踏足仕途，但信奉儒家礼教，主张以孝义立身，肃睦治家。在他主理郑氏家族时，规定全族必须世代同居、共财、聚食，一切事务都由家族公堂统一安排。至此，“同居共食”的传统在浦江郑氏家族中出现。

按照儒家礼教，制定这样的家规固然容易，但是长久坚持却是一件难事。在浦江郑氏家族中，有一部称得上家族宪法的《郑氏规范》。《郑氏规范》的出现也经历了一个丰富完善的过程。郑氏家族到了第五代时，中国社会正处于宋元交替之际，社会比较动荡，当时的统治者及众多理学家热心鼓吹修身齐家，这为家族力量的壮大奠定了思想条件和理论基础。郑氏家族顺时代而动，这时的家族代表人物郑德璋，决定“以法齐家”，当

郑义门郑氏宗祠

然此法为儒家治家之法。郑德璋的儿子郑文融主理家族事务后，丰富了其父的治家理念，制定了家规 58 则，主要涉及家族成员行为规范和日常生产管理。这可以称得上《郑氏规范》的最早雏形。经过几代人的修改完善，最终形成了共 168 条，以“孝义”为宗旨，涉及家族成员道德修养、行为规范、生活学习和家族生产经营，及奖惩措施的《郑氏规范》。这个家族规范内容之丰富、管理之严密可谓世界罕见，其运行效果良好，可称得上家族管理的典范。

《郑氏规范》的最终出台，与明代大儒宋濂有密切关系。宋濂在郑氏家族的东明精舍讲学期间，全程参与了《郑氏规范》的制定，他将自己的儒学思想渗入规范之中。根据《郑氏规范》的规定，该家族的管理核心由以下人士构成：宗子、家长、典事、监视、主记、通掌门户、掌管新事、掌管旧事、羞服长、掌膳、营运、启肆、掌畜牧、知宾、山长、主母、掌钱货等。各部门分工明确，互相制约，共同为家族服务。家族遇有大事，均需家族这些重要成员讨论会商，有重要人事任免也需要共同讨论，已达选贤与能的目的。这种治家模式，体现出儒家复古主义追求的“三代遗风”。

在对家族成员的管理中，《郑氏规范》规定必须世代同居，所有财产归全族共有，任何人不留有私财，一切日常花费由家族提供，所从事的具体事务由家族统一安排。这些规定，充满了原始共产主义的遗风，体现了以孝义为本、坚持“守家第一事”的立身处世之道。郑氏家族对其成员，无论男女每月每日都要进行“孝义”教育。每日早晨起床后，家族成员都要到有序堂集合，听诵男女训戒之辞。其内容无外乎“积善”“孝悌”“仁恕”“济人”等内容。

郑氏家族的“孝义”教育并非流于形式和表面，它的核心和精神被家族成员广泛实践着。浦江郑义门有很多感人的孝义事迹，其创始人郑绮，就是一位著名的孝子。据《宋史·孝义传》记载，其父郑照，被屈入死罪，郑绮坚持以身代父，要求郡守查明真相，后感动郡守，其父冤屈得以大白。郑义门的家风也体现在“义”上。“义”的精神首先表现为兄弟之间的友爱关系，郑氏五世孙郑德琏与弟德璋的故事甚为感人。弟弟郑德璋在青田县尉任上，因性格豪爽，得罪了势利小人，被人污陷，判了死罪，将押往扬州。哥哥郑德琏知道后，不忍弟弟蒙受冤屈，急忙收拾行装赶往扬州，代弟弟受死。郑德璋得知后，立马追赶，在诸暨与哥哥相遇，坚决阻止哥哥替其代罪的行为，德琏表面上佯装同意，却于深夜独自前往扬州，最终冤死狱中。弟弟郑德璋闻讯后，替哥哥守墓三年，并以振兴郑氏家族为己任，兢兢业业、任劳任怨为族人服务。

郑义门的“义”的精神，不仅限于族内，还扩散到族外，“积善”精神在郑义门身上体现得淋漓尽致。早在北宋靖康年间，郑绮的父亲郑照卖田1000亩救济灾民，其后子孙世代继承其志，广行善事，元代至元年间，浦江发生饥荒，郑德璋开仓济民，乡里受惠。

郑义门的孝义之举也打动了统治者，朱元璋有感于此，钦赐“江南第一家”的匾额。建文帝也御书“孝义家”三字表彰郑义门。

三百多年的郑义门在中国历史上虽属奇观，但它之所以能够存在，正是出于真诚的孝义精神，家族成员对“家”的呵护。中华民族历经沧桑，千百年来“家”始终是中华民族心理积淀中最难释的情结。郑义门以其极具特色的“孝义”精神，为我们演绎了一曲用儒家规范治理家族的乐章。诚然郑义门几百年历程中，蕴涵着不少封建文化糟粕，但其“孝义”精神并没有因光阴的流逝而湮灭，它依然活跃在中华民族的民族精神中。

智言慧思

为家长者，当以至诚待下。一言不可妄发，一行不可妄为，庶合古人以身教之之意。临事之际，须察察而明，毋昧昧而昏。更须以量容人，常视一家如一身可也。

——（明）郑太和《郑氏规范》

阅读链接：

毛策：《浙江浦江郑氏家族考述》，见《谱牒学研究》（第2辑），文化艺术出版社，1991年版。

吴光主编：《中国文化世家·吴越卷》，湖北教育出版社，2004年版。

毛策：《孝义传家——浦江郑氏家族研究》，浙江大学出版社，2009年版。

吕留良：为民族争存

吕留良像

明末清初政权更迭，战争频繁，社会动荡不安。清王朝入主中原后采取极端的民族政策，更尖锐了满汉矛盾。清顺治二年（1645），清政府再度重申“剃发令”，强令汉人依照满俗剃发留辫，推行“留头不留发，留发不留头”的高压政策，这一举动激发了汉族反抗清政权的决心。同年，清兵武力占领江浙等省后，大开杀戒，制造了惨绝人寰的“扬州十日”“嘉定三屠”和“嘉兴屠城”等暴行。面对如此暴行，江南人民反抗暴政的起义风起云涌，在这样国破家亡的背景下，一批知识分子开始为国家的命运和民族的前途奔走呼号，其中吕留良（1629—1683）就是代表人物。

吕留良，浙江崇德县人，明末清初杰出的思想家、爱国者。在明清交替之际，他毅然走上了反清道路。1645 年，清军进攻嘉兴，吕留良家乡崇德首当其冲，出于报国之心，17 岁的吕留良与其兄愿良、侄儿宣忠毅然投身到抗清斗争中来。他散尽万

贯家财，支援抗清义军；奔走于浙西山区，联络各地义军。顺治三年（1646），其侄吕宣忠获得浙东鲁王政权的赏识，受命联络太湖义军共同抗清。不幸的是太湖兵败后，吕宣忠被捕，次年被清兵杀害于杭州，时年23岁。侄儿的牺牲对吕留良打击极大。顺治五年（1648）吕留良返回故里，结束漂泊流离的生活，被迫栖身于田园。

抗清失败后的吕留良，心情极度苦闷，一度对前途充满失望。加上又有仇家抓住吕家曾经抗清的经历不断攻击，为了家族安危，吕留良期望求取功名换取安全。顺治十年（1653），吕留良被迫改名光轮，违心参加科举考试，居然中了秀才，在科场取得不少声誉。然而，吕留良的心终归不在科场、仕途，到顺治十六年（1659），吕留良结识了黄宗炎、黄宗羲、高斗魁等抗清志士以后，强烈的民族情结、忧国忧民的情怀再次被唤醒，他从苦闷、彷徨中解脱出来。他对自己栖身科场的行为进行了反思，决意离开科场，归隐山林，以民族复兴为己任，著书立说。

为了表示自己不与朝廷合作的决心，康熙五年（1666），浙江学使至嘉兴府考核生员时，吕留良在考核前一天拜会学官陈执斋，表示不再参加考试，以保全名节。陈执斋深受感动，反倒起身向吕留良作揖，表示相见恨晚。第二天早上府学点名时，吕留良没去应到，按例被除名。吕留良秀才功名被革除，震惊了整个嘉兴府。亲朋为其担忧、奔走询问缘由时，吕留良已开始探寻国家治乱之源。

在吕留良隐居治学时，名气反而日益高涨，但他为了名节一直拒绝与政府合作，决不食清政府的俸禄。康熙十一年（1672），地方当局希望他出面主持修撰地方志，他故意久居外地，誓不归家。康熙十七年（1678），清政府为了笼络明代遗民，特开博学鸿词科，浙江地方当局特意推荐吕留良，他却毅然拒绝。康熙十九年（1680），清政府征聘隐士，嘉兴府准备举荐吕留良出仕，这次吕留良更加干脆，削发为僧，直至去世。

吕留良虽然拒绝出仕，但心怀天下，他具有强烈的民族意识，在他所写的许多

阅读链接：

陈连营、王缨：《飞来祸·益觉迷》，山西人民出版社，2001年版。

俞国林：《天盖遗民——吕留良传》，浙江人民出版社，2006年版。

徐宇宏：《吕留良》，云南教育出版社，2009年版。

诗文和日记中，有大量激烈的夷夏之防等言论。针对当时残酷的现实和激烈的民族矛盾，他发挥了儒家“夷夏之防”的思想，把民族气节视为立身之本。当然，不可否认，他的思想具有反抗清政府民族压迫的一面，但“夷狄”的区分也让自己陷入了狭隘民族主义而不能自拔。吕留良在探究治乱之源时，难能可贵的是已经具有了一定的民主意识，他在《四书讲称》《吕子评语》中提出：“君臣以义合，合则为君臣，不合则可去。”在当时思想环境下，这种君臣观可谓开风气之先。在隐居的日子里，吕留良通过评选时文、结交朋友、四处讲学，将他的经世救国观点四处宣扬，在清初思想界产生了很大影响。

不幸的是，在吕留良死后四十余年，受曾静“文评案”的牵连，吕留良被雍正定为“大逆”，惨遭剖棺戮尸，亲戚、门人广受牵连，其族人被流放东北宁古塔为奴。吕留良及家族成为清代文字狱的又一受害者。但统治者始料不及的是，此举让吕留良的名声大振，他的经世救国思想被日益重视，他的民族精神被广泛推崇。

正是因为吕留良强烈的爱国主义思想和民族气节，辛亥革命后，吕留良成为西湖彭公祠供奉的三贤之一，受到人民尊重和爱戴。

陆蠡："台州式的硬气"

陆蠡像

鲁迅先生曾经对台州人精神品格有过高度的概括，他在《为了忘却的记念》一文中说："他（即柔石）的家乡，是台州的宁海，这只要一看他那台州式的硬气就知道，而且颇有点迂，有时会令我忽而想到方孝孺，觉得好像也有些这模样的。"因此，柔石、方孝孺成为众所周知的台州名片。然而，"台州式的硬气"并非仅仅表现在这两人身上。在上世纪初，有一位"台州式的硬气"代表人物——抗日烈士陆蠡，他的爱国事迹与情怀同样感人。

陆蠡（1908—1942），原名陆考原，字圣泉，陆蠡是其笔名，天台平镇岩头下村人。20世纪三四十年代，他是活跃在上海文坛的知名作家。可惜，其短暂的生命，犹如一道划破黑暗苍穹的流星，给人们带来短暂光明，也留下了深深的遗憾。

在他短暂的10年创造生涯中，他为我们留下了三本散文集——《海星》《竹刀》《囚绿记》，翻译有屠格涅夫的《罗亭》《烟》等，在其作品中传递出一种极强的拯救祖国危难的愿望。正是凭借这些作品他跻身于中国现代散文名家和翻译家之列。同时，也正是这10年，他完成了从一介书生到抗日英烈的巨大转折，成为"台州式的硬气"式的英雄儿女。

近代中国，多灾多难，作为一个爱国者，目睹日本帝国主义的侵略，人民遭受苦难，陆蠡的爱国情怀与日俱增。抗日战争中，在沦陷的上海，他坚守出版岗位，不畏险阻，宣传抗战思想，直至为抗战文化事业奉献出宝贵生命。

1935年，陆蠡加入吴朗西、巴金创办的文化生活社，担任编辑，开始与上海进步作家广泛接触。1936年，为抗议日本的侵略，他在巴金、曹禺等作家发起的《中国文艺工作者宣言》上签上自己的名字，发出决不屈服、决不畏惧日本侵略的呼号。1937年8月13日，“淞沪会战”爆发，上海的情况日益危急，滞留在上海租界的巴金决定赴西南大后方。为了能够在上海继续发出抗战的呼号，临行前将上海文化生活社的社务交由陆蠡负责。陆蠡毫不推辞，表现出铮铮铁骨。

1941年底，太平洋战争爆发，日军入侵租界，陆蠡和文化生活社的处境日益凶险。他与两位同仁坚守岗位，为抗日救国呼喊。文化生活社的抗日行为引起了日本人的注意，寄售的书籍常被巡捕房查抄。1942年4月，危险终于来临。文化生活社发往西南的抗日书籍在金华被发现，日本宪兵队追查到上海。1942年4月13日，上海中央巡捕房和法租界巡捕房联合派人查抄文化生活社，捉拿陆蠡，这时陆蠡恰好外出，巡捕便劫走各类书籍数万册并带走两个工作人员。事情发生后，朋友家人劝其躲一躲，但他不以为然，认为自己既然是负责人，就应该对此事负责。为了营救被捕的两位同事，他孤身一人找巡捕房交涉，没想到当即被捕，被押往日本宪兵司令部，随即又被移解到苏州监狱。在敌人的严刑拷打面前，陆蠡表现出大无畏的英雄气概，为了同事的安全，为了革命事业，不惜牺牲自己的生命。

据陆蠡的狱友介绍，有一次日本提审陆蠡，问："你爱不爱国？"

"爱国。"

"赞成南京政府（指汪精卫伪政府）么？"

"不赞成！"

"依你看，日本人能不能征服中国？"

"绝对不能征服！"（乐齐《陆蠡之死》）

日本人反复提审陆蠡多次，依然无法从其口中得到有用信息。后来，亲友多方打探，全力营救，但毫无音讯，陆蠡就这样在世界上消失了。

陆蠡不怕牺牲的"台州式的硬气"一直激励着后人。这位抗日先烈殉难 41 个年头后，1983 年 4 月，民政部批准他为革命烈士。他的朋友巴金先生在《怀陆圣泉》一文中深情地写道："像圣泉这样有义气、无私心，为了朋友甚至可以交出生命，重视他人的幸福甚于自己的人，我却见得不多。古圣贤所说：'富贵不能淫，贫贱不能移，威武不能屈。'他可以当之无愧。"高度评价了陆蠡短暂的一生。

陆蠡一生虽短，但并不缺少辉煌。他身上体现出的"台州式的硬气"，成为我们宝贵的精神财富。

阅读链接：

熊融编：《陆蠡集》，浙江文艺出版社，1984 年版。

乐齐：《巴金与陆蠡》，《中华读书报》，2004 年 3 月 17 日。

乐齐：《陆蠡之死》，《中华读书报》，2005 年 3 月 23 日。

龙游商人：重义轻利，无远弗届

明清以来，中国商品经济获得了空前繁荣，涌现出不少大商人、大商帮。在浙江的龙游曾经出现过被冠以“十大商帮”之一名号的“龙游商帮”。龙游位于浙江中西部，钱塘江上游地区，境内多山，在明清时期，随着商品经济的发展，商品流通领域的扩大，从这里走出了一群重义轻利、诚信为本、声名远播的商人。龙游商人在浙江的历史乃至中国历史画卷上描下浓重的一笔。

在今天看来，龙游地区经济发展相对落后，那为什么会出现被誉为“十大商帮”之一的“龙游商帮”呢？这主要和当时龙游地区便利的交通条件、丰富的物产资源等因素密切相关。龙游位于钱塘江黄金水道沿岸，是旧时衢州府的交通要道，当浙闽赣三省要冲，而龙游物产以山区土产为主，土纸、竹木、甘蔗、茶叶、染料等颇为丰盈，这就为龙游商人的商贸活动提供了坚实的物质基础。加之，龙游地处盆地丘陵，地狭民稠，所以人多外出经商谋生，具备从商的历史传统。

龙游商人突破了安土重迁的传统，为了扩张商路、抢占市场，他们背井离乡，不辞辛苦，“无远弗届”，足迹遍及大江南北。

因此，在明代万历年间就流传“遍地龙游”的谚语，足见早期龙游商人的开拓精神。此时的龙游商人能与著名的徽商、晋商、粤商等在全国市场角逐竞争，足见其雄厚的实力与深远的影响力。

龙游商人是依靠什么立足于传统商场的呢？儒家思想对商人有严重的歧视，“重利轻义”成为商人甩不掉的帽子。然而，在龙游商人身上我们却看到了不一样的景象。

龙游商人之所以能够名重一时，是跟他们重义轻利、诚信立身的经营理念密不可分的。公平交易，童叟无欺，重信誉，杜假冒，这是龙游商人的信条，也是他们立足商界的资本。

龙游商人强调质量至上，绝不以次充好，糊弄顾客。龙游商人的代表人物童佩所刻之书质量上乘，远近闻名。他为了保证刻书的质量，家藏万卷书，亲自校勘，并聘请名刻工刻印，凡童家所刻之书畅销江南，引得顾客争相购买。再如龙游傅家所开的傅立宗纸号，所生产、销售的纸张，白净、坚韧且均匀，纸张质量上乘，比同行出产的相同规格的纸件要重十多斤。因此，产品能够享誉大江南北，历久不衰。

龙游商人注重商家声誉，注重口碑。本着对顾客负责的态度以及保持产品声誉的决心，傅立宗出产的纸件统一加印“西山傅立宗”字样，可以说是以质量打造品牌。龙游姜益大棉布店以信誉著称，号为金衢严三府最具声誉的一家商号，多次提出要薄利多销，童叟无欺，决不二价。为了防止流通中有银元掺假损害顾客利益，特聘请三位有经验的验银工，严格检验，凡验过的银币加以“姜益大”印记，让顾客放心。

龙游商人经营中目光远大，不以短期行为来谋利，为了信誉，宁愿承担暂时的损失。如滋福堂药店，重金延请名医坐堂监制药丸，力求配置成分和分量都要准确无误，制药过程层层把关，严加检查，使得出产的药品药效良好。

除了恪守商业道德之外，龙游商人也重视提高自身的文化素养。龙游一县就有数十间书院，在明代就出了 31 名进士。由于良好的文化素质，只要力所能及，龙游商人就愿意慷慨解囊，回馈乡里，乐善好施。而这也是与他们重义轻利、不取不义之财的商业道德相辅相成的。

在中国历史上，这批从浙西山区走出来的商人，既无政治力量的推动，也无宗族势力的支撑，但却能在强手如林、商帮林立的商界崛起，堪称奇迹。但这奇迹中却也蕴含着必然性，即重义轻利的商业品格和诚信为本的商业理念。离开了这些，龙游商人也就无法走出浙西、走向全国了。

不幸的是，鼎盛于明中叶至鸦片战争前后的龙游商帮，在光绪年间不断萎缩，最终成为历史，有人曾感叹“其兴也勃焉，其亡也忽焉”。历史就是这样的无情，龙游商人逃不脱近代中国特殊国情的魔咒，外资的入侵，资本主义的兴起，使得龙游商人措手不及。然而，它的消亡，并不是因为重义轻利的经营理念和营销方式存在问题。相反，它的商业道德和经营理念于今天发展市场经济、激励中国商人走向世界仍有很好的借鉴意义。

阅读链接：

张海鹏、张海瀛：《中国十大商帮》，黄山书社，1993 年版。

陈学文：《龙游商帮》，中华书局，1995 年版。

徐王婴、杨轶清主编：《商帮探源》，浙江人民出版社，2007 年版。

南浔商人：近代慈善的发端

在晚清同治、光绪年间，湖州南浔镇崛起一个资本雄厚的商业集团，有人粗略估算，浔商的总资产超过6000万两，与清末政府的全年收入相当。当时，人们常以“四象八牛七十二条金黄狗”来形容浔商雄厚的资本。发家致富后的南浔商人开始热衷于地方慈善事业，用所得来回报乡梓。

近代崛起的南浔商人，大多出身贫寒。以“南浔四象”为例，刘家的奠定者刘镛白手起家，年轻时在绵绸布庄当伙计；庞家奠定者庞云镨，最初是丝行学徒，后贩运生丝起家；顾家创始人顾福昌家中贫寒，母亲过世早，最初在南浔镇上摆布摊，后来经营湖丝发家；只有张家稍微富裕些，是镇上的小商贩。早年的贫寒让这些商人在成功后对族人、家乡更多了一份报效之心。

南浔商人依靠雄厚的资本，在传统的慈善事业上（如创办义庄、扶危济困）大放异彩。

中国人的宗族、乡土观念向来浓厚，为了回报族人，不少商人设立义庄。当时南浔较为出名的义庄就有刘氏义庄、张氏义庄、庞氏义庄和周氏义田。“四象”之一的刘镛在世时，拟在江浙两省购置田产设立义庄，但一直未果，直至宣统元年（1909）其子刘锦藻、其孙刘承干时，先后将南浔、嘉兴秀水及上海青浦等地田产捐出，义庄才正式设立。“四象”之一的张颂贤，在江苏常熟购田千余亩，用来赡养族人，至光绪二十一年（1895）其子张宝善捐田产建义庄，张氏义庄正式建成。“四象”

之一的庞氏，也于宣统三年（1911）设立义庄。资本稍逊一筹的“八牛”之一周昌大、周昌炽兄弟在江苏金山置义田520亩，田租六成归周氏宗祠，供赡养宗族孤老。

南浔商人的慈善活动，并不仅限于家族内，他们将更多的精力和金钱投入到公共服务中来。同治七年（1868），南浔商人庞公照、顾福昌、刘镛、庞云镨等人倡议建立育婴堂，翌年房舍完工，正式开始收养弃婴。育婴堂的日常经费主要来源是商人的捐助以及丝捐中的提成。尽管如此，育婴堂依然入不敷出，庞云镨个人一度垫付15000余两，庞云镨死后，其子庞元济不仅将此笔欠款一笔勾销，而且从其产业通益公纱厂中每年拨出720两作为育婴堂的补助，不足部分依然由庞氏支付。正是在南浔商人的鼎力支持下，南浔育婴堂救助了不少孤儿。根据朱从亮主编的《南浔镇新志》统计，从1869年至1953年，育婴堂共收养婴儿122166名，平均每年达1400多名。此外，在施药局、师善堂、养老院等社会慈善活动中，都能看到南浔商人的身影。

然而，在近代社会变迁的浪潮中，南浔商人的慈善活动突破了传统，出现了富有浓郁近代特色的慈善公益行为。

近代南浔商人群体的兴起本是伴随上海开埠、对外贸易日渐发达而出现的。南浔商人不仅把湖丝推向了世界，也把近代文明引入到南浔。在慈善救济上，他们将重点从救济一时之贫，转到传以一技之长上来，向被救济者传授生存技能，涉足的慈善领域日益扩大，并影响到南浔的近代化进程。

1929 年，浔商与政府共同出资创办游民感化所，其宗旨在于解决被救济者的谋生问题。该所专门招收社会上的无业游民，让其入所学习纺织技术，这不仅让游民有了栖身之所，解决了他们一时的生存所需，也有助于社会安定。1933 年，游民感化所改组为游民习艺所，专设纺、织两科，教以纺纱织布等技艺，让游民具备自食其力的能力。旅居外地的南浔商人也不忘地方公益，1924 年，旅沪浔商上海成立了南浔公会，目的就是为了服务家乡，为改变家乡面貌。公会宗旨明确规定有以下职能："1. 关于安宁秩序之维护；2. 关于慈善公盖之设施；3. 关于教育实业之辅助；4. 关于地方市政之改进；5. 关于乡人争议之调解；6. 关于乡人职业之维护；7. 关于一切公共事宜。"（周子美《南浔镇志稿》卷一《公署》）

近代以来，南浔商人在慈善公益领域中的参与程度与广度远远超过传统时期，他们突破了传统的同情、施舍等慈善理念和行为，将服务社会的理念付诸实践，不仅为南浔的发展贡献了力量，也为后人树立了崇高的道德标杆。

阅读链接：

陈永昊、陶水木主编：《中国近代最大的丝商群体——湖州南浔的"四象八牛"》，浙江人民出版社，2001 年版。

董惠民、史玉华、李章程：《浙江丝绸名商巨子南浔"四象"》，中国社会科学出版社，2008 年版。

徐顺泉：《略论近代浔商慈善事业与慈善思想的特征》，《湖州职业技术学院学报》，2009 年第 2 期。

胡庆余堂：是乃仁术，真不二价

胡雪岩像

胡庆余堂位于美丽的西子湖畔、吴山脚下，由晚清著名的“红顶商人”胡雪岩一手创建于清同治十三年（1874）。胡庆余堂自成立以来，历经百余年风雨而不倒，反而在老百姓中口碑愈来愈好，与北京的同仁堂并称为南北两大国药号。究其原因，就在于胡庆余堂坚持“以诚待人”的经营之道，而这也是与胡雪岩“济世于民”的创办初衷相一致的。

关于胡雪岩创办胡庆余堂，还有一个“一怒创堂”故事。有一次胡雪岩的家人生病，他派人到药堂抓药，药买来后发现有两味药以次充好，于是，他叫人去药店调换，谁知药店老板反唇相讥：“要换没有，要不然请你家老爷自己开一家吧。”胡雪岩听后大怒，于是便有了胡庆余堂的建立。传说毕竟只是传说，不可尽信，但即使胡雪岩真的因此而创立胡庆余堂，也并未将此作为斗气的工具，而是作为人生的一大事业来经营。

胡庆余堂成立后，始终秉持悬壶济世、以诚待人的经营理

念。而悬挂在胡庆余堂里的一块块匾额和门楼的刻字则很好地反映了这一点。

在胡庆余堂二门背面至今还保留着胡雪岩所立的“是乃仁术”四个大字，这源自《孟子·梁惠王》：“医者，是乃仁术也。”这反映了胡雪岩开店的宗旨，他把药业看作是普济众生的事业，也体现了胡庆余堂诚实守信和治病救人的仁义之德。

胡庆余堂另一块著名的“戒欺”匾额，则为胡雪岩于清光绪四年（1878）四月所手书的店训。胡庆余堂所有的匾额都是对外的，只有这块是对内的。它时时刻刻提醒着胡庆余堂的每一个人：“凡百贸易均着不得‘欺’字，药业关系性命，尤为万不可欺。”从商便不得与欺骗沾边，尤其与人命相关的药业，万万不能有欺诈之行。胡雪岩在亲作的跋文中还写道：“采办务真，修制务精，不至欺予以欺世人，是则造福冥冥，谓诸君之善为余某也可，谓诸君之善自为谋也亦可。”“采办务真，修制务精”是胡庆余堂的八字真经，充分反映了胡庆余堂以诚待人的特质。为买到真材实料，胡雪岩规定药店的药材要至产地采购，如到山西办当归、党参，到四川办川贝、黄连，到东北办人参、鹿茸，决不允许以次充好；而在制作过程中，则要求店员严格遵守工艺流程，讲求精工细作，决不允许偷工减料和粗制滥造。

在店堂正中悬挂着的一块大匾，上书“真不二价”，这又是什么意思呢？原来，自从胡庆余堂开业以来，凭借着良好的信誉和药品良好的疗效，老百姓看病买药几乎都到胡庆余堂，其他药店的生意则是一落千丈，越来越清淡，为了抢回市场份额，这些药店就开始降价，希望用价格优势吸引顾客。这下让胡庆余堂的人不免有些紧张，于是就有下属向胡雪岩建议把胡庆余堂的药价也降下来，跟其他药店竞争。胡雪岩却在此时宣布绝不降价，并手书“真不二价”悬挂于正堂之上。胡雪岩解释说，“真不二价”倒过来就是“价二不真”，他的本意是要让客人明白，如果药价太低，是买不到真药好药的。药是人命关天的大事，病人只要求药到病除，谁又会贪图便宜买劣等货呢？所以胡雪岩并非将“真不二价”强加给顾客，而是让客人明白“价二不真"的道理。而胡雪岩之所以敢这么做，也是基于对胡庆余堂以诚待人具有强烈的信心。

一百多年过去了，胡雪岩早已因经商失利落得"财失人亡"，但胡庆余堂却依然在吴山脚下屹立不倒，古色古香的建筑在古朴中隐现着几分神秘，优雅里蕴藏有文化积淀。在悠久的历史中，胡庆余堂沉淀的丰富独特的文化也可以说是中国传统商业文化之精华，即童叟无欺、贫富无欺、以诚待人。这也是胡庆余堂的立业之本。或许正因为如此，胡庆余堂才会被人誉为"江南药王"，成为国药之圣地。

阅读链接：

王绍规主编：《胡庆余堂：中药文化国宝》，中国国际广播出版社，1994 年版。

马永祥：《胡庆余堂》，杭州出版社，2006 年版。

方言编著：《胡雪岩全传》，华中科技大学出版社，2010 年版。

民间善举事业综合体：杭州同善堂

丁丙像

清同治三年（1864），在杭州慈善史上是一个比较特殊的年份，这一年，清王朝终于将杭州从太平天国军队治下重新夺回。夺回后的杭州，百废待兴，原有善堂大部分已经荒废，浙江地方政府为了处理战争善后事宜，同年九月，在闽广总督兼浙江巡抚左宗棠号召下，浙江地方官吏和士绅一道捐助建立起一个庞大的慈善组织——“同善堂”。这个具有浓厚官办色彩的慈善组织（它是被部分学者称为“全国规模最大者之一的民间善举事业综合体”的重要组成部分）与近代杭州密切联系起来。

同善堂之庞大，非一般传统慈善组织能比拟。杭州同善堂机构庞杂，下辖十个功能不一的组织，分别是施材局、掩埋局、施医局、牛痘局、报验局、正蒙义塾、穗遗集、救生船、借钱局、惜字会。施材局，负责施舍棺木；掩埋局，负责掩埋无主尸体；施医局，主要为平民提供免费医疗救助；牛痘局，负责接种预防天花的牛痘；报验局，是申请验尸的机构；正蒙义塾，为家境贫穷无依少年提供免费教育的机构；穗遗集，对守寡的妇女提供援助；救生船，又叫红船，设置在钱塘江渡口，用来搭救溺水者；借钱局，又称借钱公所，为贫穷者提供无息贷款；惜字会，负责收集写过字的纸张并郑重地将其烧毁。同善堂下辖的这十个机构并非完全是同善堂建立之际设置的，如掩埋局、救生船早已有之，只不过这时重新恢复，并置于同善堂的管辖下罢了。

从同善堂所承担的职能来看，远远超出了传统慈善救济团体所具备的救济功能，它包含着浓厚的行政职能，如报验局、借钱局等等都属于都市行政职责的范畴。从这种意义上来看，杭州同善堂的出现，一方面是政府借助社会力量，迅速恢复战乱后社会秩序的重要举措，另外一方面也说明近代杭州社会转型过程中，慈善救济、社会公益领域出现了新的发展，近代市民阶层对社会问题的关注和关怀日益扩大。

同善堂的机构庞杂，职责繁重，必然需要大量的经费来保证它的运转。按照道理，同善堂承担了部分政府应有的责任，获得政府拨款应是情理中的事情，在杭州同善堂的资金源中，我们确实可以看到国家的影子，善举事业本是国家事业的延伸，符合封建政府的“王道”精神，故在不少层面官府都会出面给予一定的支持。就杭州同善堂而言，其收入中主要来自三个方面：一部分来自政府征收的厘金；还有一部分是政府向各行业征收的“业捐”，大体主要有盐捐、米捐、木捐、箔捐、锡捐、绸捐、典捐、丝捐、钱捐、土捐、煤铁捐等十多种，当然，这些捐税多少带有一定的政府强迫性质；此外，还有慈善机构自身拥有资产所带来的“典息”“产息”等，但这部分收入所占的比例微不足道，占主要的还是政府的税收和来自各业的“业捐”。

在地方政府的资金支持下，杭州的绅士们投入到广阔的慈善事业中来。同善堂设有董事，由同善堂下辖的各局推荐一人组成。这些董事完全是志愿性、义务性的，不取分文报酬。董事下面设有司董和其他办事人员，这些人由同善堂给以薪酬。然而同善堂的运转并非各界所想象的那么顺畅。

资金问题成为同善堂发展的严重困扰。光绪二年（1876）以后，经费不足的问题已经显得异常严峻。当年杭州慈善团体的总董丁丙的报告中所反映的同善堂的资金缺口就在三万四千文上下。经费不足，善举事业必定受影响，而且像施医局每天要向一千多人提供免费诊疗和药品，如果裁撤或缩小规模，必将引发巨大的社会问题。如何解决？这是以丁丙为首的杭州绅士们迫切需要解决的重要问题。在处理这件事情中，我们不得不佩服这个具有坚韧毅力和同情心的丁丙及其他董事，他们以自己的产业为依托，自掏腰包来填补这个无底洞。就以丁丙个人而言，在光绪二年（1876），他为杭州的慈善事业垫付金额已经超过一万文，到光绪四年（1878）达到三万文。据成书于光绪三十年（1904）的《杭州善堂文稿》记载，丁丙退任总董后的二十多年，杭州善举事业中的赤字，绝大部分依旧由丁丙填补。可以说，丁丙将毕生的精力、心血和财力都奉献给了杭州的社会慈善事业。

我们在感慨丁丙的慈善行为、赞美他的慈善功绩的时候，又不得不为他个人在杭州善举事业中所承受的重担感到唏嘘。就杭州同善堂而言，它的发展得益于像丁丙这样热心支持慈善的商人，但同时，它的身上又肩负了太多的国家义务和责任。作为一个民间慈善团体而言，面对这个大规模的社会保障救济体制，是心有余而力不足的。同善堂的兴衰和困境，正是因为它承担了无法承担的重担。

阅读链接：

［日］夫马进：《中国善会善堂史研究》，商务印书馆，2005 年版。

万方：《慈善之痛：国家权力下的清代民间慈善事业——记“杭州善举联合体”》，《书屋》，2007 年第 1 期。

王春霞、刘惠新：《近代浙商与慈善公益事业研究（1840—1938）》，中国社会科学出版社，2009 年版。

莫以善小而不为：江南施茶会

在中国民间有句俗话："莫以善小而不为，莫以恶小而为之。"在江南流行的施茶会，就是秉承这种朴实的慈善理念、由民间自发组织的一个慈善公益团体。施茶会不像那些救死扶伤的赈济团体，直接与灾民的生命联系起来，它仅仅在路边为口渴的行人提供一杯凉茶罢了，它既不能成就什么丰功伟绩，也不需要动用多大的社会资源。看似一件很平常的事情，但却体现了民间社会淳朴的慈善之心。

施茶会，也称茶会，它主要流行于中国江南农村，浙江地方甚为常见。它一般由地方上乐善好施或热心于公益事业的人士自愿组织，民间共同集资。施茶地点常设于交通要道或寺观庵庙旁，这主要是为了便于长途跋涉的行人和赶庙会的民众，在口渴之时有一杯清凉解渴的茶饮。在这些地方都建有茶亭，茶亭有陋有繁，简陋的俗称茶棚，这一方面便于施茶，一方面也为路人提供了休憩的场所。浙江各县，在通衢之地和寺庙周围建有大量的茶亭。据清《嘉庆山阴县志》记载，山阴县在八仙桥、大木桥、武勋桥、望江桥、清道桥、舍子桥有6处茶亭。在天王寺、土谷祠、长庆寺旁都设有茶亭。这些茶亭为往来商旅、

游客、行人提供了便利。

这些施茶凉亭的设施异常简单。一般在凉亭内设置一小间，专供烹茶人居住，负责施茶的大多是附近村庄的老妇人或家庭拮据的村民。施茶也是季节性的，一般从入夏开始，为过往行人提供免费的茶水，直到入秋天气渐凉，施茶的行为才告结束。施茶的工具也比较简陋，一把大茶壶专职烧水，待水烧沸后，倒入茶叶、青蒿梗、砂仁、豆蔻等解暑物品，待泡出茶汁后，舀至茶杯或茶碗中供人免费索取。

义乌发现的一座清代凉亭

施茶会虽然花费不大，但要让其长久维持下去，必须要有一定的经济保障。现存的江山万福庵《茶会碑》碑记，可以给我们一点提示。碑记中显示，万福庵茶会是当地僧尼和民间热心人士共同集资创办的，上面还详细记录了发起人和捐助者的姓氏。除了由热心人士集资外，也有的施茶会经费由附近村庄公摊，负责施茶的人可以得到一二百斤稻谷。还有的村庄专门抽出一二亩公田，其收入归负责施茶者所有，在绍兴有绅士一次捐田一百九十余亩，支持乡间的广荫茶亭。此外，过年过节，村子里还会送一些礼品给负责施茶的人，作为酬劳。这正是民间“积善”思想的美好体现。

直至民国时期，施茶之风在浙江依然盛行。1946 年，绍兴县政府还饬令乡镇大户组织施茶会。据统计，当时绍兴共有 50 个施茶会为过往行人施茶，以解盛夏之渴。在浙江温州的永嘉县岩头镇，一个建于南宋年间的古凉亭直到现在依然在施茶。每年的端午节至重阳节期间，当地村民们义务在凉亭里烧水泡茶免费供路人饮用。有

阅读链接：
吴学融：《凉亭施茶》，见浙江省民间文艺家协会选编《浙江民俗大观》，当代中国出版社，1998 年版。
刘清荣：《中国茶馆的流变与未来走向》中国农业出版社，2007 年版。
余悦编著：《事茶淳俗》，上海人民出版社，2008 年版。

报道，20 世纪 90 年代，一位前来参观红十三军纪念馆的老红军在此逗留饮茶之后，欣然题词："文明凉亭文明茶，义务供茶育文明。"夸赞这种好风气（余悦编著《事茶淳俗》）。

施茶本是美事美俗，它贴近于百姓的日常生活，受到百姓的赞誉。在杭州流传着一个关于施茶的美丽传说：相传很久以前，在杭州龙井狮峰下有一位婆婆，她家周围有 18 棵野山茶树，每到盛夏，她就在家门口摆上一张桌子，放上用自家茶叶煮的茶水，供来往的农民饮用。有一年冬天，异常寒冷，老妇人的茶树也将冻死，一位路过的长者，听闻老妇人的烦恼后指着她门前的石臼说："这便是宝，不如将此石臼卖给我。"老妇人说："这破臼本不值钱，你要只顾取去。"顺手把石臼中的茶渣倒在了茶树根下，没想到第二年春天，老妇人的 18 棵茶树的春芽分外茁壮，又嫩又香，制成的茶叶香醇可口，引得乡邻纷纷来讨茶籽，从此那 18 棵茶树所制成的茶叶，成为了名满天下的龙井茶。当然，龙井茶是否真的是如此得来，我们没必要深究，这个古老的传说只是告诉大家一个朴素的道理："好人有好报。"

民间的施茶行为虽属小事情，但在浙江相沿成习，现在城乡仍然有这种习俗，夏天到来时，由居委会或老人会自发组织，为行人提供免费的茶饮。可以说这种助人的美德，在民间具有很强的生命力，直至今天这种行为依然值得我们大力倡导和宣传。

江南义学：造就孤寒子弟

中华民族是相当重视教化的民族，不仅统治者重视教化，兴办学校，在民间同样如此，私人办学和社会助学的风尚久盛不衰。明清以来，浙江的义学、私塾遍及各县城乡，极大地促进了传统社会里教育的发展。

义学，也称义塾，是一种免费的学塾，主要为民间贫寒子弟提供免费教育，义学多以地方或宗族为单位举办，经费来自地方政府、宗族或社会热心人士。

义学产生时间很早，汉代即有设置，但广泛兴起还是在北宋时期。北宋咸平二年（999），新昌县著名学者石渥、石待旦父子创建石溪义塾，这是绍兴府境内最早出现的义塾之一，在浙江境内也算是较早的。

江南一带兴起创办义学之风与北宋名相范仲淹有莫大关系。范仲淹为了救济族众，捐置千亩良田，在他的家乡吴县创办义庄，作为资助族人之用。在创办义庄的同时，依靠义庄的收入，还创办义学，为孤寒子弟提供受教育的机会，希望他们饱读诗书，提高文化素质，最终能金榜题名，光宗耀祖。范氏义庄的创办，为江南各大家族提供了样板。

南宋时期，东阳陈高德为家族置办义田千亩时，毫不隐晦地讲："略仿范文正公（即范仲淹）之矩度而适增损，以适时变。"（南宋陆游《东阳陈君义庄记》）南宋宁宗开禧元年（1205），杭州也出现了见诸记载较早的义学，由进士章槱在家乡昌化县所创办，章槱利用自己的声誉四处延请名师，希望尽可能地为入学的族内子

阅读链接：

李文治、江太新：《中国宗法宗族制和族田义庄》，社会科学文献出版社，2000 年版。

孙善根：《民国时期宁波慈善事业研究》，人民出版社，2007 年版。

王春霞、刘惠新：《近代浙商与慈善公益事业研究（1840—1938）》，中国社会科学出版社，2009 年版。

古时科举考试场面

弟提供良好教育。他的努力并没有白费，从他创办的义学中走出很多通儒、名臣。

南宋以来，浙江地区义学的兴盛与宗族组织日益强大有很大关系。这个时期，浙江宗族组织日益严密，族内的救济也有所扩大，不少家族有能力创办义庄，并以此来供养义学。在这些义学的创办过程中，家族是其主要的依靠力量，但倡导者、创办者多是在家族中拥有一定地位的官员或取得功名的士绅，由他们贡献一定资产作为义庄或学田，以其租息或收益来帮助族内贫寒子弟免费入学。学习用品多为免费提供，塾师多延聘

名儒大师，部分义学还提供伙食补贴，资助学童参加乡试、会试等。

明清以后，随着社会流动的加剧，江南市镇慢慢兴起，在这些地方，宗族的力量远没有乡村强大，在义学的创办中，也出现新的情况，部分慈善团体开始出资创办义学。清同治三年（1864），在杭州城出现的正蒙义塾，就是由杭州同善堂创办的，当然其中也有来自官方的支持，闽浙总督左宗棠就捐俸银4000两。正蒙义塾主要招收杭城的孤寒子弟，为他们提供基本的教育。它的经费中丝毫看不见宗族的影子。还有一种义学，由热心的士绅出资创办。1803年，著名教育家周士涟为促进杭城教育发展，携次子恒旦到杭城向各界募捐，经过多方努力，终于1806年在杭州定安巷兴办起杭城首家义学——宗文义塾，义塾招收“孤寒而才可堪造就者”。短短几年的发展，宗文义塾取得的辉煌业绩受到各界好评，嘉庆皇帝听闻周士涟的善举，欣然赐匾“乐善好施”。由此宗文义塾的声誉日隆，故后人有“北武（即武训）南周”之誉。

就浙江而言，自南北朝以来，北方世家大族纷纷南迁，浙江的宗族思想比较浓厚，族内的这种救助机制相对比较完善，义学才能够发展壮大。明清以后，商品经济取得发展，市镇里的慈善组织和士绅也投入到创办义学的慈善活动中来。这种良好的社会风气和氛围，给了寒门子弟受教育的机会。尽管清末学制改革后，这些义学纷纷改制为学堂，成为现代教育体系中的一部分，如1905年宗文义塾改名为宗文中学堂，1906年正蒙义塾改为正蒙两等小学堂，但义学曾经的兴盛，体现出中华民族重视教育的优良传统，社会各界热心教育、支持教育发展的行为依然值得提倡和赞扬。

宁波“水龙会”：设备管理很现代

“水龙会”这个名称对于现代人来说，算得上是一个生僻词。但如果对比“消防队”一词，恐怕小孩子都会知道是做什么用处的。实际上在清代，“水龙会”这词是相当流行的，市镇中基本上都有“水龙会”的组织。“水龙”，是清朝人对喷水水泵的称呼，“水龙会”则是一个救火组织，它是民间为了预防火灾而自发组织起来的公益团体。

宁波成立水龙会，在全国来看都是相当早的。近代以来，宁波商业繁盛，城区人口稠密、商铺林立，存在极大的火灾隐患，因此火患成为困扰宁波城乡居民的一大问题，宁波的商人希望建立一个公益性的救火组织。清道光二十六年（1846），在宁波从事商业活动的安徽人张绎与宁波本地人士缪棠等建立城区水龙局，取名“永安会”。而同期，上海华埠的水龙会在19世纪80年代才出现。此后，宁波城区陆续增设靖安、同安、普安、来安等水龙局。到清末，水龙局一类的消防组织已遍布宁波城乡。

在水龙局设立之初，它的设备原始，但效果却不错。贺三阳在《凉亭·水龙会》中对北仑新碶的水龙会有这样的描述：救火设施虽然原始，却十分健全，有太平斧、长铁钩、竹梯子、

消防桶、竹筒水枪、人力水泵（俗称“水龙”），还有照明用的桅灯、手电筒等，最显眼处挂着一面报警用的铜锣。当时，乡下遇到火灾，就会有人手拿铜锣一路狂奔，一边敲锣，一边高喊“某地方着火了”。附近乡镇的水龙会听到报警的锣声就立即出动去救火，有的甚至抬着救火设备跑十多里路去救火。

进入民国以来，宁波城乡消防依旧是各界关注的一个重要社会问题。水龙会作为民间消防组织，在发展过程中逐步出现了现代民间组织的特征。

在宁波消防力量的发展过程中，一直以民间力量为主导，商人在其中发挥重要作用，可以说，商人不仅是宁波城乡水龙会的主要组织者，也是重要的支持者。宁波商人在进行商贸的过程中，受欧风美雨的浸染较多，容易接受西方先进的生产方式和管理经验，在水龙会的组织建设方面，他们不自觉地使其向现代组织方面发展。

民国初年宁波城乡消防组织已相当普遍，但规模较小，互不统属，一旦出现火灾，协调性显得异常不足。为了有效地对付火灾，在会稽道尹黄庆澜的推动下，宁波开始筹备救火联合会。1920 年，鄞县知事致函宁波总商会，要求其借鉴上海等城市经验，组织救火联合会。1926 年 4 月 25 日城区的一场大火，促成了救火联合会的出现。当日平桥头突发火警，小龙安与靖安会救火队员同时前往救援，但是在救援过程中，不知因何原因，两队之间发生冲突，甚至动武，严重影响了救火。通过这起突发事件，宁波各界意识到联合的必要性，经过宁波商人的多方努力，1927 年 5 月，宁波救火联合会正式成立。这个组织的出现，已远不同于以往的民间慈善团体。

宁波救火联合会具有现代组织的管理模式，制定详细的章程，并规定严格的会议制度，组织专门的机构，雇佣专职职员。联合会下设总务、文书、会计、调查、交际、指导等管理部门。此后在宁波城乡的消防事业中，救火联合会发挥了组织协调等方面的作用，受到各界人士的好评。

此外，先进的训练方法和现代设备也引入到火灾救援中来。20 世纪 20 年代初成立的宁波青年会服务团火警救护队，特地请上海救火队员介绍救火经验和避电的方法。宁波商家出资购买新式灭火器，如汽油水泵。汽油水泵的运用大大提高了水龙会的灭火能力，救火时只需将汽油水泵运到水边，将水管放入河里，发动机器后喷水龙头就可以喷出高达两三层楼的水柱。

从宁波水龙会的发展来看，它来自民间，为社会公益应运而生，顺应了宁波老百姓的要求，得到社会各界的支持。近代以来，水龙会已明显不同于其他传统的慈善组织，它的身上突显着现代公益组织的特征，它的有效运作，所取得的卓著声誉，为现代公益团体的发展做出了榜样。

阅读链接：

孙善根：《民国时期宁波慈善事业研究》，人民出版社，2007 年版。

周时奋：《宁波老俗》，宁波出版社，2008 年版。

贺三阳：《凉亭·水龙会》，《宁波晚报》，2011 年 11 月 27 日。

沈家门存仁局：义葬，舍粥，施医药

存仁局，从它的名字上就可以看出是以“仁”为宗旨的慈善组织。沈家门存仁局历史悠久，它是沈家门地区第一个非宗教性质的民间慈善组织，主要通过施舍棺木、掩埋尸体、救济难民等方式帮助往来于沈家门渔港的闽浙等地渔民。

存仁局的出现，有它历史的巧合与机缘。清道光十三年（1833），舟山发生了罕见的大水，大水过后，稻田绝收，瘟疫流行，次年又遇大旱，舟山出现大饥荒，灾后民不聊生，饿死、病死的不计其数，暴尸露骨的比比皆是。在缺乏官方救济的情况下，地方社会组织起一个慈善机构，来埋葬这些无人认领的死尸。

存仁局作为一个慈善组织，在传统社会里很有代表性。首先，它的出现没有丝毫背景，完全是地方社会自发的产物。据说，当时纯朴、善良的沈家门人士，以“同修德仁，泽世行善”为初衷，捐款捐物，以赈济灾民，收殓尸体。其次，该组织的经费来源非个人、也非大家族，而是来自米业的同业人士。道光年间发生灾荒后，沈家门的泰巽、增和、泰和、同源等米业界仁人积极号召，联合地方绅士开展募捐，最终完成了这个善举。

存仁局在运作过程中充分发扬了中国人的智慧，让这个组织有充足的经费保障。存仁局非官办，也非官督民办的慈善组织，它没有固定的官方拨款，经费哪里来？一般而言，作为民间的慈善组织无非就是向社会募捐，向政府求助。沈家门存仁局除了向社会“认捐”外，还依靠米业团体进行“抽捐”。自光绪三年（1877）起，存仁局对来往沈家门的运米船只，各抽捐一厘，作该局的运作经费。这种“抽捐”方式，从清朝一直持续到民国，没有被中断过。这种“认捐”与“抽捐”相结合的方式，使得存仁局的日常经费有了保障。

在存仁局历史上，“抽捐”也闹出过不小风波。民国二十三年（1934），因上年存仁局“施棺较往年多数倍而负亏”，存仁局的董事们决定在原有“米捐”的基础上多抽一厘，这一举动影响到了舟山本帮及闽台帮贩米商人的利益。舟山地方商人不愿意自己的利益受损，宣称“沈家门各米行任情勒捐”，将官司打到国民党定海县党部和定海县政府。后经定海县政府调查，发现存仁局的困难确属实情，同时社会舆论普遍支持存仁局，最终，县政府认定“抽捐”符合当时民间“慈善条例”，给予支持，米捐按照“增抽”执行。从此次米捐风波的平息，我们可以看出，存仁局在社会上是具有良好公众形象的，它的慈善活动得到了政府和社会各界的认可。

存仁局在创办之初，主要是掩埋无人认领的死尸，但在它的发展过程中，所从事的慈善事业范围逐步扩大，尤其是大灾之年埋葬无主躯骸、施舍棺木已经远远不能满足社会的需要。存仁局以“同修德仁，泽世行善”为理念，拓展自己的慈善活动，在原有的善事中增加了平粜、施医、送药等多种赈灾济困的服务。存仁局的创办者就是沈家门的几家主要米行，在平粜方面，它们具有得天独厚的优势。《沈家门镇志》对存仁局荒年施粥的义举有如下记载：“清末民初，遇荒年，沈家门存仁善局举办临时义捐，平粜或施放米谷。民国二十四年（1935）大饥荒，宁波旅沪同乡会拨给沈家门等地赈米一百七十六石，运至沈家门增和米行，由各乡镇长具领。二十九年大饥荒，金塘、长涂等地大批难民拥入沈家门，商人王阿祥等发起募资筹粮，在新街、泥道头等地设施舍粥摊半年之久，每天有难民数百排队领粥。”灾荒往往与瘟疫并行，1917年、1938年，沈家门霍乱流行，居民逃避一空，以王阿祥为首的存仁局董事们，决定迅速建立“时疫医院”，收治病人。从存仁局的创建、发展来看，它切实履行了“同修德仁”的宗旨，服务了乡里。

沈家门存仁局虽然在义葬、赈济灾民、施医舍药等多个方面做了许多贡献，并取得了良好的社会效益，然民间社会救济自然有其局限，不可能真正满足当时灾荒救济的需要。但不管怎么样，完全由地方社会自发成立的存仁局，弥补了官方在慈善领域中的一些不足，它作为一个传统的慈善组织，在弘扬儒家仁德文化、引导社会向善、维护社会稳定方面的作用不可低估。

阅读链接：

蒋文波主编：《普陀县志》，浙江人民出版社，1991年版。

谢永根主编：《沈家门镇志》，浙江人民出版社，1996年版。

邬永昌：《沈家门民间慈善存仁局》，《舟山社会科学》，2010年第1期。

浙江育婴堂：起自南宋，千年传承

“幼有所养，老有所依”，一直是儒家治国的重要理念。在《周礼·大司徒》中指出：“以保息六，养万民，一曰慈幼。”按照儒家标准，“慈幼”是德政的重要内容，正因如此，自古以来，育婴一直是统治者关注的重点。早在宋代，统治者从“慈幼”的角度出发，大力倡导育婴事业，当时社会上即出现了一种收养弃婴、孤儿的慈善性社会组织，此后，一种名叫育婴堂的慈善组织广泛兴起。

浙江的育婴堂出现比较早，它的源头，可以追溯到南宋高宗绍兴十三年（1143）。当年，在政府的主导下，钱塘、仁和两县设立慈幼局，主要收养幼小孤儿和弃婴，这可以说是育婴堂的前身。理宗淳祐七年（1247）慈幼局的规章制度更加完备，当时规定：“凡遗弃婴幼儿，民间有愿意收养者，政府每月付给一贯钱、三斗米、一些布绢，到三岁为止；无人收养者，政府雇人在局中照料。”（朱德明《南宋时期浙江医药的发展》）元、明时期承宋制，育婴组织在政府的支持下，得到发展，这一时期已经出现大量的依靠民间慈善资金运作的育婴堂。

历史的发展，往往充满着偶然，一个历史的偶然，作为民但也是通过官府劝谕而来，官府的支持给育婴堂的发展注入了活力。

近代育婴堂还面临新情况，那就是外国传教士的参与。有一些外国传教士，在浙江设立育婴机构，如杭州设有育婴堂，在宁波，美国北长老会、浸礼会传教士设有恤孤院，绍兴的育婴堂由法国传教士出任董事。传教士热心于收养弃婴，一方面出于宗教的慈善之心，另外一方面企图借助慈善扩大宗教影响力。不管怎么样，从出发点上看，并没有恶意。然而，在民间，却常常会出现外国人掠杀婴儿的谣传，并激起巨大的民族情绪。恐怕这是从事育婴堂事业的传教士们没有预料到的。尽管如此，这些小插曲并没有影响育婴堂在近代的发展，也没有阻止外国教会投身于中国的慈善事业。

育婴堂能够显现出巨大的生命力和活力，正是因为它是富有成效的社会救济组织，它设立的目的很明确，就是收养弃婴和孤儿，这能够有效遏制社会上不良的溺婴陋习。在抚养的过程中又有灵活的方式，能够让育婴堂高效运转。育婴堂一般有“堂养”和“寄养”两种抚养方式，“堂养”是由育婴堂自行雇请乳妇在堂抚养；“寄养”则是由乳妇领回家中哺乳喂养，育婴堂按月给予报酬。此外，如果无子女者，可以在育婴堂办理领养手续，领养孤儿，这又满足了部分没有孩子家庭的需求。

明末以降，浙江地区民间慈善十分活跃，在政府的支持下，地方精英阶层及广大民众的参与热情空前高涨，浙江地区育婴

堂的设立及兴盛正是这种慈善氛围下的成果。政府与社会的有效合作，资金有效调集，组织高效率运转，这无疑就是传统慈善事业发展的典范。尽管近代以后，育婴堂逐步被现代保育机构所代替，但它体现出的人文精神，为我们树立良好的道德规范和价值标杆，在历史上留下了自己的功绩。

阅读链接：

朱德明：《杭州医药史》，中医古籍出版社，2007 年版。

孙善根：《民国时期宁波慈善事业研究》，人民出版社，2007 年版。

王春霞、刘惠新：《近代浙商与慈善公益事业研究（1840—1938）》，中国社会科学出版社，2009 年版。

绍兴舍材会：瘗埋路尸，善莫大焉

中国有句谚语："善有善报，恶有恶报。"在传统社会里，地方士绅乐善好施、扶危济困，他们常常组织一些慈善机构为有需要的人士提供帮助，舍材会就是这样一个由绍兴地方人士组织起来的慈善团体。

舍材会，在绍兴也叫普济会，它的成员多是一些乐善好施的老人。因为是民间自发组织起来的，舍材会的管理是松散的，并没有统一的、专门的常设机构，一般采取推举的方式产生该年的负责人，即值年会首。推举出的会首负责处理当年的日常事务，包括管理会务、管理财务收支等工作。成为它的会员很简单，凡自愿捐钱，捐木料也行，都可成为"会脚子"（即会员）。组织的运作经费主要来自社会，一方面由会员自己尽力出资，另外一方面向社会贤达人士募集。通常而言，值年会首多是会员中的殷实之家，而且平时乐于助人，有一定的威望。从舍材会组织看，尽管没有严格规章，却需要有一颗善良的心。作为它的会首，不仅不能得到什么经济报酬，反而往往在经费周转不灵时，倒贴腰包进行补助。从现有的资料看，绍兴舍材会虽然没有严格的监管机制，但也没有出现贪污、盗窃、挪用善款

的现象。这充分说明，这个民间慈善组织高度的自律性。

舍材会，顾名思义是施舍棺材，是一个义葬组织。至于它是何时出现，目前还没有统一的说法。张观达在《舍材会》一文中指出："有人认为，在明末清兵入据绍兴时，战乱所及，横尸街头荒野的时有发生，因而善心的老人（青年人多不敢出头）出来捐钱收尸，才逐渐形成舍材组织。也有人考证，明嘉靖三十四年（1555），倭寇一股近二百人，在浙江乐清登陆，流劫宁、台、绍三府达五十天，杀人放火。事后善人们收抬遗骸，才形成舍材会。"不管舍材会出现于明代，还是明末清初，总之，它出现的直接原因是为了解决动乱过后尸体无人收殓的问题。它的成立也是绍兴的淳朴民风、乐善好施传统习俗的体现。

虽然舍材会出现的诱因是为了应对战乱，但在平时舍材会的作用也是显著的。在传统社会，一般都是土葬，人死后需要收殓，这对一般家庭而言不算困难，但对于某些特殊贫困家庭和人群来说，却是一个大难题。在平常年景，城市里的乞讨者、流浪者遇到疾病或风霜雨雪，病死、饿死、冻死在街头的不乏其人；也有一些商人、谋生者遇到突发事故或疾病，客死异乡；还有一部分是家庭实在太贫苦，人死之后无法置办棺材，也无力殓埋，在这些情况出现后，就迫切需要外界的帮助，而舍材会就是帮助他们来解决这个问题的。如果遇到兵荒马乱和灾荒年景，舍材会的作用更是凸显。绍兴虽是鱼米之乡，但天灾人祸总是难免，而且传统社会抵御战乱和自然灾害的能力本来就弱，一旦社会出现巨大变故，饿殍遍野不是天方夜谭。而舍材会的作用便是，出资雇工匠，购买木材，制作一批批薄板棺材，收殓这些尸体，并埋到城外十余里的木栅村义冢。如果在死者身上能够找到明确的身份信息，他们还将这些信息做下记录，在埋葬处做下记号，以备他们的亲人日后前来认领。

舍材会不仅收殓尸体，而且每年清明和农历七月半还要祭奠这些无主的亡灵。每年这个时候，舍材会要派专人前往坟场，带上祭品，祭祀这些孤魂。舍材会的这些举动体现了传统社会里对死者最朴实的尊重。

在绍兴，“施舍棺材”“掩埋路尸”，让他们都能入土为安，是莫大的善举。舍材会的产生一方面是社会客观环境的需要，当时需要一个组织来从事这种社会慈善活动；另外一方面，也是更为重要的一方面，与传统社会里绍兴人扶危济困、施善行义的文化传统有关。尽管今天，我们已经不需要舍材会这类从事义葬的组织，但舍材会所体现出的慈善精神却依然是我们的宝贵精神财富。

阅读链接：

浙江民俗学会编：《浙江风俗简志》，浙江人民出版社，1986 年版。

张观达：《舍材会》，见浙江省民间文艺家协会选编《浙江民俗大观》，当代中国出版社，1998 年版。

叶大兵主编：《浙江民俗》，甘肃人民出版社，2002 年版。

丽水路会：修桥铺路，泽被乡里

常言道："千里之行，始于足下。"但大家是否想过，没有便捷的道路，如何行千里？尤其是在传统社会，全凭两条腿或者畜力，畅通的道路对人们的出行尤其重要。在浙江丽水地区，群山沟壑众多，不少村庄依山而建，人们出行不是很方便，即便开辟了山路，如果不精心维护，受雨水、山洪的影响，常常会被冲毁。面对这样的情况怎么办？古人是异常聪明的，在丽水，许多村庄就自发地组织起了路会，专门负责修桥铺路，而且这个路会完全是地方热心人士组织的公益组织。他们修路，并不是为了收取"过路费"，而是从简单的便于出行这个目的出发，体现的是一种邻里互助的精神。

路会的负责人，即会首，一般是地方上德高望重的、具有一定号召力的绅士，在大宗族聚居的村落，一般就是族长。路会完全是一个临时性的组织，有需要时，由会首发起，路修好后，路会即告解散，组织异常灵活。

路会主要负责村与村之间往来的道路，官路驿道以及私家的田路不在负责的范围。各村负责的道路，历代相传，各负其责，如需要修筑村与村之间往来的新路，多由相关村落协商好线路、路的标准以及界线，分工合作，共襄善举。

作为地方公益组织，路会的活动经费都来自百姓自发的募集。每当需要修路时，会首就鸣锣召集村落中各户，将修建道路的有关事宜，向他们通告，进行协商，划分任务，摊派费用。

间慈善组织的育婴堂与地方政府之间，结下了不解之缘。顺治十六年（1659），顺治帝接到了都察院左都御史魏裔介有关江南地区民间溺婴事情的奏报，顺治帝对江南日益严重的溺毙女婴的现象深感忧虑和痛恨，立即下达了“溺女恶俗，殊可痛恨，着严行禁革”（《清世祖实录》）的谕旨，地方各级政府，尤其地处江南的江浙一带立即行动，积极创办和支持育婴堂的发展。从这一时期起，育婴堂逐渐染上浓厚的官方色彩，演变为官督民办的慈善机构。

育婴堂虽然由政府倡导，但居中运作的往往是地方热心慈善事业的绅士，杭州地区育婴堂的发展，就是一个典型的例子。清朝初年，杭州的育婴堂已经废弛，康熙五年（1666），地方绅士陆元章募集资金在吴山脚下重建育婴堂，1800年，因官方管理不善，改为绅士董理，只不过每年从盐库拨银四千两作为育婴堂的运营经费。其他地方也是如此，在很多地方志中，都可以发现地方绅士热心于育婴堂的事迹。《嘉庆山阴县志》记载：“邑民刘世洙等捐资建立（育婴堂），柴世盛捐田三百亩，凡有淹溺弃婴，雇乳媪分养之，寒则给衣，病则疗药。”清政府将育婴堂纳入政府的控制系统后，并没有排斥社会力量，相反在官督民办思想的指导下，育婴堂成为政府保障社会安定的一个有力杠杆。

近代以后，育婴堂发展的时代背景出现巨大转换，太平天国农民起义过程中，浙江社会生产秩序遭到巨大破坏，地方慈善机构也毁坏殆尽。1864年，清政府为尽快恢复江南地区社会生产和社会秩序，呼吁民间社会积极配合协助，重修或创建各种慈善机构，被战争破坏殆尽的浙江地区的育婴堂得到快速恢复。1865年，浙江布政使蒋毓英出面兴修育婴堂，设乳房95间，翌年，正式收婴。1867年，浙江巡抚马端敏以育婴堂屋舍狭小，下令扩建，在地方绅士章士旭的支持下修建，此项善举得以顺利进行。浙江嘉兴府嘉秀育婴堂也在知府许瑶光的劝谕下重修。这一时期，育婴堂的重建，得到了官方的广泛支持，重建后的育婴堂在经费上，虽有民间支持，时常受雨水冲刷，容易出现突发状况，尤其是碰到山洪，山道、桥梁容易被冲毁，这时，不可能等到农闲时修葺，一般在会首的带领下，进行抢修，至于开支一类，等下次召集会议时解决。

路会活动的开展，是建立在良好的互助互利的乡村美德基础之上的。在丽水，我们可以发现很多地方热心人士，支持路会活动。一些村庄，为了让路会能持久运作下去，购置一些田产，以田租供路会开支。在松阳县雅溪乡程路后村，保留着清同治年间的一块路碑，碑上写着："路会有路会田一亩二分五厘，以田租收入养路，同治癸亥岁仲月立。"（蓝周根《畲族的社会组织》）有些村庄邻近河流，路会修筑的桥梁，常会被大水将桥板冲到下游，下游的村子村民如果发现，常常通知路会，并根据桥板上的村名送回。

其实，路会不仅存在于丽水，在绍兴、金华等地也是很常见。在传统社会，人们把参加修路视为"积阴德"，以能够助人为荣，正因如此，路会在浙江大地普遍存在。路会作为传统社会里邻里互助的一个典范，现今其精神依然在农村常见。为了修筑村庄的道路，村民们慷慨捐助，共同集资，成为一种良好的社会风尚。

阅读链接：

吴学融：《丽水山中的路会》，见浙江省民间文艺家协会选编《浙江民俗大观》，当代中国出版社，1998 年版。

沈毅：《景宁的白露修路》，见浙江省民间文艺家协会选编《浙江民俗大观》，当代中国出版社，1998 年版。

蓝周根：《畲族的社会组织》，见浙江省民间文艺家协会选编《浙江民俗大观》，当代中国出版社，1998 年版。

后　记

2011 年 9 月 1 日，习近平同志在出席中央党校 2011 年秋季学期开学典礼时，发表了《领导干部要读点历史》的讲话，强调领导干部不管处在哪个层次和岗位，都应该读点历史，从中汲取有益于加强修养、做好工作的智慧和营养，不断提高认识能力和精神境界，不断提升领导工作水平。

为贯彻落实习近平同志讲话精神，服务省委、省政府中心工作，传承和弘扬浙江优秀历史文化，浙江省社科院发挥自身优势，及时启动了《浙江历史人文读本》（以下简称《读本》）课题研究和编写论证工作。2011 年 12 月至 2012 年 1 月，我们走访了省委办公厅、省委组织部、省委宣传部、省委党校等相关单位及领导、专家，多次座谈论证，大家一致认为，启动《读本》课题研究非常必要，也很有意义，在贯彻落实习近平同志讲话精神、提供省级区域历史人文读本等方面，走在了全国前列。2012 年 2 月，省社科院将此课题列为本院 2012 年重大课题，以本院历史所为主，组织院内骨干科研人员和浙江文化艺术研究院、杭州师范大学历史系等单位的专家学者，成立课题组，并正式开展研究和编写工作。2012 年 10 月，本课题正式立项为浙江省哲学社会科学规划课题。

《读本》由八个分册组成，每个分册分为若干专题，每一专题由若干子目组成。在体例上，《读本》不是“纵不断线”的通史书写，也不是专一的史料考证或理论论述，而是重在根据有鲜明特色、有重大意义、有突出影响、有重要成就的“四有”原则选取和设立各个子目，撷取浙江历史文化中最灿烂夺目的片断、最精华的材质，尤其是能在中国历史文化中称得上“第一”或“第一流”的人、事与历史场景，经深入探究、浓缩淬炼、精心构思，书写成一个个清新简明、意蕴深长且兼具历史气息和时代特质的“浙江意象”，为广大读者揭示浙江历史上的璀璨人文。

省社科院党委自始至终高度重视本课题的实施，从人员组织、经费落实、书稿审阅、出版发行等各个方面、各个环节精心组织，严格把关，确保质量。院领导及时关注课题进展，全程参加课题研讨，解决面临的各种困难。院学术委员会详细评审了课题方案，各分册评审专家精心审阅了全部书稿，提出了大量真知灼见。课题组成员本着对历史、对社会高度负责的使命感和责任心，精诚合作，全力投入，反复打磨，精益求精，力求学术基础扎实规范、内容选择主题突出、文字表达生动可读，着力创作优秀历史文化当代传承的精品。

省委书记夏宝龙十分重视关心《读本》编撰工作，于百忙之中亲自为《读本》作序，充分体现了省委领导对贯彻落实习近平同志讲话精神、对优秀历史文化及其当代应用的重视以及对我院工作的指导、关怀和支持。

省委组织部、省委宣传部、省社科联、省出版联合集团、省文化厅、省委党校、省委党史研究室等部门和单位的相关领导、专家对《读本》编写给予大力支持。特别是省委宣传部高度重视本课题，要求我院以省级礼品书为目标，精心编写，重视质量，打造精品佳作。省委常委、省委宣传部部长葛慧君亲自担任《读本》编撰指导委员会主任，常务副部长胡坚亲自担任编辑委员会主任，副部长鲍洪俊给予《读本》出版以大力支持。省委组织部干教处，省委宣传部理论处、党教处，省文化厅非遗处负责人积极谋划，多方协调，给予我们极大帮助。

浙江古籍出版社的负责人和各位责任编辑、美术编辑，认真负责，精心编校，为《读本》的出版做了大量增光添色的工作。

在此，我们对以上单位、领导和专家，表示衷心的感谢和诚挚的敬意！

由于浙江历史悠久厚重，《读本》所涉内容面广量大，作者水平有限，编写时间较紧，书稿中难免存在一些不尽如人意之处，敬请各位读者批评指正！

课题组

2013 年 5 月

图书在版编目（CIP）数据

江山风情 / 汤敏，刘俊峰著 . — 杭州 : 浙江古籍出版社 , 2013.6

（浙江历史人文读本）

ISBN 978-7-5540-0069-4

Ⅰ . ①江… Ⅱ . ①汤… ②刘… Ⅲ . ①风俗习惯—浙江省 Ⅳ . ① K892.455

中国版本图书馆 CIP 数据核字（2013）第 140083 号

江山风情

汤敏　刘俊峰　著

出版发行　浙江古籍出版社

（杭州体育场路 347 号　电话 : 0571-85176986）

网　　址　www.zjguji.com

责任编辑　翁宇翔

责任校对　吴颖胤

封面设计　刘　欣

责任印务　贾　敏

照　　排　杭州立飞图文制作有限公司

印　　刷　浙江海虹彩色印务有限公司

开　　本　787 × 1092　1/16

印　　张　24

字　　数　320 千字

版　　次　2013 年 7 月第 1 版

印　　次　2013 年 7 月第 1 次印刷

书　　号　ISBN 978-7-5540-0069-4

定　　价　60.00 元

修路一般是在农闲之时，家家户户都能派出劳动力。修路一般不给工资，最多管一餐中饭，工具需要自带。动工时，会首鸣锣召集，统一出发。路成后，路会要聚餐庆祝，宴会上请来地方的头面人物，由会首当众报告修路的情况以及账目，如果修路费用有剩余，则留作明年的开销，如果计费不足，则需要继续捐款或者分摊。同时，会首也会将捐钱人的姓名以及数额，刻入路碑，以宣扬其功德。

当然，如果遇到突发状况，路会也会负起责任。山路崎岖，

宋　朱锐《溪山行旅图》